Fora da lei

Angus Donald

Fora da lei

Tradução de
Marcelo Schild

EDITORA RECORD
RIO DE JANEIRO • SÃO PAULO

2010

CIP-Brasil. Catalogação-na-fonte
Sindicato Nacional dos Editores de Livros, RJ

Donald, Angus, 1965-
D728f Fora da lei / Angus Donald ; tradução de Marcelo Schild Arlin. –
Rio de Janeiro : Record, 2010.

Tradução de: Outlaw
ISBN 978-85-01-08956-4

1. Romance inglês. I. Arlin, Marcelo Shild. II. Título.

10-1261. CDD – 895.13
CDU – 821.581-3

Título original em inglês:
OUTLAW

Editoração eletrônica: FA Editoração

Texto revisado segundo o novo Acordo Ortográfico da Língua Portuguesa.

Impresso no Brasil

ISBN 978-85-01-08956-4

Para minha adorável esposa, Mary, que torna tudo possível

Batalha de Linden Lea, manhã, 20 de julho de 1189.

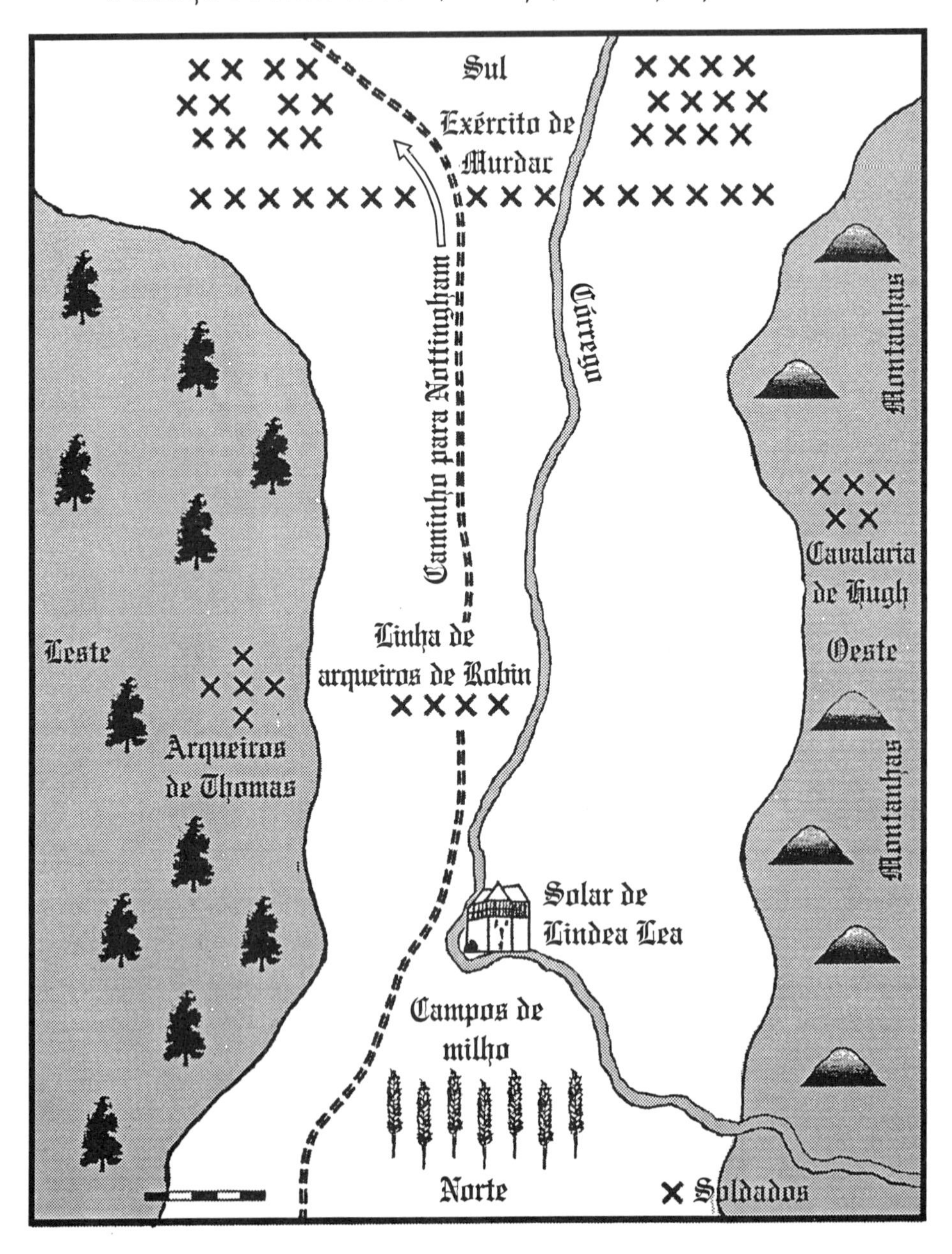

Capítulo 1

Uma chuva fina e ácida cai sobre o orquidário diante da minha janela, mas agradeço a Deus por isso. Nestes tempos escassos, basta a garantia de que haja fogo em meu quarto, uma pequena chama para aquecer meus ossos enquanto rabisco estas linhas sob a luz cinzenta de um dia frio de novembro. Minha nora, Marie, que governa esta residência, é mesquinha em relação à lenha. O solar é meu e poderíamos levar uma vida decente, até abastada, nestas terras, se houvesse um ou dois homens jovens que as trabalhassem. Mas desde que meu filho Rob morreu no ano passado de uma maldita hemorragia, uma espécie de cansaço tomou conta de mim, roubando minha determinação. Apesar de ainda ser robusto e saudável, graças ao Senhor, cada manhã é uma luta para me levantar da cama e iniciar as tarefas diárias. E desde a morte de Rob, Marie tornou-se amarga, silenciosa e frugal. Decretou que não haveria lareiras acesas durante o dia, a menos que chovesse; carne somente uma vez por semana; e orações diárias pela alma dele, de manhã e à noite. Em minha melancolia, não encontro forças para me opor a ela.

Aos domingos, Marie não diz uma palavra sequer, apenas fica sentada rezando e contemplando o sofrimento de Nosso Senhor no salão grande e frio durante todo o dia. Levanto-me para levar meu neto, Alan, que carrega meu nome, para a floresta nos limites de minha propriedade, onde ele brinca de ser um fora da lei e eu fico sentado, cantando para ele e contando histórias de minha juventude: de meus próprios dias despreocupados como fora da lei, quando não temia nenhum homem do rei, nenhum xerife ou guarda-florestal, quando fazia o que me desse vontade, pegava o que queria e não seguia as ordens de nenhuma outra pessoa além das de meu mestre fora da lei: Robert Odo, lorde de Sherwood.

Hoje, aproximando-me dos 60 anos, sinto o frio mais do que jamais senti quando era aquele jovem, e também a umidade; e agora meus ferimentos antigos doem durante boa parte do inverno. Enquanto observo a chuva cinzenta cair sobre meu pomar, agarro meu robe forrado com peles com mais força contra o ar frio e minha mão esquerda desliza para fora da manga, sobre os músculos salientes de espadachim, e encontra seu caminho até uma cicatriz longa e profunda na parte superior de meu antebraço direito. Acariciando o sulco duro e liso, lembro-me da terrível batalha na qual conquistei a marca.

Eu estava deitado em um pântano de sangue e terra revirada, meio cego pelo suor e meu elmo, que fora jogado para a frente, segurando minha espada para o alto, apontando para o céu em um gesto impotente de defesa enquanto arfava no solo. Acima de mim, o enorme espadachim com uma armadura de malha cinzenta atacava meu braço direito. O tempo começou a se arrastar, eu podia ver o movimento lento de sua espada e a raiva amarga em seu rosto, e senti a mordida do metal atravessando o tecido espesso de minha manga e tocando a carne do meu braço direito, quando, do nada, Robin bloqueou o ataque com sua espada, quase tarde demais, mas impedindo que a lâmina fizesse um corte muito profundo.

Depois, lembro-me de Robin, coberto de suor, rosto ferido e sangrando, colocando uma atadura no ferimento e sorrindo para mim enquanto eu fazia caretas de dor. Ele falou, e me lembrarei de suas palavras até a morte: "Parece que Deus realmente quer esta mão, Alan. Mas neguei-a a Ele três vezes — e Ele jamais a tomará enquanto eu tiver forças."

Foi minha mão direita que Robin salvou, minha mão de escrever, e com esta mão pretendo pagar a dívida que tenho com ele. Através deste instrumento, com a vontade do Senhor, escreverei sua história, e também a minha, e revelarei ao mundo a verdade sobre o perverso fora da lei e mestre dos ladrões, o assassino, o mutilador e amante carinhoso, o vitorioso conde e comandante de um exército e, finalmente, o grande magnata que trouxe o rei da Inglaterra para uma mesa em Runnymede e fez com que ele se submetesse à vontade do povo da terra; a história do homem que eu conhecia simplesmente como Robin Hood.

Todos na aldeia sabiam que Robin estava para chegar. Desde a morte do senhor do solar no último inverno, a aldeia estava em uma atmosfera quase perpétua de feriado: não havia autoridades que obrigassem as pessoas a trabalhar nos domínios do senhor e, depois de trabalharem nas próprias faixas de terra, os aldeões ficavam com tempo livre. A casa da taberneira ficava cheia o dia todo e vibrava com conversas sobre os feitos, as aventuras e atrocidades de Robin. Mas muito pouco do que diziam era verdade e as novidades eram escassas: sabia-se apenas que ele chegaria ao anoitecer e que encontraria todos que tivessem assuntos a tratar com ele à noite, na igreja, onde seriam recebidos.

Eu estava literalmente alheio a todo esse barulho e incômodo, pois estava no palheiro acima do estábulo atrás do casebre decrépito de minha mãe, escondido em uma toca que construíra na palha. Eu tinha 13 verões de vida, um calombo latejante na testa do tamanho de uma castanha, o nariz sangrando e um corte profundo na bochecha, e tratava o terror que sentia com uma grande dose de tédio absoluto. Eu estava ali desde o meio da tarde, quando entrei em casa aos tropeços, cortado e machucado, tendo escapado da mão severa da lei e corrido 19 quilômetros desde Nottingham, atravessando os campos que me levariam até a casa.

Éramos pobres, quase miseráveis e, depois de muitas vezes ter visto minha mãe chorar de exaustão por passar o dia conquistando um sustento escasso, colhendo e vendendo lenha para os vizinhos, decidi me tornar um ladrão, mais especificamente um cortador de bolsas: eu cortava as alças de couro que prendiam as algibeiras dos homens a seus cintos com uma pequena faca que mantinha afiada como uma navalha. Nove entre dez vezes, eles não percebiam nada até que eu estivesse a 20 metros de distância, perdido na multidão apertada do mercado de Nottingham. Quando voltava para casa com um punhado de moedas de prata e as colocava diante de minha mãe, ela jamais perguntava de onde tinham vindo, apenas sorria, beijava-me e saía às pressas para comprar comida. Apesar de ter sido levado pela necessidade a obter o pão de cada dia de outras pessoas, descobri, que Deus me perdoe, que eu era bom naquilo e gostava de fazê-lo. Na verdade, eu amava a emoção da caçada; seguir um mercador gordo enquanto caminhava entre as multidões dos dias de mercado, tão silencioso quanto sua sombra, para em seguida esbarrar nele com rapidez, como que por acidente, fazendo um pequeno corte e me afastando antes que o homem soubesse que tinha perdido a bolsa.

Naquele dia, no entanto, eu fora estúpido e tentara roubar uma torta de uma barraca — uma torta saborosa de carne, tão grande quanto meus dois punhos e com uma crosta dourada. Eu estava com fome, como sempre, mas também exageradamente autoconfiante.

Recorri a um ardil que já havia usado: fiquei atrás de uma taberneira com roupas largas que cutucava os produtos na barraca e resmungava em relação aos preços; sorrateiramente, atirei uma pequena pedra no barraqueiro ao lado — um queijeiro, se me lembro corretamente —, acertando-o em cheio na orelha; depois, nas recriminações que se seguiram entre os barraqueiros, tirei rapidamente a torta da prateleira, coloquei-a em minha bolsa aberta e saracoteei para longe.

Mas o aprendiz do padeiro, que estava urinando atrás da carroça, apareceu no instante em que eu agarrava meu jantar e gritou: "Olá!", ao que todos se viraram. Começaram a gritar "Pare, ladrão!" e "Alguém pegue ele!" enquanto eu me espremia como uma enguia enlouquecida pelo emaranhado de aldeões até que — crac! — fui derrubado por uma paulada na testa, dada por algum camponês, e pego pelo pescoço por um homem de armas que estava de passagem. Ele deu dois socos em cheio na minha cara com seu grande punho armado com cota de malha e minhas pernas ficaram bambas.

Quando me recobrei, alguns instantes depois, estava deitado no chão no meio de uma multidão. O soldado estava sobre mim, vestido com o casaco preto com divisas vermelhas de Sir Ralph Murdac, pela ira de Deus, o grande xerife do condado de Nottingham, do condado de Derby e das florestas reais. De repente, fiquei rígido de terror.

O soldado me levantou puxando-me pelo cabelo e fiquei de pé, atordoado e tremendo enquanto o aprendiz de rosto escarlate contava a história da torta roubada. Minha mochila estava rasgada e o círculo de curiosos fechou-se para ver o objeto incriminador fumegando delicada e deliciosamente no meu colo. Ainda salivo quando me lembro do aroma glorioso.

Então houve uma onda de empurrões e gritos e a multidão se abriu, afastada pelas lanças de uma dúzia de homens de armas. Um nobre entrou no espaço aberto, vestido inteiramente de preto.

Apesar de jamais o ter visto antes, soube imediatamente que o homem era o próprio Sir Ralph Murdac: o magnata que defendia o castelo de Nottingham para o rei e que também detinha o poder de vida e morte sobre todas as pessoas em uma parte enorme da região central da Inglaterra. A multidão silenciou e olhei estupidamente para ele, aterrorizado, enquanto ele olhava calmamente de cima a baixo para meu corpo magro, examinando meu cabelo louro sujo, o rosto enlameado e as roupas rasgadas. Sir Ralph Murdac era um homem esguio, de pouca altura porém bonito, de corpo atlético, vestido com uma túnica e calças pretas de seda e coberto por uma capa escura como piche, presa com uma fivela de ouro sobre sua garganta. Na mão direita segurava um chicote de montaria, uma vara de 1 metro coberta de couro preto que se afinava de uma largura de mais de 2 centímetros até a espessura de um cadarço. À sua esquerda, pendia uma espada com alça de prata em uma bainha de couro preto. Tinha a barba bem-aparada e o rosto esculpido e emoldurado agradavelmente por uma cabeleira totalmente preta, cortada e encaracolada com cuidado no formato de uma cuia. Senti um toque de seu perfume: lavanda e algo almiscarado. Os olhos azuis mais claros que eu jamais vira, frios e desumanos, pareciam reluzir como gelo sob um par de sobrancelhas negras. Ele apertou os lábios vermelhos enquanto me examinava. E, de repente, todo o meu medo desapareceu, como uma onda recuando sobre a praia... e descobri que o odiava. Fui tomado por um desprezo frio e desumano: eu odiava o que ele e outros de seu tipo haviam feito comigo e com minha família. Odiava sua riqueza, suas roupas caras, sua boa aparência, sua perfeição perfumada e a arrogância na qual nascera. Eu odiava o poder que tinha sobre mim, sua premissa de superioridade, a verdade de sua superioridade. Concentrei o ódio em meu olhar. E acho que ele reconheceu minha animosidade. Por um instante, nossos olhos se encontraram e, com um movimento rápido de seu queixo perfeitamente quadrado, ele desviou o olhar. Naquele instante, espirrei, um latido nasal colossal, tão alto e repentino que chocou a todos. Sir Ralph levou um susto e olhou-me com espanto. Eu sentia o catarro e o sangue misturando-se em meu nariz machucado, começando a escorrer pelo lado da minha boca até meu queixo. Resisti ao impulso de lambê-lo. Murdac estava em silêncio, olhando-me com desprezo absoluto. Então, falou muito tranquilamente, em um sussurro ceceoso com sotaque francês:

— Levem esta... sujeira... para o castelo.

Em seguida, quase como uma consideração final, disse diretamente para mim:

— Amanhã, camarada nojento, cortaremos essa mão de ladrão.

Espirrei novamente e uma grande bolha de catarro ensanguentado voou do meu nariz, atingindo sua capa imaculadamente preta. Ele olhou com horror para a sujeira amarela e vermelha e, rápido como o bote de uma serpente, atingiu-me em cheio no rosto com o chicote de cavalo. O golpe derrubou-me de joelhos e o sangue começou a escorrer de um corte de 5 centímetros em minha bochecha. Em meio a uma névoa de raiva e dor, levantei os olhos para Sir Ralph Murdac. Ele encarou-me de volta por um segundo, seus olhos azuis estranhamente vazios, largou o chicote na lama, como se tivesse sido contaminado com a peste, virou-se suavemente, colocou a capa em uma posição mais confortável e partiu em meio à turba de aldeões, que se abriu diante dele como o mar Vermelho diante de Moisés.

Quando o homem de armas começou a me arrastar pelo pulso, ouvi uma mulher gritar:

— Este é Alan, filho da viúva Dale. Tenham piedade dele, é apenas um garoto sem pai!

O homem parou, virando-se para falar com a mulher e segurando meu braço com apenas uma das mãos. Quando ele se virou, concentrei meu ódio, minha raiva, e torci o pulso contra a mão que o segurava. Soltei meu braço, embrenhei-me por baixo de um par de pernas e corri. Atrás de mim, uma fúria de gritos entrou em erupção: homens de armas empurrando e xingando em meio às pessoas que obstruíam o caminho. Esquivei-me para a direita e para a esquerda, deslizando pela multidão, empurrando guardas robustos e desviando das donas de casa com suas cestas. Criei um tornado de confusão à medida que as pessoas reagiam com raiva à minha passagem. Homens e mulheres viraram-se rapidamente, furiosos por terem sido empurrados com tanta força. Carroças foram derrubadas e voaram pelos ares; peças de cerâmica quebraram ao cair no chão; as cercas em torno de um rebanho de ovelhas foram derrubadas e os animais fugiram para acrescentar seus balidos ao tumulto — e eu já estava longe, correndo por um beco transversal, atravessando a oficina de um ferreiro e subindo uma rua estreita, espremendo-me entre duas grandes casas e virando para a esquerda em outra rua até que o barulho sumiu atrás de mim. Parei na porta de uma igreja ao lado da muralha da cidade e recobrei o fôlego. Aparentemente, não me seguiam. Depois, lutando para acalmar meu coração disparado, com o capuz sobre a cabeça e mantendo uma das mãos casualmente sobre meu rosto cortado e ferido, caminhei o mais tranquilamente que consegui, atravessei o portão da cidade, passando pelo vigia adormecido, e peguei a estrada que levava para a floresta fechada. Quando sumi de vista, corri. Corri como o vento, apesar da cabeça latejante e da sensação de náusea que retorcia meu estômago. Corri o mais rápido que pude até ver nossa aldeia depois de uma curva na estrada. Quando parei para recobrar o fôlego, percebi que estava segurando com força meu pulso direito. Eu ainda tinha meu braço, louvado seja Deus, eu ainda tinha meus dedos leves. E tinha também a torta.

Deitado no palheiro, cuidando do meu rosto cortado e ferido, revi em minha cabeça as imagens do dia. Não ocorrera nenhuma perseguição na estrada que sai de Nottingham, até onde eu sabia, mas a mulher no mercado me conhecia, o que me fez perceber que não demoraria muito — provavelmente até a manhã seguinte — para que os homens do xerife viessem me capturar no casebre de minha mãe.

Assim, naquela noite, minha mãe me levou para ver Robin.

O povoado estava escuro, exceto por um círculo de tochas ao redor da antiga igreja na extremidade norte. Nossa igreja não era grandiosa — um pouco maior que as casas, era construída com pedras espessas e tinha um telhado de palha. Não tínhamos padre, pois o povoado era pobre demais para garantir seu sustento — na verdade, era pouco mais que uma aldeia. Mas nos festivais sagrados, como na Páscoa, na festa de são Miguel, no Natal e em outros, um clérigo iniciante vinha de Nottingham e realizava uma missa. E, tão certo quanto o homem nasce para morrer, depois da colheita o representante do bispo vinha recolher o dízimo.

Como a igreja era a maior e mais sólida construção, também a utilizávamos para reuniões e, na anarquia recente entre o rei Stephen e a imperatriz Maud, ela protegera os aldeões de grupos errantes de guerreiros que buscavam saques e pilhagens. Naqueles dias sombrios, dizia o ditado, um homem sábio mantinha suas moedas enterradas, as roupas simples e as filhas em casa.

Desde que o rei Henrique assumira o trono, 34 anos antes, a Inglaterra vinha conhecendo uma espécie de paz. Não precisávamos mais enfrentar grupos de soldados rebeldes saqueadores, mas precisávamos abaixar a cabeça para os homens de armas de Sir Ralph Murdac. E eles podiam ser igualmente vorazes, especialmente agora que o rei estava no exterior, lutando contra o filho, o duque Ricardo da Aquitânia, e Filipe Augusto, o rei da França. Nosso Henrique nomeara Ranulfo de Glanville para governar como oficial judicial e a Inglaterra, como muitos aldeões murmuravam, deixara de ser bem governada. Ranulfo, diziam, amava prata e ouro e nomearia qualquer pessoa para o posto de xerife — até o próprio diabo — se ela pudesse pagar e continuar pagando muito bem pelo cargo. Ele mesmo fora xerife e sabia exatamente quantas moedas de prata poderiam ser obtidas de um condado na forma de impostos. E fomos sugados até a última gota. Diziam que Ralph Murdac, que fora nomeado por Glanville, estava gerando uma boa fortuna para o oficial judicial e também para si mesmo.

Naquela noite de primavera, uma multidão de aldeões reuniu-se fora da igreja e poucos entravam de cada vez, à medida que outros saíam. Minha mãe se espremeu na multidão, puxando-me atrás dela. Quando nos aproximamos da porta da igreja, vi que estava sendo guardada por um gigante. Ele não falou, mas esticou a mão grande com a palma voltada para nós. E paramos como se tivéssemos ido de encontro a uma parede invisível.

O porteiro era um homem realmente gigantesco, de cabelo amarelado, com uma grande vara em uma pata enorme e uma longa adaga, quase uma espada, presa ao cinto. Ele baixou os olhos para nós, concordou com a cabeça e, com um meio sorriso, disse:

— Senhora, o que a traz aqui? Que assunto você tem a tratar com ele?

Minha mãe respondeu:

— É meu filho, Alan. — Ela gesticulou em minha direção. — Estão vindo pegá-lo, João.

O gigante assentiu novamente:

— Espere ali — ele bramiu, e indicou um grupo de cerca de vinte pessoas, homens, mulheres e algumas crianças, que esperavam ao lado da igreja.

Depois de nos juntarmos ao grupo, minha mãe cuspiu em um pedaço de pano e começou a passá-lo levemente em meu rosto, tentando limpar um pouco da sujeira e do sangue coagulado. Na época, eu vivia muito livre — retornava raramente para casa, somente quando tinha um pouco de prata ou comida para levar para minha mãe, dormindo no chão duro em esquinas mal iluminadas da cidade de Nottingham ou em palheiros e celeiros no campo. Desde quando meu pai, Harry, morrera enforcado pelos soldados de Murdac, quatro anos antes, eu me incomodara raramente com limpeza e, honestamente, vivia imundo. Meu pai tinha sido um homem estranho, educado e musical, sábio, cortês e estranhamente meticuloso quanto a manter as unhas e os cabelos limpos. Mas quando eu tinha 9 anos, foi enforcado como um ladrão comum.

Os soldados arrombaram a porta de nosso casebre pouco antes do amanhecer e agarraram meu pai, arrancando-o do grande colchão de palha no qual toda a família dormia e carregando-o para a rua. Sem a menor formalidade, amarraram suas mãos atrás das costas e penduraram-no pelo pescoço no grande e amplo carvalho no centro do povoado, perto da taberna, como um exemplo para o resto de nós. Ele levou muitos minutos para morrer e se sujou — mijo pingando dos calcanhares descalços que chutavam — enquanto balançava na corda, contorcendo-se à meia-luz. Meu pai tentou manter contato visual comigo enquanto morria, mas, que Deus me perdoe, desviei o olhar de sua face horrivelmente inchada e de seus olhos esbugalhados e escondi o rosto com as mãos. Que o Senhor tenha piedade de sua alma. E da minha.

Quando os soldados partiram, cortamos a corda e o enterramos, e não acredito que jamais tenha visto minha mãe feliz novamente depois daquele dia. Ela contou muitas histórias sobre ele, acredito que em um esforço para manter viva nos filhos a memória do pai. Ele viajara o mundo, minha mãe disse, e era bem-educado; fora clérigo na França e cantor na grande nova catedral de Notre-Dame que estão construindo em Paris. Antes de morrer, meu pai dedicara-se a me ensinar a ler e a escrever em inglês, francês e latim. Em muitas ocasiões, bateu-me para que as palavras se fixassem em minha cabeça, mas nunca com força. Contudo, no final de muitas, muitas horas, eu ainda estava mais interessado em correr livremente pelo campo que em trabalhar como um escravo sobre uma lousa. Mas sempre me lembrarei de sua música, mesmo à medida que seu rosto fica cada vez mais indefinido depois de tantos anos, e de como seu canto enchia a casa de alegria. Lembro-me de como cantávamos, toda a família, à noite, ao lado do fogo; minha mãe e meu pai tão felizes juntos.

Enquanto minha mãe dava patadas em meu rosto sujo com o pano umedecido, vi que as lágrimas escorriam pelo seu rosto mais uma vez. Eu era o último membro da família: meu pai estava morto e minhas irmãs mais novas, Aelfgifu e Coelwyn, haviam morrido dois verões antes em um intervalo de poucas semanas, depois de uma doença curta e agonizante que as fez vomitar sangue e evacuar um líquido negro e malcheiroso. E agora eu, o único filho ainda vivo, corria o risco de ser levado pela lei no dia seguinte e ter a mão cortada. Ou pior: ser enforcado do mesmo modo que meu pai, como um ladrão.

Devo confessar que, naquele momento, do lado de fora da igreja, com minha mãe em prantos, não temi os homens do xerife, tampouco lamentei a morte de meu pai e de minhas irmãs — a emoção predominante em meu coração era a excitação. Robert, lorde de Sherwood, estava lá; Robin Hood: aquele homem grande e terrível, temido igualmente por lordes normandos e aldeões ingleses. Era um homem que predava os ricos, roubando a prata deles e matando seus criados quando passavam por seu reino; um homem que, desdenhando de Sir Ralph Murdac, fazia o que bem entendia na grande Floresta Real de Nottingham. Na verdade, Robin Hood era o verdadeiro soberano da floresta. E, em pouco tempo, eu estaria diante dele.

Quando olhei para a porta da igreja, percebi que algo estava faltando. Uma massa escura fora pregada acima do lintel. Sob a luz trêmula das tochas, eu mal conseguia identificá-la. Era a cabeça decepada de um lobo jovem, com os olhos ainda abertos e brilhando loucamente sob a luz das tochas. Um grande prego fora martelado através da testa, fixando-a à madeira. Sangue negro fora espalhado ao redor da cabeça e nos batentes. Senti uma excitação quase insuportável, uma euforia que subia de meus pulmões para minha cabeça. Robin Hood ousara profanar a igreja com o corpo de um animal para fazer dela, por uma noite, sua propriedade. Ele ousara arriscar sua alma imortal com um símbolo pagão nos domínios de nossa Mãe Igreja. Era realmente um homem destemido.

Finalmente, depois do que pareceram muitas horas, o gigante nos chamou e abriu as portas da igreja. Minha excitação atingira um nível febril e, apesar de minha cabeça machucada estar latejando, mantive-a erguida quando entramos.

Dezenas de velas grossas de sebo haviam sido acesas e, depois da escuridão no lado de fora, estava surpreendentemente claro no interior da igreja, ocupada até a metade por aldeões e um punhado de estranhos de aparência sombria, com capuzes cobrindo os rostos, alguns de pé e outros sentados em bancos de madeira ao longo das paredes. Um escrivão, um homem de meia-idade com cerca de 30 anos, estava sentado em uma pequena mesa em um canto da igreja, rabiscando em um rolo de pergaminho. E uma grande cadeira de madeira fora colocada exatamente sob o altar.

Na cadeira estava sentado um jovem de aparência comum, magro, com pouco mais de 20 anos, cabelo castanho sem graça, vestindo calças verdes e uma túnica da mesma cor, remendada e mal tingida, parcialmente enrolado em uma capa cinza. As roupas que vestia não eram nada diferentes das de qualquer homem da aldeia — talvez fossem ainda mais desgrenhadas. Foi um choque. Onde estava o grande homem? Onde estava o Senhor da Floresta? Ele não carregava uma espada, não usava ouro, nada de anéis, nenhum sinal de sua posição e poder — exceto que, atrás dele, havia dois homens encapuzados, cada um com uma espada e um arco de 2 metros. Fiquei profundamente decepcionado; aquele não era um lorde fora da lei. Para mim, parecia um aldeão, como eu. Uma imagem de Sir Ralph Murdac surgiu em minha mente: as sedas pretas caras, o cheiro de lavanda, o ar de superioridade. Depois, olhei novamente para o homem comum à minha frente.

Ele estava inclinado para a frente, com os olhos fechados, um cotovelo no braço da cadeira, o queixo apoiado na palma da mão, dedos cobrindo a bochecha, escutando um homem baixo e muito largo com cabelo castanho-avermelhado e vestido com os robes desgastados de um monge, que falava suave e sinceramente a seu ouvido. O monge terminou de falar e veio até nós. Robin recostou-se, suspirou e abriu os olhos. Olhou diretamente para mim e vi que tinha os olhos tão cinzentos quanto sua capa, quase prateados sob a luz das velas. Então, fechou os olhos novamente e mergulhou em contemplação.

— Meu nome é Tuck — disse o monge com um sotaque estranho e musical que presumi ser escocês. — Como posso lhes servir?

Minha mãe esticou a mão para o monge: nela, havia um único ovo de galinha.

— É meu filho — disse ela, apressadamente. — Os homens do xerife estão vindo para prendê-lo e, com certeza, cortarão sua mão ou o enforcarão. Leve-o com você, irmão. Mantenha-o seguro sob a proteção do Senhor da Floresta. Refúgio, irmão. Pelo amor de Deus, ofereça-lhe refúgio na floresta.

Olhei nos olhos do monge escocês: eram delicados, de um tom castanho-claro, da cor de avelãs, tristes e bondosos. Ele pegou o ovo e colocou-o em uma algibeira aberta presa a seu cinto, sem se dar ao trabalho de afivelá-la.

— Por que estão vindo pegá-lo? — ele me perguntou.

Minha mãe começou a grasnar:

— É tudo um mal-entendido, um engano; ele é um bom garoto. Sim, às vezes é travesso...

Frei Tuck ignorou-a e perguntou-me novamente:

— Por que estão vindo pegá-lo, garoto?

Encarei-o diretamente nos olhos:

— Roubei uma torta, senhor — eu disse com o máximo de calma que consegui, meu coração batendo como um tambor mouro.

— Você sabe que roubar é pecado? — ele perguntou.

— Sim, senhor.

— Mas, ainda assim, você roubou... Por quê?

— Eu estava com fome e... é o que faço; roubar. É o que faço melhor Melhor do que quase qualquer um.

Tuck bufou, entretido.

— Melhor do que quase qualquer um, não é? Duvido muito disso. Você foi pego, não foi? Bem, deve haver uma penitência. Todos os pecados devem ser pagos.

— Sim, senhor.

Tuck pegou-me pelo braço, sem indelicadeza, e levou-me até a cadeira de Robin. O Senhor da Floresta abriu os olhos e novamente me encarou. Esqueci completamente seu exterior desleixado, o traje de aldeão feito em casa. Seus olhos eram extraordinariamente brilhantes: era como olhar para a lua cheia, duas luas cheias feitas de prata. O resto do mundo se dissolveu, o tempo parou e só havia eu e Robin em um universo escuro, iluminado apenas por seus olhos; ele parecia me sugar através do olhar, descobrindo-me, compreendendo meus pecados e meus pontos fortes.

Quando falou, o fez com uma voz musical, suave mas vigorosa:

— Disseram que você arriscou perder o braço por uma torta?

Assenti com a cabeça. Ele disse:

— E deseja me servir? Você quer que eu lhe dê proteção?

Eu estava mudo e inclinei muito levemente a cabeça.

— Por quê?

Fiquei surpreso com a pergunta: ele deveria saber que eu precisava escapar da lei, que precisava de refúgio, mas, ainda assim, senti que queria uma resposta menos óbvia. Olhei em seus olhos cinzentos e decidi dizer a verdade, como fizera com Tuck:

— Sou um ladrão, senhor — eu disse. — E eu serviria ao maior ladrão de todos, para aprender meu ofício com o melhor.

Em toda a igreja, as pessoas prenderam a respiração. Tarde demais, ocorreu-me que Robin talvez não gostasse de ser considerado um criminoso comum. Um dos homens encapuzados atrás de Robin começou a desembainhar sua espada, mas parou quando ele levantou uma mão pacificadora.

— Você me lisonjeia — disse o Senhor da Floresta. A voz dele tornara-se fria e seus olhos extraordinários reluziam como aço nu. — Mas não foi isto o que eu quis dizer com minha pergunta. Não perguntei por que *você* gostaria de servir a *mim*. Eu quis dizer por que *eu* deveria aceitar *você*; por que eu deveria assumir responsabilidade por mais uma boca faminta?

Eu não conseguia pensar em nenhum motivo, então abaixei a cabeça e não disse nada. Ele prosseguiu com a voz tão gélida quanto uma sepultura:

— Você pode lutar como um cavaleiro, vestido em aço duro e trazendo a morte para meus inimigos montado em um grande cavalo?

Permaneci em silêncio.

— Você pode esticar totalmente a corda de um arco de guerra e matar um homem com uma flecha a duzentos passos de distância?

Ele sabia que eu não era capaz de fazer o que dizia; poucos homens adultos conseguiam realizar tal façanha e, na época, eu era apenas um garoto franzino.

— Então, o que você pode me oferecer, pequeno ladrão? — Sua voz transbordava escárnio.

Levantei o queixo e encarei-o novamente, com pequenas manchas de raiva nas bochechas.

— Darei a você minha habilidade como cortador de bolsas, minha disposição para lutar por você da melhor maneira possível e minha lealdade absoluta até a morte — eu disse em um tom de voz alto demais para a pequena igreja.

— Lealdade até a morte? — Robin perguntou. — Isto é realmente algo raro e valioso. — A voz dele parecia ter perdido o tom de escárnio. Robin estudou-me durante algumas batidas do coração. — Foi uma boa resposta, ladrão. Qual é o seu nome?

— Sou Alan Dale, senhor — eu disse.

Ele pareceu surpreso.

— O nome de seu pai é Henrique? — ele disse. — O cantor?

Assenti. Não consegui me forçar a contar a Robin que meu pai estava morto. Ele ficou em silêncio por um momento, observando-me com aqueles grandes olhos prateados. Então, ele disse:

— Ele é um bom homem. Você se parece com ele.

De repente, Robin sorriu — tão chocante quanto o som de uma trombeta —, seus dentes brancos brilhando na igreja escura. Sua frieza desapareceu como uma capa é removida e ele se transformou. Seu calor repentino me fez perceber que me aceitaria e senti meu coração pulsar de alegria.

— E, jovem Alan, não sou um ladrão, diga-se de passagem — Robin disse, ainda sorrindo. — Apenas tomo o que é meu por direito.

Um murmúrio de gargalhadas leves ressoou dentro da igreja.

Tuck tocou levemente em meu cotovelo, afastando-me da grande cadeira:

— Diga adeus à sua mãe, garoto, agora você está conosco.

Enquanto caminhávamos de volta ao encontro de minha mãe, que estava ao lado da porta da igreja, senti minhas pernas perderem a força e tremerem sob mim. Tropecei, atingindo Tuck de lado antes que ele me pegasse e me colocasse de pé. Então beijei minha mãe, abracei-a, murmurei adeus e observei enquanto ela saiu para a escuridão e desapareceu para sempre da minha vida.

Quando a porta da igreja se fechou atrás dela, Tuck disse:

— Nada mau, pequeno ladrão. Mas quero o ovo de volta agora, garoto, por favor.

E, quando estendeu a mão aberta, ele estava sorrindo.

Esperei na lateral da igreja, sentado em um banco perto do escrivão e da mesa com o pergaminho. Na extremidade oposta da mesa havia uma pilha de produtos das fazendas locais, tributos oferecidos a Robin: queijos, pães, uma cesta de ovos, dois barris de cerveja, um favo de mel em uma travessa de madeira, duas galinhas amarradas uma na outra pelas pernas, sacas de frutas e uma bolsa com moedas de prata. Um cabrito estava amarrado à perna da mesa e tentava mordiscar o pergaminho — ao que o escrivão dava um tapa em seu focinho, sem levantar a cabeça. O escrivão era um homem magro e calvo e seus dedos longos estavam cobertos de manchas de tinta. Finalmente, ele levantou a cabeça e tirou os olhos dos rabiscos:

— Sou Hugh Odo — disse o escrivão, sorrindo gentilmente para mim. — Irmão de Robert. Espere aqui, quieto, até que nossos negócios estejam terminados.

Olhei para a direita e reparei em uma forma humana no chão em um canto da igreja. De guarda, a seu lado, havia um homem alto encapuzado, armado com uma espada e um grande arco. O homem no chão estava amarrado com firmeza pelas mãos e pelos pés. Percebi que realmente tremia de medo. O homem gemia inaudivelmente através de uma mordaça de pano. Seu olhar fixo e selvagem capturou o meu por alguns instantes e desviei os olhos, constrangido e um pouco assustado com seu terror exposto.

Aguardei pelo resto da noite, sentado em silêncio em um canto da igreja, observando Robin no centro das atenções. Havia um fluxo constante de aldeões que entravam, falavam respeitosamente com Robin, recebiam seu julgamento e pagavam as multas a Hugh. Era uma versão noturna e sombria da corte senhorial na qual, antes de morrer, o lorde local aplicava a justiça. A vara de porcos de uma mulher havia danificado a plantação de um vizinho; ela foi ordenada a pagar quatro leitões de multa ao vizinho e a pagar um porco a Robin por sua justiça. A mulher concordou em pagar sem questionar. O homem que seduzira a mulher do melhor amigo precisou pagar a ele uma vaca de leite como compensação, além de um queijo fresco a Robin. Novamente, não houve discussão.

Enquanto Robin aplicava sua pequena justiça durante aquela longa noite, o monte de produtos aumentava: alguns, tão pobres quanto minha mãe, pagavam com apenas um ou dois ovos; um homem que matara outro acidentalmente em uma briga na cervejaria levou um bezerro até a mesa e amarrou-o ao lado do cabrito. Olhei para a bolsa com as moedas de prata; ela estava sobre a mesa, perto de onde eu estava sentado. Hugh, o escrivão, estava ocupado com o rolo de pergaminho e eu poderia ter pegado a bolsa com facilidade. Mas um tipo de instinto conteve meu braço. Finalmente, os suplicantes terminaram. Robin levantou-se da cadeira e andou até a mesa para ver o homem amarrado.

— Leve-o para fora; faça lá, na frente de todos — ele disse com frieza ao homem de armas encapuzado. Depois, virou-se para falar com Hugh, que começou a lhe mostrar o rolo de pergaminho.

O homem amarrado foi colocado de pé por dois homens; inicialmente, estava dócil, mas começou a se debater violentamente, tremendo e contorcendo o corpo como um homem possuído à medida que se dava conta de que estava prestes a encarar seu destino. Um dos homens encapuzados deu-lhe um soco no estômago e o golpe derrubou-o sem fôlego no chão. Depois, arrastaram-no para fora da igreja.

Tuck aproximou-se e pegou-me pelo braço. Levou-me através da porta e contornamos a igreja. Ali, enquanto eu observava, os homens de Robin forçaram o miserável amarrado a se ajoelhar. Ele soluçava, engasgando-se com o pano enfiado em sua boca e amarrado com uma longa tira de couro.

— Você precisa ver isto — disse frei Tuck. — Essa é sua penitência.

Uma pequena multidão havia se formado para observar. Os olhos do homem, imensos de terror, giravam em sua cabeça. João, o gigante, dirigiu-se a ele, retirou a mordaça encharcada e enfiou uma pequena barra de ferro atravessada no fundo da boca do homem, fixando-a com força contra a articulação do maxilar. Para firmar a barra, um dos homens de armas amarrou-a com a fita de couro que fora usada na mordaça. A vítima, quase sufocando enquanto seu corpo tremia, gemia alto, com os olhos fechados e a boca grotescamente escancarada à força pela barra de ferro. Ele parecia estar rindo. Os dois homens atrás do coitado seguraram sua cabeça e, com a barra de ferro, mantiveram-na imóvel. João tirou um par de pinças de ferro de sua algibeira e prendeu a língua do homem pela ponta. Na outra mão, segurava uma faca curta, tão afiada quanto uma navalha.

Eu sabia o que estava para acontecer e uma onda de náusea queimou meu estômago. Em minha mente, meu braço direito estava em um bloco no castelo de Nottingham, com um carrasco balançando um machado acima de mim. Virei a cabeça para não olhar para a vítima à minha frente, regurgitando bile. Senti duas mãos fortes agarrarem minha própria mandíbula e forçarem minha cabeça a virar-se novamente na direção da cena diante de mim. Os olhos da vítima se abriram e o homem olhou para mim por um instante.

Sua aparência era grotesca, como um demônio de pedra na parede de uma igreja: uma boca enorme aberta e a língua esticada pela pinça.

— Esta é sua penitência — Tuck repetiu tranquilamente, mantendo as mãos poderosas ao redor do meu rosto, obrigando-me a olhar. — Veja como Robin serve àqueles que informam o xerife a seu respeito. Veja, e esteja avisado!

João, o gigante, cortou com um único movimento a base espessa da língua e desviou-se rapidamente quando uma fonte de sangue jorrou da boca do homem. O prisioneiro gritou, emitindo um urro líquido e borbulhante de dor furiosa. Solto pelos captores, caiu no chão, ainda amarrado com firmeza, gritando enquanto o sangue escorria da cavidade ensanguentada de sua boca aberta.

Torci minha cabeça, livrando-a das mãos de Tuck, e cambaleei até a parede da igreja onde, com a cabeça girando de nojo e horror, vomitei, trazendo de volta os resquícios da torta de carne que havia me colocado naquela situação. Depois de algum tempo, quando não havia mais nada em meu estômago, apoiei a testa na pedra fria da parede da igreja e engoli o ar fresco da noite.

Enquanto clareava a cabeça, pela primeira vez percebi plenamente o que havia prometido quando jurara ser leal a Robin até a morte. Agora, eu estava ligado por a toda vida a um monstro, um demônio que mutilava outros homens simplesmente por falarem com os homens do xerife. Foi naquele instante que eu soube que havia deixado o mundo dos homens comuns.

Eu havia me tornado um fora da lei.

Capítulo 2

Hoje, olhando para trás depois de quase sessenta invernos, mal posso acreditar em quanto eu era fraco naquela época. Eu veria coisas piores no tempo que passei ao lado de Robin, muito piores. E apesar de jamais ter sentido prazer ao ver a dor de outra pessoa, como acontecia com alguns homens de nosso bando, aprendi com o tempo a ocultar tal fraqueza, como acontece com um fora da lei ou com qualquer homem. Naquela noite de primavera, no entanto, eu era jovem, tinha apenas 13 anos. Eu sabia pouco a respeito do mundo e de suas crueldades, sabia muito pouco a respeito de qualquer coisa. Mas estava prestes a aprender muito.

Enquanto apoiava a cabeça na parede da igreja e olhava para os resquícios da torta de carne, senti uma movimentação atrás de mim: uma atividade repentina. Homens pegavam os tributos e os colocavam em carros de boi, traziam cavalos, soldados fora da lei afastando os aldeões curiosos — e Robin estava ali, montado em um cavalo e dando ordens. Um homem retirou a cabeça ensanguentada do lobo do lintel da igreja e jogou-a nos arbustos. As velas foram apagadas, a porta da igreja foi trancada e, no que pareceram poucos minutos, estávamos prontos e partimos. Não havia um cavalo para mim e, de todo modo, eu cavalgava mal, mas Tuck andou pesadamente a meu lado, apoiando-se em uma vara, quando nos juntamos à cavalgada lenta das carroças, dos homens montados e das bestas que serpenteavam floresta adentro.

O dia começava a nascer quando partimos para o noroeste, deixando o povoado seguindo pelas estradas das fazendas até chegarmos à estrada que rumava para o norte pela floresta de Sherwood. A grande floresta do condado de Nottingham era uma reserva real de caça que se estendia por 160 quilômetros ao norte. Era um território muito vasto, com 80 quilômetros de extensão em alguns pontos, contendo aldeias, vilas, campos e terras de uso comum; mas boa parte da terra era ocupada por florestas que eram os lares de texugos, coelhos, lobos e javalis, além de, é claro, os veados do rei. Caçar os veados do rei Henrique era um crime capital, punido com enforcamento se um homem fosse capturado "com as mãos vermelhas", manchadas com o sangue do veado; até mesmo ser pego com um cão de caça na floresta poderia resultar em marcas com ferro quente ou mutilações. E dois dedos de cada uma das patas dianteiras do cão eram decepados para impedi-lo de voltar a correr com agilidade. Mas os homens do bando pareciam ter um prazer especial em zombar das leis da floresta, matando os guardas-florestais do rei e comendo tanta carne de veado quanto quisessem. Era quase parte da identidade do bando.

— Éramos os homens de Robin; comíamos os veados vermelhos e ríamos da lei — um fora da lei grisalho disse-me com simplicidade, mas com muito orgulho, anos depois.

Enquanto seguia caminhando naquela manhã sob o sol intenso da primavera, passando pelos amieiros altos e pelas delicadas faias, pelos troncos espessos de carvalhos antigos, sentindo os dedos emplumados da grama verde dos charcos acariciando minhas pernas, os horrores da noite se dissiparam e Tuck, que caminhava a meu lado apoiado em sua vara, começou a falar. Inicialmente, falou sobre nada — apenas falava enquanto caminhávamos pela floresta tranquila.

— Conheci homens esquentados — ele disse. — Homens capazes de ficar irritados em um instante; alguns dizem que há bile amarela demais em seus corpos, uma quantidade muito grande do elemento fogo. São homens violentos e raivosos que, em sua paixão, podem matá-lo. Nosso próprio rei Henrique é um deles; um camarada intemperado. Em seus acessos de raiva, ele rola no chão, você sabe, quase literalmente mordendo as vergas do assoalho. Mastigando-as. Mastigador de vergas, é assim que os criados se referem a ele pelas suas costas, quando acham que é seguro fazer piadas sobre seu senhor.

Olhei para ele: o rei? Quem ousaria zombar do rei? E Tuck prosseguiu:

— Também conheci homens frios, flegmáticos, com água demais nas veias. Do tipo que levaria um golpe no rosto desferido pelo homem que seduzira sua esposa e não diria nada, mas mutilaria a mulher e enviaria ao sedutor uma perna decepada com as ligas da esposa. Oh, sim, e sorriria com ele ao jantar, fazendo um brinde à sua saúde. Ambos são perigosos, é claro, mas os piores homens são aqueles que parecem frios mas são quentes por dentro. Eles tem o poder furioso da raiva mas o controle gélido de um homem calmo. Este homem frio-quente, o homem flegmático-colérico, é o que deve ser temido.

— E meu mestre? — perguntei. — É um homem frio-quente?

Tuck olhou-me de soslaio.

— Muito bem, garoto. Vejo que você é rápido. Sim, Robin é esse tipo de homem. Ele é frio-quente. E, quando está com muita raiva, é quando fica mais frio. E que Deus ajude seus inimigos, quem quer que sejam, pois Robin não terá piedade deles.

— Ele é um homem bom? — perguntei. Mais de quarenta anos depois, a pergunta ainda me enrubesce. O monge apenas gargalhou:

— Ele é um homem bom? — repetiu. — Sim, acredito que seja um homem bom. É um pecador, é claro. Todos somos. Mas também é um homem bom. Se você me perguntasse se ele é um homem religioso, eu precisaria dizer que não. Ele tem suas noções peculiares em relação a Deus, mas não tem amor, nenhum amor pela Mãe Igreja. Oh, muito pelo contrário. Ele zomba dela. E tem prazer em roubar e atormentar seus criados. — Tuck benzeu-se. — Rezo para que o Senhor Jesus abra algum dia os olhos dele para a verdade.

Devotamente, também me benzi, mas o que sentia era um choque inebriante de excitação. Tal ousadia, zombar dos representantes de Deus na terra; que desprezo por sua alma imortal, pelo próprio inferno. Assim como a cabeça de lobo pregada à porta da igreja, era perturbador.

— Contarei uma história a você — Tuck prosseguiu. — Há alguns meses, Robin, Hugh e um punhado de seus homens emboscaram o bispo de Hereford quando ele viajava por Sherwood com uma comitiva armada de tamanho considerável. Depois de uma luta breve e sangrenta, o bispo e seus seguidores foram subjugados. Robin tomou 300 libras em moedas de prata deles; depois, ordenou que o bispo cantasse a Missa Sagrada para seus homens. Eu estava cumprindo minhas obrigações no norte e os homens estavam havia algum tempo sem o conforto de um serviço religioso.

"Bem, o bispo, um homem arrogante e estúpido, recusou-se a celebrar a missa na floresta por ordem de criminosos. Então Robin ordenou que matassem um a um todos os padres e monges que tiveram a má sorte de estarem acompanhando o bispo naquele dia. Ele não tocou nos homens de armas capturados nem nas criadas, mas matou todos os clérigos, um após o outro, enquanto o bispo observava e rezava por suas almas. Quando todos estavam mortos, os corpos caídos em uma pilha ensanguentada, despiram o bispo até as roupas de baixo e colocaram uma espada em sua garganta. Foi somente neste ponto que ele concordou em cantar a Missa Sagrada para os fora da lei, tremendo em suas ceroulas modestas na escuridão da floresta. Então Robin mandou o bispo seguir seu caminho, quase nu e sozinho, tropeçando a pé por todos os 36 quilômetros até Nottingham. Obviamente, os homens de Robin adoraram, mesmo que apenas pelo divertimento. E alguns sentiram que suas almas estavam mais seguras depois da Missa."

— E ainda assim você serve a ele? — perguntei. — Você, um monge, serve a um homem que desdenha da Mãe Igreja, que mata padres...

— Sim, bem, na verdade, eu *não* sirvo a ele. Sirvo apenas a Deus. Mas sou amigo dele e, às vezes, ajudo-o. Ajudo a ele e a seus homens, que Deus me perdoe, porque todos os homens precisam do amor de Jesus, até mesmo os ímpios fora da lei. E considero os locais selvagens de Sherwood minha paróquia. Estes homens, se isso lhe agradar, são meus paroquianos, meu rebanho. Lembre-se, garoto, de que todos somos pecadores até certo ponto. E Robin não é um homem mau; ele fez muitas coisas más, sem dúvida. Mas tenho fé de que verá a luz de Nosso Senhor Jesus Cristo a tempo. Tenho tanta certeza disso quanto da salvação.

Tuck ficou em silêncio. Enquanto caminhávamos, pensei sobre homens esquentados, homens frios e assassinos frio-quentes. E homens bons. E homens maus. E pecadores. E sobre o inferno.

A manhã passou e começou a fazer calor sob o sol. Eu queria fazer muitas perguntas a Tuck. Mas ele começara a cantar um salmo para si mesmo em voz baixa enquanto caminhávamos e não ousei perturbar seus pensamentos. Assim, durante uma ou duas horas, caminhamos juntos em um silêncio amigável, mantendo nosso lugar na grande e lenta coluna, economizando o fôlego.

Um cavaleiro, bem montado mas com roupas desgrenhadas feitas em casa, cavalgou adiante ao longo da coluna até alcançar Hugh, que estava em uma égua cinzenta alguns passos à nossa frente. O capuz do cavaleiro fora puxado para a frente para ocultar seu rosto, a menos que se olhasse diretamente para ele. Sob o sol forte da manhã de primavera, ele ainda conseguia parecer sombrio e sinistro, como se, de algum modo, estivesse envolvido pela noite. Ele aproximou seu cavalo ao de Hugh e, inclinando-se para a frente, sussurrou algo no ouvido do escrivão. O irmão de Robin concordou, fez uma pergunta e ouviu a resposta. Hugh entregou ao homem uma pequena bolsa de couro, disse-lhe algo inaudível e depois acelerou, galopando até a dianteira da coluna, onde Robin cavalgava. O homem encapuzado deu meia-volta com seu cavalo e retornou trotando na direção de Nottingham, de onde viera. Tuck não lhe deu atenção e continuou a caminhar lentamente com passos curtos e incessantes, praticamente sem se apoiar na vara. Então, de repente, uma trombeta, em um volume chocantemente alto, ressoou da frente da coluna. Levei um susto e olhei ao redor em busca de um alarme, mas tudo parecia normal. A cavalgada foi interrompida. As pessoas conversavam despreocupadas. Os homens armados apoiavam-se em seus arcos. O sol agradável olhava-nos do alto: era meio-dia.

— Hora de comer — disse Tuck, com satisfação. Ele revirou a carroça mais próxima e pegou uma saca branca suja e uma enorme garrafa de pedra. — Vamos sentar aqui — ele disse, e sentamo-nos na sombra de uma grande castanheira.

Ao nosso redor, homens e mulheres da coluna abriam bolsas e mochilas e estendiam toalhas sobre a grama. De dentro de nossa saca, como um mágico viajante que eu vira certa vez em uma feira em Nottingham, Tuck começou a retirar coisas maravilhosas, luxos do tipo que, na época, eu raramente via e quase nunca comia: um filão de pão branco de farinha fina, uma galinha inteira cozida, peixe-cabra defumado, carne de veado assada fria, um queijo amarelo redondo, ovos cozidos, bacalhau salgado, maçãs armazenadas em palha desde o outono anterior... Ele gesticulou para a garrafa de pedra, convidando-me a beber, e retirei a rolha de madeira e tomei um grande gole de sidra. Era um banquete digno de uma residência real: minha refeição usual do meio-dia, quando havia algo para comer em nossa casa, o que acontecia raramente, consistia de pão de centeio rústico, cerveja, sopa e, quando tínhamos sorte, um pouco de queijo. Comíamos carne raramente, talvez um coelho furtado de vez em quando da coelheira do senhor do solar. O monge arrancou uma perna da galinha gorda e jogou-a para mim. Peguei um punhado do pão branco macio, arranquei um pedaço e, rapidamente, comecei a encher a barriga.

Tuck cortou uma generosa fatia de queijo, colocou-a no pão, deu um grande gole de sidra e suspirou com felicidade. Com a boca cheia, gesticulou para que eu comesse e bebesse, estimulando ainda mais minha voracidade cortando para mim um grande pedaço de peixe defumado. A comida e a bebida pareceram soltar novamente sua língua e, com a boca cheia, ele disse:

— Você perguntou como eu, um homem de Deus, vim ajudar Robin, um assassino ímpio. Bem, contarei a você... — começou.

"Conheço Robin há nove anos; desde quando ele era apenas um garoto, não muito mais velho que você. Ele fora enviado para ficar com o conde de Locksley para aprender as habilidades de cavaleiro. Já naquela época, Robin era um garoto selvagem, fugindo sempre para a floresta de Barnsdale quando deveria estar assistindo às aulas. Mas não era um fora da lei, e tampouco o Senhor da Floresta que você vê hoje, a quem todos devem obedecer sob pena de morte."

Tuck levantou o queixo na direção de um grupo distante de figuras — Robin, seu irmão, Hugh, e João — sentadas no chão, rindo e comendo, brincando entre si de modo despreocupado, mas cercados por um círculo de homens armados e sombrios.

— Ele detestava a Igreja, mesmo naquela idade — Tuck continuou. — E quando nos conhecemos, para ele, eu não passava de um símbolo de uma instituição tirânica e corrupta. — O monge fez uma pausa e tomou outro gole enorme de sidra.

"Eu era um monge caprichoso, um pecador, que fora expulso do convento de Kirklees... Sim, eu sei que ele é mais famoso como um convento de freiras, mas um certo número de monges vivia em uma casa de irmãos adjacente... O que eu estava dizendo? Sim, fui expulso para viver sozinho em uma cela na floresta. Qual foi meu pecado, você pergunta? Não o que você suspeita, seu maroto safado, com as freiras e os padres como vizinhos; foi pura voracidade. Eu não conseguia controlar meu apetite nos dias de jejum. E, naquela época, sob a direção do velho prior William, quase todos os dias em Kirklees eram determinados como sendo de jejum: quartas-feiras, sextas-feiras, sábados e todos aqueles dias sagrados intermináveis e sem alegria."

Tuck sorriu para que eu soubesse que estava brincando e enfiou uma perna inteira da galinha na boca, arrancando a carne do osso com os dentes brancos e fortes.

— Sempre fui afligido por um grande apetite — ele disse com a boca cheia. — Então, devido ao meu pecado, fui enviado para uma cela de eremita na floresta, onde havia uma balsa de propriedade do priorado. Eu vivia sozinho e meu trabalho era servir como barqueiro, transportando os viajantes em segurança para o outro lado do rio. Eu deveria obter meu sustento escasso dos pequenos presentes que me dariam em forma de comida. O prior William achou que aquilo me ensinaria uma lição. Talvez, curar minha voracidade.

"Certo dia ensolarado eu estava deitado sob uma árvore com os olhos fechados, na mais profunda contemplação, quando um jovem aproximou-se a cavalo. Era Robin. Seus gritos de saudação despertaram-me de minha meditação. Ele estava bem-vestido e armado com uma boa espada em uma bainha entalhada a ouro. Reparei que vinha de uma família rica. 'Bom dia, irmão', ele cantou. Foi quando percebi que também estava muito bêbado e tinha um grande hematoma no rosto. 'Você pode me transportar em segurança para a outra margem do rio?', Robin perguntou alegremente, quase caindo do cavalo.

"Levantei-me com dificuldade e disse que o faria se pudesse me conceder um donativo, um pagamento em comida ou bebida. Ele disse: 'Darei a você o que merece por este serviço.' Em seguida, levou o cavalo até a balsa. Eu estava preocupado com ele: jovens bêbados com armas pesadas costumavam representar problemas. Eu sei porque não fui sempre um monge. Antes de fazer meus votos, fui soldado na Escócia, um arqueiro, e muito bom, pelo menos é o que digo a mim mesmo, lutando pelo príncipe Iorweth. Naquela época, fiz minha cota de fanfarrices quando bêbado.

"A balsa era uma plataforma flutuante simples ligada a uma corda que se esticava pelo rio. O cavaleiro ou pedestre simplesmente ia até a plataforma e eu a empurrava com uma vara forte por 12 metros até a margem oposta. Robin não disse nada enquanto eu deslocava a balsa sobre a água marrom tranquila, mas tomou um grande gole de um frasco de vinho que tinha no cinto. Quando ainda estávamos a alguns metros da outra margem, parei a balsa. Ela flutuou com a correnteza por 1 ou 2 metros até parar, contida pela corda.

"'Receberei o pagamento agora, se assim lhe agradar, senhor', eu disse. Robin olhou para mim, seu rosto jovem e belo contorceu-se de raiva e ele grasnou: 'Pagarei o que você merece, monge: nada, seu parasita marrom. Você e seus irmãos imundos têm sugado o sangue de homens bons por tempo demais, ameaçando-os com a perdição a menos que ofereçam sua riqueza, sua comida, seu trabalho e até seus corpos. Digo que todos vocês são sanguessugas e não permitirei que tomem nenhuma gota a mais do meu sangue. Leve-me para a margem e depois vá para o inferno.'

"Eu não disse nada. Apenas enfiei minha vara no lodo do rio e comecei a mover a balsa de volta para a margem da qual tínhamos partido. 'O que está fazendo, seu barril de merda amaldiçoado por Deus, seu porco chupador de paus', Robin cuspia em mim de raiva. Permaneci em silêncio. Mas com dois ou três bons empurrões na vara estávamos de volta ao local de origem, a balsa esbarrando na margem. 'Se não pagar', eu disse, 'você não atravessará.'

"Com isso, Robin desembainhou a espada. Era uma linda lâmina, lembro-me de ter pensado, boa demais para o palhaço bêbado que a empunhava. 'Você irá me levar até o outro lado do rio ou tirarei sua vida, seu parasita vendedor de almas', Robin disse, apontando a espada para minha garganta. Olhei para seus olhos cinzentos e vi que, bêbado ou não, ele estava falando sério. Minha vida estava por um fio. Assim, empurrei a vara contra o fundo do rio e começamos a atravessar novamente. Robin relaxou; ainda segurava a espada, mas ela não pinicava mais minha garganta."

Tuck fez uma pausa e mordeu uma maçã enrugada.

— Agora, Alan, tome cuidado para não repetir o que direi. É um assunto delicado para Robin. Ele é um homem orgulhoso e pode ser muito perigoso na defesa da própria reputação. — Concordei e ele prosseguiu: — De repente, mais ou menos na metade do caminho, com Robin de costas para a outra margem, segurando a espada, gritei: "Meu bom Cristo!", e apontei sobre seu ombro para a borda da floresta atrás dele. Robin girou embriagadamente e assustado para ver o que eu estava apontando... e, segurando a vara de empurrar a balsa como uma lança, acertei-a com a parte cega no lado da cabeça dele, exatamente na têmpora. Ele caiu como um saco de cebolas e deslizou da balsa para o rio marrom e lento.

Olhei boquiaberto para Tuck. Então, comecei a gargalhar.

— Está falando sério? — perguntei arfando. — Robin Hood caiu neste velho truque? "Ei, o que é isso atrás de você?" Um ardil que já estava em pleno uso quando Caim matou Abel?

Frei Tuck concordou.

— Ele caiu. Mas tente não mencionar isto a ninguém. O pobre rapaz ainda é muito sensível em relação a essa história. Ele era muito novo, você deve lembrar, e estava totalmente bêbado.

Controlei o ronco de minhas gargalhadas com um gole de sidra.

— O que aconteceu depois?

— Bem, tirei-o da água, é claro — disse Tuck. — Ele estava inconsciente, de modo que o enrolei com um cobertor e deixei-o dormindo em minha cela pelo resto do dia e durante toda a noite.

"Ele acordou de manhã com a cabeça doendo e um monte de desculpas. Dei-lhe sopa, conversamos e fizemos as pazes. Somos amigos desde então. E, alguns anos mais tarde, depois de ter sido declarado fora da lei — o que é uma história para outro dia —, ele passou a me visitar com frequência, deixando às vezes companheiros feridos na cela para que eu cuidasse deles. Até encontrar alguém que os curasse melhor do que eu. Mas isto também é outra história. De todo modo, jamais vi Robin bêbado depois daquele dia. E jamais o vi expor abertamente sua raiva. Mas ele tem raiva dentro de si... Não sei por que, mas ele ferve por dentro, e por fora, pelo menos atualmente, é feito de gelo. Ele é o homem frio-quente fundamental."

A refeição do meio-dia havia terminado. Ao longo da coluna, os seguidores de Robin estavam colocando sacas de comida nas carroças, espanando migalhas das roupas e jogando fora restos de comida. Eu me sentia empanturrado e mais do que um pouco sonolento depois de uma refeição tão farta. Eu não dormira na noite anterior, mas as cenas horrendas do homem cuja língua fora cortada pareciam não mais que um pesadelo sob o sol glorioso da tarde. Tuck percebeu meu cansaço e sugeriu que eu viajasse um pouco em uma das carroças. Assim, aninhei-me entre as sacas de grãos e fardos de palha na carroça maior e deitei-me enquanto a cavalgada prosseguia pela estrada. Pensei na história de Tuck, tentando imaginar Robin, o homem calmo e controlado que eu conhecera na noite anterior, como aquele jovem bêbado e enraivecido, mas era algo que parecia incrível, de modo que tirei a ideia da cabeça, e, em pouco tempo, o balanço da carroça e os sons leves e familiares da cavalgada me embalaram no sono.

Já era noite quando acordei. Uma lua crescente despontava alta no céu e a carroça estava no terreno do que parecia uma grande quinta: uma mansão com estábulos e vários anexos. Devo ter dormido durante toda a tarde e o começo da noite. Não havia ninguém por perto, mas os cavalos estavam abrigados ao lado de um pombal em uma choupana aberta, uma entre várias que ficavam ao lado da casa principal. Um dos cavalos chamava mais a atenção que os outros: totalmente branco e mais ricamente ajaezado que qualquer cavalo que eu vira em nossa viagem até aquele lugar ou, na verdade, em toda a minha vida: era a montaria de uma dama, não de alguma mulher de um fazendeiro abastado, mas de uma nobre. Olhei para o cavalo por algum tempo, pensando que somente a rédea deveria valer 5 marcos e, muito brevemente, pensei em roubá-la. Eu estava novamente com fome e havia som de festa — grandes gargalhadas roucas e música — e um cheiro forte de carne assada e cerveja derramada que vinha de uma porta parcialmente aberta na lateral da casa. Eu jamais escaparia com a rédea, pensei. Eu nem mesmo sabia onde estava e não tinha para onde fugir, tampouco conhecia algum lugar onde pudesse vender o produto do roubo. Assim, descendo com dificuldade da carroça, espanei a palha e as sementes que me cobriam e segui para a porta entreaberta em busca de comida.

Dentro da mansão, deparei-me com uma cena de fazer enrubescer o diabo: um salão comunitário grande, quente e barulhento, com uma lareira gigantesca em uma extremidade; uma perna de veado no espeto sobre o fogo, girada por um garoto seminu, suado e imundo; os homens e mulheres de Robin estavam espalhados pelo salão ou debruçados embriagados em uma mesa coberta com os restos do banquete — pão partido, um pequeno lago de cerveja derramada, uma pilha de bandejas de madeira engorduradas, restos e ossos de animais. Em um canto do salão, um casal acasalava-se como bestas — a garota, uma ruiva não muito mais velha que eu, inclinada com as palmas das mãos contra a parede, as saias levantadas até a cintura, e seu amante empurrando-a por trás e grunhindo. O barulho era ensurdecedor. Homens de rosto vermelho trocavam zombarias aos gritos à mesa; três mulheres gritavam entre si, balançando os punhos; um imbecil bêbado assoprava em uma gaita de foles uma sequência estridente de dor. Quando passei pela porta, a ruiva que copulava no canto do salão virou a cabeça de repente e olhou diretamente para mim. Ela tinha olhos enormes e lindos, da cor da grama da primavera, e deteve meu olhar por alguns instantes antes de sorrir e levantar sugestivamente uma sobrancelha. Seu olhar foi como um golpe físico, aqueles olhos verdes brilhantes e fascinantes e o ar de destacamento em relação à besta ofegante atrás dela, dentro dela. Desviei o olhar rapidamente, mas não antes de sentir uma excitação perturbadora e notavelmente agradável em meu ventre virgem.

Dei um passo para trás, desviando o olhar, e meus olhos caíram sobre dois homens sentados em uma mesa pequena perto da porta — um oásis de calma sóbria em meio ao redemoinho do tumulto embriagado. Eram o gigante João, de costas para mim, e Hugh, o escrivão, mergulhados em uma conversa privada. Um homem tropeçou até a mesa deles, o corpo balançando como um vidoeiro em uma tempestade, com uma caneca cheia de cerveja na mão. Ele inclinou-se em direção ao centro da mesa, enfiou o rosto entre João e Hugh e gritou algo que não compreendi. O escrivão apenas se recostou e João, sem nem levantar da cadeira, acertou seu punho esquerdo gigantesco em cheio no rosto do bêbado, arremessando-o para o outro lado do salão e para longe da mesa. O bêbado caiu com força sentado no chão e mergulhou no esquecimento. João nem mesmo virou a cabeça para ver o resultado de seu trabalho.

Ouvi o gigante dizer:

— Mas o que seu irmão quer com tudo isso? De verdade, quero dizer... — Abanou um braço enorme para indicar a massa barulhenta de fora da lei bêbados.

Hugh deu de ombros:

— É muito simples. Ele quer o que todos os homens desejam: ser maior que o pai.

Hugh viu-me pairando nervosamente e levantou-se da cadeira:

— Saudações, Alan — ele disse. — Junte-se a nós.

Hugh pegou um banquinho e levou-me até a mesa onde estava sentado com João. Eu mal podia olhar para o gigante, temendo que esmagasse meu crânio por minha insolência, como fizera com o intruso bêbado, de modo que, quando uma servente me trouxe uma caneca de cerveja e um pedaço de veado assado — carne duas vezes no mesmo dia! —, enterrei o rosto na comida e segurei a língua.

Em silêncio, Hugh e João me observaram comer por algum tempo. Quando eu tinha praticamente esvaziado o prato, o escrivão disse:

— Então, o que acha da nossa companhia?

Olhei para ele com a boca cheia de carne de veado, o molho sangrento escorrendo pelo meu queixo, e assenti, tentando indicar que achava a companhia agradável.

— Ele gosta da comida, de todo modo — João disse, e gargalhou; uma gargalhada profunda e retumbante de homem grande que parecia sacudir o salão. Concordei de novo, mais vigorosamente, e tomei um grande gole de cerveja para me ajudar a engolir a carne.

— Bem, seus modos à mesa necessitam de algum polimento — disse Hugh —, mas você parece saber manter a boca fechada. Esta é a lição mais importante que um homem pode aprender. Mantenha a boca fechada e jamais delate os amigos. Alguém já lhe informou quais são suas obrigações?

Apenas o encarei, limpando o queixo, e fiquei mudo. Ele continuou:

— Bem, você fez um juramento a Robert, seu mestre... E ele providenciará seu treinamento e sua educação. Ele também o vestirá, armará e alimentará. Até decidirmos o que fazer com você, sua função será servir como valete de Robin; é seu dever protegê-lo, servir-lhe as refeições, realizar tarefas para ele. Tente não incomodá-lo demais. Manter a boca fechada é uma regra muito boa — Hugh acrescentou, mas sem ser rude.

— Você pode começar levando o jantar para ele — Hugh prosseguiu. — Há uma bandeja já preparada no aparador e ele está naquele quarto. Vá. — Ele esticou o dedo na direção de uma abertura escura que dava em um corredor.

Enquanto me levantava para partir, ele acrescentou:

— Bata antes de entrar no quarto. Ele pode estar... ocupado.

Com isso, João bateu na mesa e começou a gargalhar ruidosamente. Hugh franziu a testa:

— E não se esqueça do que eu disse sobre manter a boca fechada.

Fiquei ressentido com a última observação — será que ele pensava que eu era um imbecil que entraria nos aposentos de seu mestre sem pedir permissão? Quem não conseguia entender uma simples instrução para ficar em silêncio? E, além do mais, o que era tão engraçado?

Peguei a bandeja cheia e pesada — carne de veado, queijo, pão, frutas e uma jarra de vinho — de um aparador repleto de comida na lateral do salão e, aproveitando a oportunidade, enfiei duas maçãs em minha algibeira, puramente por força do hábito. Carreguei a bandeja até o longo corredor indicado por Hugh e, à medida que o burburinho embriagado do salão diminuía, pude ouvir claramente o som de uma mulher cantando. O canto ficou mais alto à medida que me aproximava, e era lindo: notas agudas e tão puras, a melodia fluindo como uma corrente cristalina e gelada no inverno, cascateando em espuma sobre as rochas, a letra da canção como gotas d'água reluzindo sob o sol, acalmando-se em uma corrente transparente, parando em uma piscina franjada com musgo e depois partindo rapidamente, voltando a deslizar com elegância à medida que o andamento da música acelerava...

Parei, coloquei a bandeja no chão e fiquei ao lado da porta, ouvindo. Era uma canção que eu conhecia bem, "A canção da donzela". Minha mãe costumava cantá-la enquanto costurava ao lado do fogo em nossa casa, nos dias felizes antes de meu pai ser morto. Meu pai ensinara todos nós a cantar no estilo dos monges de Notre-Dame, em Paris, onde cada um entoava notas levemente diferentes, que se fundiam de modo agradável. Ninguém mais no povoado sabia fazer aquilo e tínhamos orgulho por nossa família ser capaz de executar em conjunto aquele novo estilo de música.

Senti um nó na garganta quando "A canção da donzela" terminou. Sentia-me muito distante de casa. "Cante outra, cante novamente", eu queria gritar, mas segurei a língua. A emoção rugia em meu peito. Cheguei muito perto das lágrimas. Atrás da porta, ouvi uma conversa com palavras murmuradas, seguida por outra voz, agora de um homem, que começou a cantar: era a antiga balada "Meu amor é belo como uma rosa em flor".

Atualmente, a versão antiga da música não costuma ser cantada com frequência: de vez em quando, um bardo de cara nova aparece com uma versão moderna, mas a original é ouvida raramente. Os versos são cantados alternadamente por um homem e uma mulher e contam a história de um homem que tenta consolar a amada comparando sua beleza à de vários objetos maravilhosos da natureza. Tenho certeza de que você já a ouviu. Nossa família a cantava: meu pai cantava a parte masculina e minha mãe a feminina, mas ele ensinara os filhos a cantarem acompanhando ambas as partes harmoniosamente. Ouvir o homem cantar os versos elogiando a beleza da mulher fez-me perceber, pela primeira vez, que eu provavelmente jamais voltaria a ver minha mãe, e eu estava prestes a soluçar alto quando a mulher começou a cantar seus versos.

Antes que eu soubesse o que estava fazendo, juntei-me a ela, cantando tão bem quanto conseguia as harmonias que acompanham a parte feminina e, mesmo separadas pela porta, nossas vozes se enrolaram e se fundiram, tão solenes, brilhantes e belas como o coro de uma catedral. Houve uma pequena pausa no final do verso da mulher, apenas dois tempos a mais que o de costume, mas o homem começou a cantar e também o acompanhei. Fizemos todas as oito estrofes, cantando em harmonia até o final da balada, com um centímetro de carvalho inglês entre o casal e eu. Quando as notas angelicais da última estrofe morreram, ficamos em um silêncio tranquilo por alguns instantes — então a porta foi aberta e lá estava Robin, os olhos cinzentos brilhando sob a luz das velas. Ele não disse nada, mas encarou-me como se eu fosse um espírito ou um fantasma.

— Trouxe o jantar, senhor — eu disse, e agachei-me para pegar a bandeja. E desmanchei-me em lágrimas.

Capítulo 3

Agora, em retrospecto, parece incrível que eu tenha tido a coragem, quando ainda era um garoto imberbe, de juntar-me ao canto privado de meu mestre, o assassino fora da lei Robin de Sherwood, e de sua dama. Mas acredito que minhas ações tenham sido inspiradas por Deus, pois sei que Ele ama a música. E, como os acontecimentos provaram, foi uma das atuações mais importantes da minha vida. Na verdade, se eu não tivesse imposto minhas harmonias ao meu mestre, minha vida teria seguido um rumo totalmente diferente.

Fiquei ali, chorando na porta como uma criança e segurando a bandeja de comida, até que Robin abriu a porta totalmente e fez-me entrar no quarto. Depositei a bandeja e, secando os olhos, olhei ao redor para o quarto iluminado por velas. Sentada no parapeito da janela estava a mulher mais radiante e linda que jamais vi — e dormi com muitas meretrizes adoráveis em meu tempo. Mas, naquela noite, ela... ela era a perfeição, um anjo vivo. Parecia-se com pinturas que eu tinha visto de Maria, mãe de Deus, mas um pouco mais jovem. Estava vestida de modo simples, com um vestido longo de um azul vibrante, bordado com fios de ouro, e um ornato branco sobre os cabelos, que descia de uma fita prateada ao redor de sua testa sobre um rosto com a forma perfeita de um coração. Ela sorriu para mim e meu coração tremeu. Seu cabelo, de onde uma espiral despontava sob o ornato, era de um castanho brilhante, da cor de castanhas recém-abertas. Seus olhos eram inocentes, felizes e azuis, como um céu de verão sem nuvens.

O quarto era simples, como era de se esperar em uma casa de fazendeiro no meio do campo, mas muito maior que qualquer quarto para o qual eu tinha sido convidado até então: uma cama de quatro colunas com aparência confortável, com as cortinas recolhidas e, abaixo dela, no chão, um penico que mal podia ser visto; uma mesa coberta de partituras com uma fruteira empurrada para um canto; duas cadeiras de madeira e um baú de roupas. Era tudo. O cheiro era de cera de abelhas e de vinho quente, de suor genuíno e de madeira velha: o cheiro do cabo antigo e muito amado de uma pá; e o mais leve odor emanando do penico usado por uma mulher, por aquela mulher linda. Eu estava, naquele instante, afogado em amor.

Comparado à austeridade rústica do quarto, Robin parecia magnificamente vestido. Os trajes cinzentos desgrenhados do dia de viagem tinham dado lugar a um pavão. Ele estava resplandecente em uma túnica de cetim verde-esmeralda, abotoada no pescoço e nos punhos, com uma cabeça de lobo bordada em dourado e preto no peito. Suas pernas compridas estavam vestidas com uma calça preta justa e terminavam em sapatos verdes e pontudos de pelica. Seu cabelo estava penteado e seu rosto e suas mãos estavam limpos. Era uma transformação notável do fora da lei desgrenhado que aplicava justiça na igreja.

Enquanto eu enxugava as lágrimas, Robin serviu-me um cálice de vinho e fez-me sentar na cadeira diante da mesa.

— Apresento-lhe minha dama, Marian, condessa de Locksley — ele me disse. — E, querida, este é Alan Dale, filho de um velho amigo, que acaba de se juntar às nossas forças.

— Você tem a voz de um anjo — Marian disse, e sorriu para mim com aqueles enormes olhos azuis e felizes. Ela era realmente adorável, com cerca de 18 anos, acredito, e em plena flor de sua beleza. Robin puxou a cadeira para seu lado e, entrelaçando as mãos nas dela, olhou para mim.

— Você canta exatamente como seu pai — Robin disse. — Pensei que fosse ele quando abri a porta.

— Conhecia-o bem, senhor?

— Sim, foi um grande amigo meu há muitos anos. Passamos muitas noites felizes tocando música juntos em Edwinstone. Mas eu não me comparava à habilidade dele, ao jeito que ele tem... E que você claramente tem... De afinar as notas de modo tão agradável para criar harmonia.

Ele sorriu para mim e depois franziu a testa:

— Mas você disse "conhecia". Ele não está mais vivo?

Abaixei os olhos.

— Ele foi enforcado, senhor. Os homens do xerife vieram...

De repente, as lágrimas estavam novamente em meus olhos e não pude continuar. Eu estava determinado a não chorar outra vez diante de meu mestre, então olhei para o chão e fiquei em silêncio. O silêncio estendeu-se e ficou desconfortável. Funguei e esfreguei o nariz.

— Lamento ouvir isso — Robin disse com aspereza. — Ele era um homem bom.

Outra pausa desconfortável.

— Enforcado por ordem do xerife, você disse?

Não falei nada, lutando contra as lágrimas.

— E você procurou vingar a morte dele? — ele perguntou depois de alguns instantes. Permaneci em silêncio. Ele repetiu a pergunta:

— Você não buscou vingança? — Robin soava intrigado, irritado.

— Robin... — Marian disse. — Você não vê que ele está incomodado...

— Você sabe quem ordenou a morte de seu pai, não sabe? Mas não fez nada contra ele? — A voz de Robin estava fria. — Olhe para mim, garoto. Olhe para mim.

A voz dele era dura, imperativa. Levantei a cabeça.

— Um homem não choraminga quando um membro de sua família é assassinado. — Seus olhos prateados e frios estavam brilhando novamente, perfurando os meus. — Um homem não chora como um bebê, buscando a pena daqueles que o cercam por um mal que tenha sofrido. Ele se vinga. Ele faz os culpados, os homens que tomaram a vida de seu parente, chorarem de dor; ele faz com que as viúvas deles chorem à noite até dormir. Do contrário, não é um homem. Você deveria ter me procurado. Se tivesse vindo a mim, teríamos tido a vingança pela qual o espírito dele clama.

— Irei vingá-lo, senhor — interrompi acaloradamente. — Não preciso da ajuda de homem nenhum para isso. Juro sobre a Cruz Sagrada e Nosso Senhor Jesus Cristo.

Robin bufou.

— Jesus faria você oferecer a outra face. Cristo teria feito você perdoá-lo — Ele quase cuspiu a palavra "perdoar", depois continuou: — Tenho pouco tempo para uma religião tão afeminada. Mas acredito que você deva ter sua vingança, se realmente a quiser, e contará com minha ajuda nesta questão de honra, queira ou não. Agora você está sob o juramento que fez a mim, lealdade até a morte, lembra-se? Portanto, meus inimigos são também seus, assim como os seus inimigos são meus.

— Ele é apenas um garoto — Marian disse. — Novo demais para essa conversa sedenta de sangue. Todas essas palavras corajosas de vingança e juras de morte.

— Preciso de soldados, e não de covardes — Robin disse curtamente, olhando para sua dama. Enrubesci, irado.

— Não sou um covarde, senhor — retruquei com raiva. — E terei as peles daqueles que mataram meu pai. Não sou um guerreiro, é verdade, mas irei me tornar um e, um dia, dançarei sobre o sangue de Sir Ralph Murdac... Irei esmagá-lo como, como... — Eu não conseguia pensar em como o esmagaria, então parei.

— Bem dito — disse Robin. — Falou como um homem. E faremos de você um guerreiro em pouco tempo. Enviarei você a um guerreiro experiente que, apesar de não ter a mesma habilidade de outrora, ensinará o ofício a você...

A voz dele sumiu. Robin estava claramente perdido em seus pensamentos.

— Mas podemos fazer de você mais que apenas um soldado, acredito...

O silêncio recaiu sobre nós. Então Robin deu um tapa na mesa.

— Chega desta conversa sombria. — Ele dirigiu um sorriso de desculpas para Marian, que pegou sua mão. — Tomemos mais vinho... e um pouco mais de música.

Apesar de eu ter perdido boa parte do apetite musical, trabalhamos facilmente "O tordo e a abelha", nossas vozes se combinando harmoniosamente, e depois Marian cantou para nós um lamento francês chamado "Le Rêve d'Amour". Em seguida, todos cantamos pela segunda vez "Meu amor é belo". Quando as últimas notas doces morreram nos cantos do quarto, Robin pegou meu braço e olhou em meu rosto.

— Uma voz como a sua não deveria ser desperdiçada — ele disse, com um brilho de bondade de volta aos olhos prateados. — Você realmente tem um dom. Mas agora está tarde — ele continuou — e você precisa descansar. Faça a gentileza de pedir a Hugh para que lhe mostre seu lugar de dormir e peça a ele que venha me ver.

— Sim, senhor — respondi.

Marian desejou-me boa-noite e me vi fechando a porta e caminhando pelo corredor escuro em um estado de euforia confusa, sentindo que era realmente uma honra servir aquele homem, e ainda assim temendo que viesse a decepcioná-lo. Robin tinha aquele efeito sobre as pessoas, como eu viria a testemunhar muitas vezes no futuro. Algo na maneira como olhava para você fazia com que suas zombarias rudes, sua dureza e crueldade fossem esquecidas e, naquele momento, você se sentisse a pessoa mais importante no mundo para ele. Era como um encantamento, uma espécie de mágica, e, como todos sabem, a mágica é perigosa.

Eu disse a Hugh que Robin queria vê-lo e atravessei o salão, cujo chão agora estava coberto de homens e mulheres dormindo roncando, e segui para o estábulo, a fim de preparar minha cama. Enquanto adormecia em um monte quente de palha, olhei novamente para o adorável cavalo branco da dama. Sonhei com Marian.

Pegamos a estrada novamente no dia seguinte, ao amanhecer, com a cavalgada heterogênea saindo ruidosamente pelos portões do complexo da fazenda, bois mugindo, carroças rangendo, homens de ressaca amaldiçoando o horário enquanto os galos bramiam aos céus uma mensagem barulhenta sobre sua masculinidade. Marian partira muito antes de a coluna começar a trilhar o caminho rumo ao norte pela estrada da floresta. E, capturando meu olhar, sorriu para mim e acenou antes de partir a trote largo em sua égua branca, protegida por meia dúzia de soldados armados.

A partida de Marian deixou-me com uma sensação estranha de vazio. Robin, de volta ao traje desgrenhado de viagem, cavalgava à frente da coluna, conversando abertamente com Hugh e Tuck. Um pouco perdido, segui em frente arrastando-me sozinho atrás de uma carroça oscilante cheia de itens domésticos, cadeiras, mesas e arcas com uma gaiola de vime cheia de galinhas cacarejantes no alto. Um leitão, amarrado à carroça pelo pescoço com uma corda, trotava alegremente a meu lado. Senti-me negligenciado e inferior após a excitação da noite anterior: seria possível que eu realmente tivesse interrompido meu mestre enquanto cantava e me juntado a ele e a sua dama como um igual? Parecia irreal. A realidade não era o pavão glorioso vestindo cetim e seda, trinando com sua dama; a realidade era o fora da lei maltrapilho à frente daquela coluna desmazelada, trotando adiante com seus seguidores desonestos.

Meu humor logo melhorou. Era um dia perfeito de primavera e a floresta vibrava repleta de vida nova e esperança revigorada: borboletas dançavam como joias sob a luz brilhante do sol, inclinando-se entre a treliça verde de galhos sobre nossas cabeças; nos dois lados da estrada, o solo da floresta era um lindo tapete de jacintos; filhotes de coelho fugiam quando a coluna se aproximava; pombos trocavam chamados: ca-cau-ca, ca-cau-ca, ca-cau-ca... e comecei a prestar atenção em meus companheiros de viagem.

Éramos cerca de cinquenta almas no total: Robin, Hugh e Tuck estavam a cavalo e seguiam à frente da coluna sob o brasão simples de Robin, uma cabeça de lobo cinza e preta sobre um fundo branco. O brasão era apropriado: fora da lei eram conhecidos como "cabeças de lobo", pois podiam ser mortos por qualquer um, assim como os camponeses matavam lobos e pegavam suas cabeças. Ao longo da extensão da coluna, igualmente espaçada, havia uma dúzia de homens de armas portando espadas, escudos e lanças longas; e um número próximo de homens atarracados com aparência severa seguia a pé, carregando grandes arcos de guerra feitos de teixo, com aljavas cheias de flechas amarradas à cintura. Alguns dos soldados estavam um pouco cinzentos depois de beberem cerveja demais na noite anterior, mas todos estavam alertas; mantinham as cabeças erguidas e observavam a floresta nos dois lados da estrada larga pela qual estávamos marchando. João, o gigante, caminhava 12 passos à minha frente. Ele conversava com outro homem grande, um ferreiro, imaginei, por causa do avental espesso de couro que usava e dos antebraços musculosos. Periodicamente, a grande gargalhada retumbante de João ecoava sobre a cavalgada. Havia um ferrador conduzindo uma carroça pesada, um comerciante caminhando sob um grande fardo de produtos e uma taberneira transportando um barril enorme de cerveja. Havia mães com bebês e crianças pequenas; crianças mais velhas brincavam de pique ao redor das carroças vagarosas; rapazes tímidos mas insolentes caminhavam com orgulho ao lado dos arqueiros ou dos homens de armas; vacas mugiam e seguiam em frente, amarradas às carroças, e ovelhas eram conduzidas por pastores. Havia até um gato, enrolado sobre uma saca na carroça à minha frente, aparentemente adormecido mas com um olhar especulativo para a gaiola de galinhas. Era quase uma aldeia viajante — digo quase porque havia um número grande demais de homens armados para que qualquer aldeia os tolerasse em paz. Mas, para uma coluna de fora da lei desesperados, o grupo aparentava ser muito mais doméstico que perigoso.

De repente, olhando ao redor, reparei no cavaleiro sujo de lama que havia visto no dia anterior, disparando loucamente ao longo da margem da estrada e galopando como se o próprio diabo estivesse atrás dele. O cavaleiro dirigiu-se diretamente a Hugh, na dianteira da coluna, freou selvagemente e começou a transmitir um relatório apressado. Depois de uma conversa rápida com Hugh, justamente como no dia anterior, deu meia-volta com seu cavalo e galopou de volta pela estrada para Nottingham, de onde viera. Robin e Hugh conversaram, nosso líder levantou a mão, a trombeta tocou e todos pararam abruptamente. Cavaleiros trotaram ao longo da coluna, dando ordens. Houve comoção e movimentação em toda a extensão da coluna e a notícia espalhou-se: soldados estavam chegando; homens de armas a cavalo, os homens do xerife de Nottingham. E aproximavam-se rapidamente.

Senti o terror apertar meu estômago: estavam vindo atrás de mim, com certeza. Vinham para cortar minha mão, decepá-la no pulso e deixar-me com um toco ensanguentado. Senti-me beirando o pânico, enjoado, lutando contra o impulso de correr, simplesmente disparar para as sombras acolhedoras da floresta, deixando a estrada principal, fugindo para longe de Robin e da coluna vagarosa de homens e mulheres condenados.

De algum modo, consegui controlar minhas pernas trêmulas e empurrar meus temores para um sótão escuro em minha mente e trancá-los lá. Eu fizera um juramento a Robin, era meu dever ficar com ele. Mas também fui tranquilizado pela reação de meus companheiros de viagem: não entraram em pânico e fizeram pouco alvoroço ao receberem a notícia de que as forças da lei estavam se aproximando, determinadas a se vingar. As pessoas pareciam tranquilas e animadas, como se fosse uma pausa bem-vinda na marcha tediosa do dia. Em uma grande clareira ao lado da estrada, provavelmente aberta pelos guardas-florestais do rei para impedir que fora da lei como nós surpreendessem viajantes honestos em uma emboscada, Robin enfiou a ponta afiada da vara que ostentava seu brasão de lobo no centro de um pedaço de grama macia, próximo das árvores que marcavam a margem da floresta escura. Empurraram as carroças para fora da estrada e os bois foram açoitados com varas afiadas para que andassem mais rápido, passando por Robin e formando um grande círculo, com o brasão no centro. Todos pareciam saber o que viria a seguir. Os bois foram posicionados desordenadamente e amarrados aos vagões à sua frente para formar um círculo largo de bestas e veículos largos de madeira. Mulheres e crianças, animais e bagagens ficaram no centro do círculo defensivo. Os homens desarmados começaram a desempacotar machados, picaretas e enxadas; alguns estavam na margem da floresta, cortando longas varas de árvores jovens, e outros pegavam pedras redondas do tamanho de um punho.

Havia um ar de expectativa, de excitação controlada. "João Pequeno", como eu o ouvira ser chamado — uma piada boba sobre seu tamanho —, pegara um machado gigante de duas lâminas e o balançava em grandes movimentos curvos e sibilantes, preparando os músculos para o combate. Seu amigo, o ferreiro, segurava dois grandes martelos nos punhos peludos, cabos de carvalho de 60 centímetros com um quilo de ferro na extremidade, presos aos pulsos por tiras de couro. Conferi que minha pequena faca de cortar bolsas ainda estava na bainha presa à minha cintura e, engolindo o medo, apressei-me para posicionar-me próximo de Robin: estando ligado a ele por meu juramento, meu lugar na batalha era a seu lado. Eu esperava impressioná-lo de alguma maneira durante o combate iminente.

Robin estava ocupado demais para reparar em mim. Ele descera de seu cavalo e estava dando ordens para Hugh e os homens de armas montados, todos equipados agora com espadas, elmos e escudos de madeira e couro em forma de pipa, pintados de branco com cal e marcados com a cabeça de lobo de Robin. Alguns carregavam machados de combate, outros vestiam armaduras de *cuir-bouilli* — armaduras para o peito e as costas feitas de couro duro fervido; outros usavam calças e luvas de cota de malha de ferro para protegerem os pés e as mãos. Cada homem segurava uma lança de 4 metros feita de madeira clara de freixo com aço brilhante e recém-afiado na ponta. E, sobre as armaduras, todos usavam uma veste do mesmo tom verde-escuro: um sinal de fidelidade a Robin, como se ele fosse um grande nobre, e não um criminoso condenado. Aqueles homens podiam ser fora da lei, ladrões, assassinos, homens do pior caráter... mas também eram guerreiros — uma dúzia de cavaleiros durões, orgulhosos e barbados, tão à vontade combatendo sobre um cavalo quanto eu ficava sobre os dois pés em um gramado tranquilo. Eram assustadores.

Hugh debruçou-se em seu cavalo na direção de Robin e os dois apertaram as mãos. Em seguida, Hugh conduziu os homens de armas para fora da clareira, seguindo a trote largo para a floresta e desaparecendo entre as árvores. Fiquei surpreso: para onde estavam indo? Robin deve ter visto minha incredulidade boquiaberta, pois gargalhou e disse:

— Não se preocupe, Alan. Eles retornarão... *à la traverse*! — Robin riu; um som confortador, leve e dourado. Eu não tinha ideia do que ele queria dizer, mas seu riso me confortou e, antes que eu pudesse perguntar qualquer coisa a ele, virou-se e gritou:

— Arqueiros! Juntem-se a mim! Arqueiros!

Arqueiros vieram às pressas de todas as partes da clareira e, com eles, Tuck aproximou-se segurando uma vara longa e marrom maior que ele. As extremidades da vara tinham pontas de chifre de vaca e um vinco na lateral para prender a corda do arco. Enquanto eu olhava, Tuck colocou a corda no arco, e lembrei-me de que fora soldado na Escócia antes de ser monge. Aquele não era um arco leve para espetar coelhos; era um arco de guerra: 2 metros de madeira forte de um teixo jovem. A parte do arco voltada para o inimigo, conhecida como as "costas", era feita do alburno mais leve, que ficava perto da casca do teixo. A parte externa do teixo resiste ao estiramento quando o arco é flexionado. A parte interna do arco, sua "barriga", como os arqueiros de Robin a chamavam, era feita da madeira escura do cerne da árvore. A madeira interna, mais dura, resiste à compressão quando a corda do arco é puxada. A resistência dos dois tipos de madeira dava ao arco seu poder. Era necessária uma força enorme para dobrar a madeira do teixo, mesmo que um pouco — mas Tuck, apesar de baixo, era imensamente forte. E, depois de se esforçar por um instante, o monge colocou o laço da corda do arco no vinco do chifre — e tinha nas mãos uma máquina de matar homens.

João Pequeno afastou-se do círculo de carroças segurando o machado, com o longo cabo apoiado em um ombro vigoroso e a lâmina dupla atrás do pescoço. Robin puxou sua espada e arremessou-a na grama a cerca de cinco passos do círculo de carroças.

— Arqueiros, aqui, eu acho — ele disse.

Cerca de dez arqueiros parrudos começaram a formar uma fileira desgrenhada onde estava a espada, voltados para a estrada. O líder, um homem atarracado chamado Owain, falou com eles em uma língua que não entendi, mas presumi que fosse escocês. Aqueles homens haviam sido atraídos de suas montanhas no oeste por Robin, com a ajuda de Tuck, para formar a parte principal de sua força de combate e para ensinar aos fora da lei ingleses de Robin a arte do grande arco. Enquanto eu olhava, alguns dos galeses ainda amarravam seus arcos, outros removiam flechas das bolsas de linho em forma de caixa presas às suas cinturas e as fincavam na grama diante de suas posições. Robin olhou para João e perguntou:

— Tudo bem?

O gigante apenas grunhiu. Robin disse:

— Lembre-se, João, mantenha-os na coleira... Não deixe que saiam até que tenhamos atacado.

— Pelas unhas sagradas de Deus — João gritou exasperado. — Você acha que eu já não fiz isso vinte vezes?

Robin acalmou-o:

— Sim, João, eu sei, mas você deve concordar que eles tendem a ficar um pouco agitados... Seja um bom camarada e mantenha-os na coleira até depois do ataque.

O gigante caminhou pesadamente de volta para o círculo de carroças, que estava repleto de mulheres, crianças, homens e bestas, em uma desordem barulhenta.

Tuck puxou a manga da minha camisa.

— Você não deveria estar aqui — ele disse. — Seu lugar é no meio das carroças.

Balancei a cabeça.

— Meu lugar é ao lado de meu senhor — eu disse, apontando com o queixo para Robin, que amarrava seu arco.

— Bem — Tuck disse —, achei que você diria isso, portanto, se estiver determinado a brincar de guerreiro, pode muito bem ficar parecido com um.

Tuck entregou-me um pesado saco marrom. Ouvi o som de metal contra metal.

Para um jovem, sempre haverá algo de especial e mágico em sua primeira espada, seja ela uma coisa pequena, enferrujada e entalhada, pouco melhor que uma faca grande de açougueiro, ou a melhor lâmina de aço espanhol, gravada em ouro e digna de um rei. É um símbolo de poder, de masculinidade — na verdade, trovadores e *trouvères*, quando tecem canções sobre o amor cavalheiresco, costumam usar a palavra "espada" como uma alternativa para o membro masculino. E quando cantam sobre deslizar uma espada para dentro da bainha... Bem, tenho certeza de que vocês compreendem, sem dúvida já ouviram os lascivos cansos e os obscenos *fabliaux*... Uma espada é um ícone da masculinidade; ganhar uma espada é ter a masculinidade concedida a você.

Minha primeira espada, que encontrei dentro do saco junto com uma capa verde-escura e um elmo amassado, seguia o padrão de 1 metro de aço afilado, estava um pouco arranhada, mas afiada, e tinha um sulco, um vinco, que corria do punho até três quartos da lâmina nos dois lados. A arma tinha uma travessa de aço de 12 centímetros e punho de madeira, sob o qual havia um botão redondo de ferro. Era uma arma comum, como as carregadas por milhares de homens de armas em toda a Inglaterra, mas para mim era a Excalibur. Era uma lâmina mágica forjada pelos santos e abençoada por Deus. E era minha. A espada veio em uma bainha de couro desgastada e presa a um cinto para espadas usado, feito de couro. Quando afivelei o cinto ao redor da minha cintura e puxei a espada, senti-me tão alto quanto João Pequeno, um herói, o guerreiro nobre que defenderia seu senhor até a morte. Cortei o ar com a espada, matando experimentalmente dragões invisíveis.

Tuck, que observava meus golpes gloriosos com um olhar gentil, disse:

— Apenas tente não matar nenhum de nós.

As palavras dele me acalmaram e, enquanto Tuck me ajudava a vestir a capa e o elmo, percebi que era realmente possível que esperassem que eu matasse, que enfiasse a espada em um corpo humano vivo, que espalhasse as vísceras de uma pessoa de verdade sobre a grama verde daquela clareira tranquila. E que meu oponente tentasse fazer o mesmo comigo.

Coloquei a espada de volta na bainha e, quando me virei para agradecer a Tuck pelos presentes, o espião enlameado veio galopando pela curva da estrada e, desta vez, seguiu diretamente para o pequeno círculo de carroças. Ele parou seu cavalo perto de Robin e da fina fileira de arqueiros, saltou do animal e, sem fôlego, disse para Robin:

— Eles estão chegando, senhor, logo atrás de mim; os homens de Ralph Murdac. Cerca de trinta daqueles desgraçados...

Robin assentiu e disse:

— Certo, ótimo; entre com o animal no círculo de carroças.

O homem balançou a cabeça e levou o cavalo. Robin, virando-se para os arqueiros que formavam uma fila desgrenhada e o olhavam ansiosamente, disse:

— Certo, amigos, não vamos brincar com eles. Quando virem os desgraçados, comecem a matá-los. E quando eles chegarem àquele arbusto — Robin apontou para um amieiro magro a cinquenta passos de distância —, entrem no círculo o mais rápido que puderem. Entrem no círculo de carroças se quiserem viver... Mas não antes que cheguem ao arbusto. Todos entenderam?

Robin olhou para mim e concordei, sem querer falar por medo de que minha voz revelasse meu temor.

Então, esperamos. Robin fincava flechas na grama à sua frente, arrumando ociosamente a disposição para que ficasse simétrica; os arqueiros galeses apoiavam-se levemente nos arcos, conversando tranquilamente, perfeitamente calmos. Era um grupo muito musculoso, mas percebi que poucos eram altos. Muitos tinham um formato de corpo parecido, como se fossem ligados por parentesco: baixos e atarracados, com braços grossos e musculosos e troncos largos. Tuck caminhou ao longo da fileira, abençoando os arcos. Fiquei ali, segurando o punho da minha espada, aguardando a bênção e suando de medo e excitação sob o sol da primavera. Eu estava desesperado para mijar. O tempo pareceu parar. O burburinho do círculo de carroças se acalmou mas, ocasionalmente, um boi mugia ou uma galinha cacarejava. Perguntei-me se o espião estaria enganado. Onde estavam eles? Robin limpava as unhas com uma pequena faca e murmurava: "Meu amor é belo como uma rosa em flor", mas a noite anterior e nossas harmonias agradáveis pareciam a mil quilômetros e a muitas vidas de distância. Tuck estava ajoelhado, rezando. Fechei os olhos e, do nada, a imagem da menina de olhos verdes copulando com seu amante bêbado na casa da fazenda veio à minha mente. Abri os olhos rapidamente e me benzi. Caso morresse, eu não queria que meus últimos pensamentos estivessem voltados para aqueles pecadores. Finalmente, depois de uma espera longa, muito longa, ouvi o tropel de cascos de cavalos sobre o chão seco e o inimigo surgiu na curva da estrada. Uma massa barulhenta de cavaleiros envoltos em aço e malícia, buscando nossa morte.

Os soldados formavam uma visão aterradora. Trinta homens de armas, duros como pedra, montados em cavalos de guerra grandes e bem treinados, todos cobertos com cotas de malhas de ferro dos dedos dos pés às pontas dos dedos das mãos e coroados com elmos de aço rebitado com o topo chato e uma grade de metal cobrindo completamente seus rostos. Meu pai fora enforcado por soldados como aqueles. Usavam capas negras marcadas com divisas vermelhas sobre as cotas de malha de ferro e carregavam lanças de 4 metros com pontas de aço, matadoras de homens, além de escudos de madeira em forma de pipa revestidos com couro e pintados com o brasão preto e vermelho de Sir Ralph Murdac. Espadas longas e adagas menores estavam presas às suas cinturas; maças com espinhos e machados de guerra afiados como navalhas pendiam das selas. Eram matadores habilidosos, os senhores do campo de batalha, e sabiam disso.

Os inimigos pararam a cerca de 200 metros de onde estávamos, seus cavalos bufando e dando patadas na grama, e olharam para nosso amontoado patético de carroças, bestas, mães camponesas com filhos ansiosos e a fileira magra de arqueiros atarracados. Pareciam monstros de aço de alguma lenda terrível, e não homens de carne e osso. Cavaleiros como aqueles espalhavam o terror em meio ao povo inglês havia mais de duzentos anos, desde quando Guilherme, o bastardo, veio para nossa terra. Cavaleiros como aqueles haviam derrubado a muralha de escudos dos guardas de Hastings e, desde então, seus descendentes caçavam os miseráveis que não tinham condições de pagar impostos, matando pequenos proprietários que se colocavam em seu caminho, estuprando qualquer garota que lhes agradasse, esmagando espíritos ingleses sob seus cascos cobertos de aço.

Dois cavaleiros seguiam à frente dos outros homens a cavalo, os líderes do *conroi*, como aquelas unidades montadas eram chamadas, cada um com uma pena de ganso tingida de preto e vermelho no topo do elmo. Começaram a ordenar a tropa em duas fileiras com cerca de 15 homens cada. Enquanto eu observava os cavalos soberbamente treinados se movimentando e assumindo suas posições, ouvi Robin murmurar:

— De prontidão, amigos...

Os arqueiros esticaram as cordas dos arcos até as orelhas.

— ...e soltem.

Houve um som repentino como uma revoada de andorinhas e várias flechas alçaram voo, finos traços cinzentos contra o céu azul. Ouvi Robin dizer novamente, perfeitamente tranquilo:

— Prontos... e soltem.

Observei impressionado quando as primeiras flechas acertaram as fileiras do *conroi*, que explodiu em um caos sangrento e em gritos. Cavalos gritaram em agonia, chutando descontroladamente a esmo quando 12 metros de madeira de freixo endurecidas ao fogo com pontas perfurantes afiadas como navalhas penetraram profundamente em seus troncos e traseiros. Dois homens de armas caíram sem vida de seus cavalos, mortos pelas flechas que perfuraram as couraças e atravessaram seus corações e pulmões. O que, momentos antes, eram fileiras ameaçadoras e ordenadas de homens montados se preparando para o ataque, perfeitamente organizados com suas lanças dispostas verticalmente, como as paliçadas de uma cerca de aldeia, havia se tornado um circo de cavalos aterrorizados que se empinavam e de homens ensanguentados gritando palavrões. Mais flechas caíram sobre eles. Vi um homem no chão, de quatro, com uma flecha atravessada na garganta, desabar na grama verde, apertando o pescoço e cuspindo sangue. Outro dizia palavrões, uma série vil de obscenidades, amaldiçoando Deus enquanto tentava retirar uma flecha do músculo de sua coxa. Um cavalo sem cavaleiro, chutando com as patas traseiras, acertou o peito de seu dono desmontado com um som audível de ossos quebrando. O homem foi arremessado para longe e não voltou a se levantar.

Mas aqueles não eram soldados comuns. Aqueles homens eram orgulhosos cavaleiros guerreiros, os homens de armas escolhidos a dedo por Sir Ralph Murdac, temidos em dois países, disciplinados por horas de treinamento com cavalos, lanças, espadas e escudos. As flechas ainda os cortavam, mas os homens estavam com os escudos levantados e contendo os cavalos com os joelhos, reposicionando-os em algo que lembrava uma formação. Os dois cavaleiros, com suas plumas pomposas balançando loucamente, reagrupavam o *conroi* com gritos e ameaças. Observei, com o coração na garganta, enquanto deram ordens aos soldados, voltaram seus cavalos enormes em nossa direção e avançaram. Os cavaleiros posicionaram as lanças e começaram a galopar através da clareira, agrupando-se enquanto trovejavam sobre a grama, as patas enormes dos cavalos fazendo o mundo vibrar, avançando diretamente na direção do nosso fraco círculo de defesa.

— Preparados... e soltem — disse Robin.

E as flechas com pontas de aço cortaram o ar novamente através do campo para penetrarem 30 centímetros nos cavalos que avançavam. Dois homens forram arremessados para trás das selas, como se seus corpos estivessem presos a uma corda amarrada a uma árvore.

— Mais uma vez, rapazes, e corremos. Preparados... e soltem.

Robin pegou um chifre de caçador do cinto e assoprou dois sinais curtos, agudos e claros, seguidos por um sinal longo. O último punhado de flechas atingiu o *conroi* que avançava no instante em que os inimigos alcançaram o arbusto de amieiro e, em seguida, todos recuamos sem fôlego, tropeçando aterrorizados e retrocedendo para o círculo defensivo de carroças. Também corri, agarrando minha espada, como se o diabo estivesse em meu encalço — corri até meu coração quase explodir. Era uma distância curta, talvez de 30 metros, mas os cavaleiros quase haviam nos alcançado. Imaginei que podia sentir a respiração quente de uma besta enorme e seu cavaleiro com rosto de metal, os cascos me esmagando; eu quase podia sentir a picada da ponta de aço da lança entre minhas omoplatas... e em seguida entrei no círculo, deslizando na grama sob as rodas da carroça mais próxima — e bati nas pernas do ferreiro, que ainda segurava os martelos enormes. Ele olhou para mim e disse:

— Tudo bem, filho, você parece um pouco sem fôlego. — E sorriu para mim.

O *conroi* foi obstruído pelo círculo de carroças. Era um obstáculo grande demais para que os cavalos o saltassem e, frustrados por não terem alcançado os arqueiros, os cavaleiros circularam ao redor do círculo, inclinando-se nas selas e tentando atingir com as lanças as pessoas dentro dele, que se esquivavam, defendiam-se e recuavam até ficarem fora de alcance. O chifre de Robin soou novamente, duas notas curtas e uma longa; e nossos cavaleiros abençoados surgiram da muralha verde da floresta.

Foi uma visão linda: 12 cavaleiros com cotas de malha alinhados perfeitamente em uma única fileira, galopando em direção ao nosso anel defensivo. Hugh estava no centro, com o estandarte do lobo tremulando sobre sua cabeça enquanto os homens avançavam pela clareira. As lanças estavam abaixadas, presas sob seus braços e mantidas paralelas ao chão, apontadas para os inimigos, pontas de lanças sedentas de sangue. Um dos homens de Murdac apenas teve tempo de dar um grito de aviso e os homens de Hugh colidiram com as fileiras desordenadas do inimigo, atingindo homens e cavalos com lanças enquanto atacavam o tropel que circulava, dispersando a tropa do xerife como lobos correndo em meio a um rebanho de ovelhas.

O chifre de Robin soou novamente, três notas crescentes que arrepiaram os pelos da minha nuca: *ta-ta-taaa, ta-ta-taaa.*

— Venha, camarada — disse meu amigo ferreiro. — Este é o ataque.

O ferreiro subiu na carroça e atravessou para o outro lado, balançando os dois grandes martelos, surpreendentemente ágil para um homem tão grande. Quando saiu do círculo de carroças, deu um forte golpe na testa de um cavalo inimigo que estava passando e o pobre animal tropeçou e caiu de joelhos. Rápido como uma doninha, o ferreiro partiu para o homem que montava o cavalo enquanto o animal ainda estava caindo, batendo alternadamente com os dois grandes blocos de metal em sua cabeça protegida pelo elmo quadrado. Ele deve ter esmagado o elmo e a cabeça, pois, repentinamente, havia uma grande quantidade de sangue e matéria rosa acinzentada espalhados em seu peito. Ele me viu observando, impressionado com sua atuação selvagem, abriu um sorriso enorme, enlouquecido pela batalha, e gritou:

— Não fique aí olhando, garoto, proteja-se, proteja-se...

Robin estava à minha direita, de pé sobre uma carroça ao lado de outro arqueiro, ambos disparando calmamente contra os cavaleiros inimigos. Virei-me para a esquerda e ali estava João Pequeno, fora do círculo, brandindo seu machado enorme com uma habilidade assassina. Vi-o acertar as costas de um cavaleiro, atravessando a cota de metal e cortando sua espinha. Quando soltou a lâmina dupla, o homem caiu para a frente, flácido como uma boneca, a cabeça quase tocando o pé no estribo enquanto uma fonte escarlate jorrava no ar de seu abdome parcialmente decepado.

Para onde quer que eu olhasse, havia seguidores de Robin: homens e também algumas mulheres, a pé, alguns armados somente com varas ou pedras, outros com enxadas ou foices, cercando cavaleiros isolados, atingindo os soldados e suas montarias em uma fúria quase descontrolada. Um corpo de cavaleiros disciplinados e armados com lanças longas pode destruir uma multidão de infantaria em instantes; mas quando um cavaleiro está sozinho e cercado por um grupo de camponeses sedentos de sangue diante da oportunidade de se vingarem dos crimes cometidos por aquele símbolo de poder contra eles e seus ancestrais, é como observar uma aranha aleijada ser sobrepujada por um exército de formigas enlouquecidas. Os cavalos foram feridos, rapidamente, com facas longas e afiadas. As pernas do infeliz homem de armas foram agarradas por muitas mãos. Ele foi puxado e derrubado com vida da sela para ser pulverizado em uma massa ensanguentada sobre a terra enevoada. Batendo no metal, ferramentas sem fio marretavam a carne viva; homem e cavalo gritavam e o sangue quente jorrava.

Mas nem tudo estava a nosso favor: um dos cavaleiros emplumados devastava nosso grupo. Com a rédea presa ao chifre da sela e controlando o cavalo apenas com os joelhos, ele atacava a esmo com uma espada e um bastão, esmagando crânios e decepando braços. Enquanto eu observava, uma flecha penetrou em sua coxa e ele recuou com um palavrão.

O ferreiro à minha frente acabara de martelar o crânio esmagado do inimigo e observava João Pequeno que afundava a lâmina gigantesca de seu machado com um gracioso golpe atravessado na garganta de um cavalo que passava por ele. O infeliz animal, jorrando sangue, empinou com a última força que lhe restava e derrubou seu cavaleiro, que caiu de costas e sem fôlego no chão encharcado de sangue. Em um piscar de olhos, o cavaleiro foi cercado por um enxame de camponeses que o cortaram e perfuraram com suas armas.

— É assim que se faz, amigo. — O ferreiro sorriu para mim. — Nada de preguiça, mexa-se.

Então, repentinamente, o rosto louco e feliz do ferreiro mudou de forma, empalideceu e o homem caiu de joelhos. Do centro de seu peito protuberou a ponta de aço ensanguentada de uma lança. Ele olhou para baixo em descrença e seu corpo sacudiu e balançou quando o homem de armas na outra ponta da lança puxou a arma para soltá-la da carne que a sugava.

Uma imagem do rosto distorcido de meu pai saltou em minha mente e me vi gritando "Nããããão...!". Minha espada nua estava em meu punho e, antes que pudesse pensar, levantei-me e saltei sobre a carroça. Avancei contra o cavaleiro, cuja lança ainda estava presa ao corpo do ferreiro, e ataquei sua perna com minha arma, enlouquecido por uma fúria escarlate. A lâmina atingiu a perna protegida pela armadura e o homem gritou de dor, mas o golpe não atravessou a cota de malha de ferro. O homem largou a lança e, com um enorme machado de guerra, atacou-me com a mão esquerda, cruzando o corpo com o braço. Esquivei-me e logo depois um cavalo colidiu com a traseira do animal sobre o qual estava. O cavaleiro cambaleou na sela, balançando os dois braços, com o machado pendurado pela alça presa ao seu pulso esquerdo. Agarrei a manga armada de seu braço direito, minha mente fervendo, puxei-a e, com um chacoalhar e um estrondo, meu oponente caiu na grama e seu capacete caiu da cabeça, rolando para longe.

Não pensei por um segundo sequer sobre o que iria fazer; era como se outro garoto estivesse controlando meu corpo. Quando o cavaleiro inimigo estava estatelado no chão, com a cabeça desprotegida, atingi com toda a força seu pescoço exposto com a espada e senti o tremor da lâmina quando o aço cortou sua espinha, na base da cabeça. O cavaleiro gritou e seu corpo sofreu um enorme espasmo convulsivo. Mas meu coração, meu delicado coração, estava cantando. Ali estava a vingança, aquele golpe fora desferido pela memória de meu pai. O homem contorceu-se novamente. Um jato gigantesco de sangue brilhante jorrou do ferimento e, logo depois, o cavaleiro ficou imóvel, com o rosto voltado para cima, o sangue formando uma poça sob seu corpo, com minha espada praticamente decepando sua cabeça.

Pela primeira vez, vi claramente o rosto do cavaleiro. Não era um monstro de aço vindo de um pesadelo. Seus olhos azuis olhavam para o céu, sua pele era branca como o leite e imaculada, exceto por um fino bigode louro no lábio superior. A mandíbula estava frouxa, a boca vermelha aberta revelando dentes brancos perfeitos. Talvez fosse apenas um ou dois anos mais velho do que eu. Ele deu um último suspiro, como um homem relaxando depois de um longo dia de trabalho, um silvo de ar longo e trêmulo quando a alma deixou seu corpo.

Abaixei o olhar para o primeiro homem que matei na vida. Encarei-o. Meus olhos formigavam com lágrimas. Estiquei a mão para... tocá-lo, desculpar-me, implorar por perdão por ter posto fim à sua jovem vida — não sei exatamente. Recolhi a mão e levantei os olhos, desviando o olhar do corpo.

Vi Robin acima de mim, de pé na carroça, uma flecha pronta no arco, procurando uma nova vítima. Seus olhos encontraram os meus. Ele acenou com a cabeça para mim e gritou — e, sobre os gritos da batalha, pude ouvir sua voz forte e segura tão claramente como se estivesse ao meu lado:

— Bela morte, Alan. Bom trabalho. Ainda faremos de você um guerreiro.

Robin sorriu para mim, um sorriso tranquilo e despreocupado. Olhei para ele, sentindo a cabeça girar. E então, por alguma alquimia estranha, meu humor mudou e fui contagiado por sua coragem. Onde antes havia me sentido mal e fraco por ter posto fim a uma vida jovem, eu agora sentia uma descarga gloriosa de sangue fluir em meus membros. Olhei novamente para o garoto morto a meus pés e vi minha mão se esticar para pegar a espada. Peguei o cabo simples de madeira e, com um grande puxão, desprendi-a da espinha. Fiquei ereto, levantei o queixo, firmei minhas pernas bambas e olhei em volta, em busca de mais inimigos para matar.

Capítulo 4

A batalha havia terminado. Os homens de armas sobreviventes, pouco mais que um punhado de soldados, haviam fugido — uns a pé, dois ou três a cavalo, retornando pela estrada na direção de onde vieram.

Passei os olhos ao redor do campo e meu estômago congelou: o lugar estava coberto de cavalos morrendo, homens ensanguentados arrastando-se e movendo-se com dificuldade, o ar infestado por gritos e gemidos borbulhantes, o chão coberto com tanto sangue que a clareira viçosa deixara de ser verde: um monte de esterco malcheiroso coberto de sangue, lama e corpos estraçalhados. O cheiro da batalha era pungente como sal: um odor metálico, com sabor de cobre e áspero no fundo do nariz, com traços de esterco e urina, suor fresco e grama amassada. Mas, acima de tudo, acima da dor, da morte, do horror e da imundície, senti uma alegria enorme, arrebatadora e estimulante, simplesmente por estar vivo, felicidade por termos derrotado o inimigo e saído vitoriosos.

Os homens e mulheres esfarrapados de Robin corriam de um corpo para outro, cortando as gargantas dos inimigos feridos, abafando os gritos e cavucando em suas algibeiras e seus alforjes. Somente um inimigo permanecia de pé no campo. Era o cavaleiro, sem elmo, um corte sangrento na lateral do corpo, a cota de malha ensopada de sangue, a coxa esquerda perfurada por uma flecha, mas ainda de pé, espada e maça nas mãos, cercado por um círculo de homens de Robin, alguns feridos pouco antes, que provocavam o inimigo e atiravam pedras contra ele. Os fora da lei zombeteiros permaneciam prudentemente fora do alcance da espada e da maça do cavaleiro: vi três corpos a seus pés.

— Venham, seus covardes! — o cavaleiro gritou. Ele falava um inglês sem sotaque, o que era raro para um cavaleiro. — Avancem e morram como homens.

Uma pedra acertou seu peito.

— Seu bando de vilões covardes, venham e lutem!

E, em resposta à provocação, um fora da lei impulsivo, um camarada grande e armado com um machado, avançou correndo e atacou o cavaleiro pelas costas. O cavaleiro parecia ter olhos atrás da cabeça. Deu meia-volta para a direita e bloqueou com a espada a machadada selvagem. Em seguida, mudou de direção e, com pés hábeis como os de um dançarino, virando o tronco para a esquerda, esmagou habilmente o crânio do homem com um golpe de sua maça com pontas de ferro. O homem dobrou-se, sofreu um espasmo e caiu, imóvel. O cavaleiro agira tão tranquilamente, com um movimento mortal repentino de tamanha habilidade e graça, que seus inimigos zombeteiros foram silenciados.

— Vamos lá, quem é o próximo? — disse o cavaleiro. — Vamos começar a fazer uma pilha.

Um arqueiro abriu caminho pelo círculo até ficar a apenas 5 metros do cavaleiro. Ele encaixou a flecha no arco, puxou a corda de cânhamo e estava prestes a enfiar 1 metro de madeira de freixo no peito do cavaleiro quando Robin chegou correndo e gritou com sua voz metálica de batalha:

— Pare!

Abrindo caminho entre as pessoas que cercavam o cavaleiro, Robin disse:

— Senhor, lutou com coragem. E agora está ferido. Sou Robert Odo de Sherwood. Renda-se!

O cavaleiro inclinou a cabeça para um lado; era um homem bonito, com cerca de 25 anos, com uma barba preta, longa e espessa e olhos brilhantes. Respondeu:

— Você deseja se render? Muito bem, aceito.

Ele estava sorrindo, mesmo diante da morte. Robin encarou o inimigo. O arqueiro esticou os dois últimos centímetros da corda do arco. O cavaleiro ergueu o queixo, a uma batida de coração de encontrar seu Criador. Mas Robin estendeu um braço imperiosamente, com a palma voltada para o arqueiro. E meu mestre começou a gargalhar em meio ao sangue, à morte, à dor e à fúria, gargalhando e gargalhando. E o cavaleiro, também às gargalhadas, largou a maça, girou a espada em um movimento reluzente no ar, pegou-a pela ponta ensanguentada com a mão armada e ofereceu o cabo a Robin.

— Sou Sir Richard de Lea — ele disse com um sorriso —, seu prisioneiro.

Ainda sorrindo, o cavaleiro desabou na lama aos pés de Robin, inconsciente.

Carregamos as carroças com uma velocidade impressionante. Na verdade, o bando de Robin fez tudo rapidamente, sem confusão. Os feridos foram colocados junto com as bagagens. Os gravemente feridos — três homens, que eu tenha visto —, depois de receberem a extrema-unção, administrada por Tuck, foram executados com um rápido golpe de adaga no coração, administrado por João, que o executava com uma delicadeza estranha, acomodando suas cabeças em sua mão enorme e enfiando rapidamente a adaga através das costelas uma vez para liberar um esguicho brilhante de sangue do coração. Aquele parecia ser o costume do bando de Robin. E ninguém comentou sobre como os homens foram levados às pressas para o Paraíso, ou para o outro lugar. Covas foram cavadas, também rapidamente, para nossos mortos. Dos mortos do inimigo — havia 22 cadáveres e nenhum ferido: todos que não haviam fugido, exceto Sir Richard, foram executados pelos homens e mulheres de Robin —, recolheram tudo de valor: armas, armaduras, botas, roupas e dinheiro. Os corpos foram alinhados na beira da estrada; suas camisas imundas e roupas de baixo, as únicas peças de vestuário sujas demais para que fossem roubadas pelos homens de Robin, tremulavam ao vento, bandeiras cinzentas e rotas para marcar a passagem deles para o próximo mundo. Tuck disse algumas palavras breves diante da fileira de mortos e senti uma pontada de dor quando vislumbrei o cabelo louro e manchado de sangue da minha vítima. Eles eram nossos inimigos, mas também eram guerreiros e homens; Hugh, a cavalo na dianteira da coluna, gritou "avançar!" e todo o comboio pesado partiu novamente pela estrada na floresta. Olhei para o sol, apenas uma hora havia se passado desde que o espião nos dera o aviso. Amarrei meu cinto para carregar a espada, dei as costas para a clareira ensanguentada e caminhei atrás da coluna, seguindo meu vitorioso senhor fora da lei.

Pouco depois, deixamos a Grande Estrada do Norte e seguimos por uma série de estradas secundárias, cada uma mais estreita que a anterior. A grande floresta frondosa cercou-nos até que as laterais dos carros de boi começassem a ser arranhadas pelos galhos e a luz do sol só pudesse ser vista raramente. A trilha sulcada tinha curvas tão regulares que, na escuridão da floresta, logo perdi a noção de para qual direção ficavam o norte, o sul, o leste e o oeste. Com o anoitecer, percebi que estava irremediavelmente perdido. Mas Robin sabia claramente para onde estávamos indo e seguimos sempre em frente, viajando sob a luz de algumas tochas de madeira de seiva até chegarmos a um antigo casarão no coração da floresta.

Robin deixou-nos ali. Hugh, os homens de armas feridos, as mulheres, as crianças, os animais de criação, os pesados carros de boi com suas cargas de tributos, Sir Richard e eu. O senhor do casarão, Thangbrand, um guerreiro velho e grisalho, matara um porco e preparara um banquete para Robin e o bando, mas eu estava com o humor estranhamente melancólico depois da batalha e mal consegui comer; ficava pensando no garoto louro que eu matara — seu rosto aparecia diante de mim quando eu fechava os olhos, sua boca vermelha sorrindo, mostrando dentes brancos, enquanto o sangue escorria por seu pescoço, saindo do ferimento terrível em sua espinha. Ele era jovem demais para que tivesse sido um dos homens que mataram meu pai, mas eu não tinha dúvida de que teria obedecido tal ordem. Portanto, acreditei que tinha obtido ao menos algum tipo de vingança por meu pai ao tomar a vida daquele homem, mesmo que ele fosse apenas um símbolo, uma incorporação, das forças que me privaram de meu pai. E eu estava muito satisfeito que Robin tivesse me visto matar o inimigo; sendo assim, por que me sentia tão miserável? A questão estava além da minha compreensão, de modo que me recolhi a um canto do salão, enrolei-me em minha capa e tentei bloquear o som da farra em torno dos barris de cerveja e encontrar o esquecimento do sono.

Robin e a cavalgada sem carga partiram na manhã seguinte. Todos os homens partiram montados nos cavalos dos estábulos de Thangbrand. Tuck abraçou-me e impeliu-me a cuidar de meus modos e pensar de vez em quando em minha alma imortal. João Pequeno deu-me um tapa poderoso nas costas. Quando Robin veio se despedir rapidamente de mim, ajoelhei-me e perguntei se não poderia acompanhá-lo, mas ele me levantou e disse-me para obedecer a tudo que Hugh dissesse e para comparecer às aulas dadas por ele.

— Você irá me servir melhor com um pouco de educação, Alan. Preciso de homens espertos ao meu redor. Aprenda com Thangbrand — Robin disse. — Ele já foi um grande guerreiro e tem muito a ensinar. Uma morte não faz de você um guerreiro, apesar de ter sido um bom começo, um começo muito bom. — Ele sorriu e apertou meu ombro. — Voltarei logo, nada tema — ele disse. — Sem dúvida, necessitarei de suas novas habilidades em pouco tempo.

Em seguida, Robin virou o cavalo e cavalgou para longe. Enquanto o observava cavalgar entre as árvores, senti-me repentinamente inseguro, desolado e um pouco temeroso. Eu estava sozinho e cercado por estranhos no meio da floresta.

O casarão de Thangbrand, assim como seu nome, era um retorno ao período saxão. Construído com vigas de carvalho e paredes de taipa em uma ampla clareira escondida nas profundezas de Sherwood, parecia existir em uma época mais simples, uma época anterior à chegada dos orgulhosos franceses às costas do país. Um grande prédio retangular com um telhado alto de palha, o casarão era o centro de um assentamento com cerca de trinta pessoas. Uma paliçada instável de madeira cercava o casarão e seus anexos: estábulos, silos, oficinas, uma ferraria, uma cozinha e casebres decrépitos onde os habitantes inferiores dormiam, junto com os animais. Sir Richard foi colocado em um dos casebres. Na noite anterior, ele jurara a Robin, por sua honra como cavaleiro, que não tentaria escapar até que se chegasse a um acordo em relação a seu resgate e que o mesmo fosse pago por Sir Ralph Murdac. Na verdade, estava ferido demais para conseguir fugir para muito longe. Ele perdera um grande volume de sangue e agora estava consciente de modo intermitente. Uma machadada quebrara várias costelas e perfurara o lado direito de seu corpo, Tuck contou-me depois de tratá-lo da melhor maneira que sua habilidade permitia. A coxa esquerda fora perfurada por uma flecha, que foi removida quando Sir Richard estava inconsciente. Felizmente, o osso da coxa não fora quebrado. Agora, pálido e envolto em ataduras, despido da armadura, ele estava sentado no chão de um chiqueiro, apoiado em um monte de palha limpa contra a parede posterior, observando a movimentação de sua prisão rústica através da abertura larga na parede.

A residência, cujo comando Hugh assumira como tenente de Robin, era ocupada por Thangbrand, sua esposa extremamente gorda, Freya, dois filhos de pele escura e bem-constituídos, Wilfred e Guy, apenas poucos anos mais velhos do que eu, e uma filha magrela chamada Godifa, com cerca de nove ou dez verões. Outro garoto, William, um ruivo robusto com mais ou menos a minha idade e propenso a sorrir tolamente, também morava na casa, sendo uma espécie de primo. Havia também uma dúzia de homens de armas, alguns feridos durante o combate, outros a quem eu jamais vira antes e uma dezena de homens e mulheres que trabalhavam como criados.

Pouco após a partida de Robin, Hugh me chamou e descreveu como seria minha vida na casa de Thangbrand. Ele disse que eu deveria aprender o máximo possível com as pessoas à minha volta e que seria punido se perturbasse a residência, roubasse algo ou não cumprisse minhas obrigações. Se me comportasse, prestasse atenção às aulas e trabalhasse bastante, eu receberia algo de valor inestimável, um tesouro da mente, um *tesauro*... Ele estava falando da minha educação.

Hugh disse que meus dias seriam estruturados da seguinte maneira: ao amanhecer, antes do café da manhã, eu cumpriria minhas obrigações no casarão, alimentaria as galinhas, os porcos e também os pombos no pombal, sob a supervisão de Wilfred, o filho mais velho de Thangbrand, durante aproximadamente uma hora. Depois, nós quatro — Wilfred, Guy, William e eu — comeríamos o desjejum e seríamos instruídos por Thangbrand nas artes do combate até o meio-dia, ao lado de alguns homens de armas, quando faríamos a principal refeição do dia. Depois, à tarde, teríamos aulas de francês, latim, gramática, lógica, retórica e *courtoisie*, o comportamento correto de jovens nobres. Hugh fez-me compreender de um jeito rigoroso porém gentil que eu era privilegiado por estar aprendendo as habilidades de um fidalgo, apesar de ter nascido em uma classe inferior. Hugh me informou que eu cumpriria mais obrigações depois do jantar e iria cedo para a cama.

Nos banquetes realizados nos dias sagrados e feriados, eu serviria à mesa com minhas melhores roupas e o rosto lavado. Eu não deveria colocar o dedo nem no nariz e nem nos ouvidos diante dos convidados. Tampouco podia me embebedar. Dormiria no casarão todas as noites em um catre estofado com palha estendido no chão, ao lado do fogo, com os outros homens e garotos. Hugh tinha o próprio casebre, próximo ao casarão, onde dormia e encontrava seus mensageiros obscuros, homens sombrios que lhe traziam notícias dos quatro cantos do país, e Thangbrand e Freya dormiam em seus aposentos privados, em um solar nos fundos do casarão.

Mais tarde, Hugh deu-me roupas novas, pois as que eu vestia estavam praticamente despencando de meu corpo: alguns pares de ceroulas de linho, dois pares de calças verdes de lã, duas camisas, uma túnica comum marrom que descia até os joelhos, para uso diário, uma capa verde muito mais fina bordada com um pouco de pele de esquilo no pescoço, que deveria ser usada em ocasiões especiais, e um capuz de lã verde-escura, da mesma cor da capa que Tuck me dera. Eu deveria cuidar das roupas, Hugh disse, e mantê-las limpas. Também recebi um par de botas de couro novas que valiam mais que qualquer coisa que eu jamais tivera, e um *aketon*, ou *gambeson*, um casaco com um forro espesso, usado tanto para me aquecer nos dias frios quanto para me proteger nas batalhas. O casaco era grande demais para mim. Mas depois, sozinho, prendi o cinto da espada sobre o *aketon* e coloquei meu elmo, sentindo-me mais um homem de armas do que um criado.

A disciplina era rígida na casa de Thangbrand e logo descobri que o assentamento era mais um campo de treinamento militar que uma fazenda tranquila no meio da floresta. Não havia surras leves do tipo que meu pai costumava me dar para consertar meus modos nada civilizados. Pelo contrário, as punições por qualquer transgressão eram violentas. Dias depois da minha chegada, um dos homens de armas, um camarada chamado Ralph, embebedou-se e estuprou uma das criadas. Thangbrand arrastou o estuprador até Hugh, que disse que faria dele um exemplo. Hugh fez com que o estuprador fosse espancado com varas pelos outros fora da lei até sangrar e quase perder a consciência. Depois, o pobre homem foi castrado em uma cerimônia terrível realizada diante de toda a população — vergonhosamente, vomitei outra vez diante da cena. Nu, sangrando por um buraco ensanguentado entre as pernas e praticamente incapaz de andar, o estuprador foi levado para fora do assentamento de Thangbrand e abandonado na floresta para morrer de fome ou, mais provavelmente, ser devorado pelos lobos.

Admito que estava com medo — os gritos agonizantes do homem visitaram meus sonhos durante semanas após o ocorrido — e jurei me comportar e não atrair punições. Deste modo, obedeci meus superiores e comecei a aprender as habilidades de um fidalgo.

Wilfred, o filho mais velho de Thangbrand, tinha cerca de 16 anos e era um jovem quieto e tranquilo dado a devaneios e à leitura de romances. Não era ríspido comigo, mas era evidente que me achava irritante. Wilfred achava que eu precisava ser supervisionado, o que o afastava das histórias sobre o rei Arthur e de outras lendas sobre feitos heroicos realizados em batalhas. Apesar do gosto literário sombrio, ele próprio não era nada beligerante, e pude perceber que seria um bom padre se as circunstâncias fossem diferentes e seu pai fosse um cavaleiro normando, e não um saxão sem importância que morava na floresta. Ele era responsável por me supervisionar no cumprimento de minhas obrigações: trabalhos cotidianos simples e enfadonhos, como cortar lenha para a grande lareira do casarão e trazer água de uma corrente que corria a 1 quilômetro do assentamento para encher as pipas da residência. Eu também alimentava as galinhas, os pombos e os porcos duas vezes por dia e varria a área de terra batida diante do casarão, onde treinávamos para a guerra.

Guy, apesar de dois anos mais novo que Wilfred, era muito mais belicoso: na verdade, eu jamais vira dois irmãos menos parecidos. Wilfred era quieto, sonhador e lembrava um monge; Guy era barulhento, autorreferente, beligerante e, desde o instante em que cheguei, tratou-me com absoluto desprezo. O maior desejo de Guy era se tornar cavaleiro: seu nome verdadeiro era Wolfram, e não Guy. Contudo, para fúria do pai, adotara o nome normando por achar que soava mais cavalheiresco. Tudo o que fazia refletia seu desejo de se tornar membro da classe militar normanda. Eu acreditava que o desprezo que sentia por mim era fruto de minha origem camponesa; a família dele, os ancestrais de Thangbrand, Guy dizia-me com frequência, tinham sido lordes desde a Idade das Trevas. Até mesmo antes dos romanos. Ele sempre ressaltava que era superior a mim em todos os aspectos.

No meu terceiro dia na propriedade de Thangbrand, Guy surrou-me com os punhos, atacando-me pelas costas quando eu enchia uma saca com trigo para levar ao moinho, nocauteando-me; depois, dando tapas em minha cara para que eu retornasse ao mundo, disse-me jocosamente para que ficasse fora de seu caminho. Fiz o possível para evitar cruzar com ele, mas Guy e eu éramos obrigados a nos aproximar todas as manhãs no pátio de Thangbrand para os treinamentos de combate, e também todas as tardes para as aulas dadas por Hugh.

É possível que Thangbrand tenha sido um grande guerreiro na juventude. Ele era conhecido como Thangbrand, o fazedor de viúvas, e alegava que seu avô fora um dos guardas pessoais de Harold Godwinson. No entanto, agora que tinha visto quase sessenta verões, restava-lhe pouca perícia. Ele nos ensinou a usar a espada e o escudo em manobras rígidas e muito simplistas. Atacar para a frente com o escudo e depois golpear com a espada. Ou arremeter com a espada e, com o escudo, defender-se do contra-ataque feito pelo alto. Ele fazia com que eu, Wilfred, Guy e William praticássemos aqueles movimentos óbvios e entediantes por horas a fio, acompanhados por um par de homens de armas, fora da lei que tinham pouco ou nenhum treinamento militar. Todos formávamos uma fila e marchávamos em conjunto pelo pátio enquanto Thangbrand batia palmas e gritava um-dois, um-dois, acompanhando o ritmo dos passos. No final da sessão, éramos separados em duplas —

a combinação mais frequente era William com Wilfred e eu com Guy — e simulávamos combates homem a homem, o que, no meu caso, significava me encolher atrás do escudo e suportar uma tempestade de fúria enquanto Guy atacava impiedosamente minhas defesas. Percebi que Robin estava certo. Uma morte não fazia de mim um guerreiro.

O treinamento foi útil em um aspecto: não aprendi muito sobre como lutar, mas descobri o quanto era profunda a raiva de Guy. Ele era o que Tuck chamava de "um homem esquentado". Além disso, o exercício fortaleceu meus braços — e, muito possivelmente, minha mente.

As aulas à tarde foram uma surpresa agradável: descobri que muito das línguas que meu pai tentara enfiar em minha cabeça fora, na verdade, assimilado. Quando Hugh leu passagens em latim em voz alta, descobri que entendia um pouco do texto. Quando falou conosco em francês, também achei relativamente fácil entendê-lo. Quando eram explicadas em inglês por Hugh, eu absorvia as palavras e frases que não conhecia; os outros garotos, não. Hugh ficava satisfeito. Quando Hugh ficava de costas para nós, Guy costumava dar um soco forte em meu braço ou atingir dolorosamente minha coxa com o joelho, chamando-me de "garoto louro vagabundo do professor" ou de "pequeno bajulador amarelo".

William, o primo ruivo, era ladrão, e contou-me com orgulho que seu apelido em casa, em Yorkshire, era "zombador de fechaduras" ou "deflorador de fechaduras", devido à habilidade para arrombar casas e abrir baús de dinheiro. Todos o chamávamos de Will Escarlate, por causa do cabelo flamejante. O hábito mais irritante de Will era roubar minha comida durante o jantar, de modo muito ostensivo: com sua mão veloz, pegava um pedaço de pão ou de carne quando eu virava a cabeça e enfiava a comida na boca. Eu achava aquilo especialmente irritante por causa do absurdo — havia comida suficiente para todos, e muito boa, diga-se de passagem.

Na verdade, comíamos carne quase todos os dias, pois Thangbrand não vivia da fazenda — apesar do cultivo de alguns legumes em uma horta atrás do casarão —, mas de caçar ilegalmente na floresta. Ele trocava carne — de veado e de javali, principalmente — por grãos com os fazendeiros mais próximos e, ocasionalmente, acompanhado por seus homens, emboscava viajantes na Grande Estrada do Norte e os aliviava de seus bens de valor e, às vezes, também de suas vidas. Um terço do dinheiro obtido com os roubos era entregue a Hugh, como representante de Robin. O tributo, ocasionalmente chamado de Parte de Robin, ficava guardado no salão em um grande cofre reforçado com ferro, cheio até a metade com moedas de prata. Até mesmo tocar no baú era uma sentença de morte. E, depois de testemunhar a punição aplicada em Ralph, o estuprador, perdi toda a inclinação para pegar algum dinheiro do cofre, não importava o quanto gostasse de roubar.

A Parte de Robin não era o único tesouro no casarão. Freya, a esposa enorme de Thangbrand, também tinha um tesouro; uma reserva própria de bens valiosos escondidos em seus aposentos.

Como parte de minhas obrigações diárias, eu levava xícaras de vinho aquecido para Freya e Thangbrand antes de irem para a cama, uma ou duas horas após o anoitecer. Certa noite, quando levava a bebida para o casal, percebi que a porta estava entreaberta e entrei silenciosamente no solar, sem bater. Eu não os queria surpreender, mas as xícaras estavam cheias e eu estava concentrado em não derramar o vinho quente, de modo que me movia com cuidado e, como resultado, em silêncio. Quando entrei no quarto, vi Freya ajoelhada em um canto. No chão, havia um buraco escuro que eu nunca tinha visto, de onde despontava a tampa de uma pequena caixa de metal. Em uma mão, Freya segurava uma pequena vela, e na outra... que Deus me perdoe mas, mesmo depois de quarenta anos, ainda sou acometido por uma ganância profana quando penso a respeito... na outra mão havia uma gigantesca joia oval, de um tom vermelho translúcido. Era um rubi enorme, uma pedra grande e linda que valia muitas centenas de libras, o resgate de um barão, talvez mais — apesar de eu não saber disso na época. Tudo o que sabia, com meu coração de ladrão, era que desejava a joia. Então as coisas começaram a acontecer muito rapidamente. Freya me viu, deu um grito agudo e jogou a grande joia de volta na caixa que estava dentro do buraco no chão; e da escuridão, como um demônio vingativo, saltou Thangbrand, o fazedor de viúvas, empunhando uma grande adaga. O peso de seu corpo espremeu-me contra a parede, xícaras e vinho voando pelos ares, e Thangbrand segurou-me ali com a faca contra minha garganta, seu rosto envelhecido e inchado a centímetros do meu. Eu sentia seu hálito repulsivo e seus olhos fixos em mim. Eu estava a instantes da morte e sentia o aço frio pressionado contra a carne do meu pescoço; um rápido movimento para o lado com a mão e eu estaria lavando o chão de terra batida com meu sangue.

— O que você viu? — sibilou Thangbrand. O cheiro de seus dentes podres invadia minhas narinas. Seus olhos amarelados examinavam meu rosto.

— Nada — guinchei. — Nada, senhor.

— Você mente — ele disse, seu rosto pustulento contorcendo-se de raiva. — Você mente...

Houve um aumento momentâneo na pressão contra meu pescoço. Depois, Deus seja louvado, Thangbrand afastou seu rosto alguns centímetros, examinando-me. Em seguida, disse com mais calma:

— Você mente, mas, como está sob a proteção de lorde Robert, viverá por enquanto...

Ele me soltou e recuou. Ficamos nos olhando por alguns instantes. Freya estava paralisada, ajoelhada no canto do quarto.

— Ouça-me, garoto — disse Thangbrand. — Ouça-me se quiser viver. Você não viu nada, absolutamente nada. Mas se, por acaso, você falar a alguém sobre o nada que viu aqui hoje à noite, seja a Will, a Wolfram ou a qualquer outra pessoa, cortarei sua garganta de orelha a orelha quando estiver dormindo, arrastarei seu corpo para a floresta, deixarei você para os lobos e ninguém dirá nada. Entendeu?

— Ficarei em silêncio, senhor, dou minha palavra — eu disse, tentando controlar meus membros trêmulos.

— Sim — Thangbrand rosnou. — Fique em silêncio e vá embora.

Senti mais respeito por Thangbrand depois daquela noite. Ele podia ser um professor de espada chato, mas ainda era um homem assustador, apesar da idade. Tentei afastar da mente o que tinha visto. No dia seguinte, foi como se nada tivesse acontecido e Thangbrand tratou-me com o mesmo afeto rude de antes.

A vida seguiu, a primavera transformou-se em verão e, no decorrer daqueles meses, minha rotina mudou pouco: uma rodada de trabalho, refeições, aulas, dormir, trabalhar... Teria sido bastante agradável se não fosse pelas provocações e golpes de Guy e o comportamento de sua sombra irritante, Will. Como eu já disse, não havia a menor necessidade de que Will roubasse comida do meu prato, mas ele continuou a fazê-lo assim mesmo; acredito que imaginasse que se tratava de alguma espécie de desafio. Mas observar Will mastigando minha comida com a boca cheia, olhando-me de soslaio na mesa, sentado ao lado de seu protetor, Guy, e desafiando-me a dizer algo, bem, não fazia com que me sentisse desafiado — somente um pouco enjoado.

No entanto, eu precisava fazer algo a respeito, ainda que apenas pela minha própria honra. Um dia, enfiei um prego enferrujado e afiado que eu achara de manhã no pátio em uma casca de pão que escondera na mão, assegurando-me de que estivesse completamente escondido. Deixando casualmente o pedaço de pão na beirada do meu prato voltada para Will, dei as costas para a mesa para perguntar algo a Thangbrand e, quando me virei de volta, o pequeno maldito ruivo estava xingando e cuspindo sangue. Ele mordera com força o prego e quebrara um dente. Obviamente, Will não podia dizer nada sobre minha participação no incidente, o que fez com que parasse de roubar do meu prato, mas não nos tornou exatamente amigos.

Conquistei uma amiga na residência de Thangbrand: Godifa, a garota magrela e pequena de cabelo amarelo. Eu estava tentando evitar Guy depois de uma aula de latim especialmente terrível — Guy não tinha um ouvido bom para a língua e, para piorar as coisas, estava sofrendo com uma forte ressaca depois de ter bebido exageradamente na noite anterior com os homens de armas. Enquanto Guy se atrapalhava e gaguejava ao ler uma passagem da Bíblia, pude sentir a impaciência de Hugh aumentar. Ele amava a Palavra de Deus com todo o coração e ficava ofendido quando era mutilada daquela maneira. Finalmente, Hugh pediu-me para traduzir corretamente a passagem, o que fiz com fluência, mas com uma percepção cada vez maior de que aquela demonstração prodigiosa iria me custar caro. Como era de se esperar, quando Hugh se virou de costas, Guy atingiu fortemente minha coxa com o joelho, deixando minha perna dormente. Depois da aula, envergonho-me em dizer, fugi para evitar a surra inevitável de Guy. Ele era uma cabeça mais alto que eu e, como eu já constatara várias vezes, não tinha a menor chance contra ele em nenhum tipo de combate.

Sendo assim, deixei a fazenda — era um dia belo e quente — e estava indo para a floresta para me perder por algum tempo na tranquilidade das grandes árvores quando cruzei com Godifa, de pé ao lado de um carvalho enorme, chorando do fundo de seu pequeno coração. Ela adotara um gatinho que crescera e tornara-se um animal jovem e ousado. Agora, ele estava preso no alto da árvore. Enquanto Godifa chorava, o gato olhava para nós de um galho baixo, miando de modo comovente. Em 12 batidas do coração, escalei a árvore e coloquei o gato na minha túnica antes de descer e entregá-lo a Godifa com uma pequena mesura e um floreio. Ocorreu uma transformação instantânea em seu rosto — da chuva para a luz do sol. Radiante e secando as lágrimas, Godifa pegou minha mão e a beijou antes de sair correndo, saltitando de felicidade. Não dei muita importância mas, durante semanas depois do ocorrido, comecei a perceber que ela me seguia enquanto eu cumpria minhas obrigações. Godifa era muito tímida e não falava comigo. Quando eu capturava seu olhar e lhe dava um sorriso, ela ruborizava imediatamente e fugia.

Cerca de seis meses depois de chegar à fazenda de Thangbrand, houve um banquete noturno: um dia santo, acredito, apesar de não me lembrar de qual. Nos grandes banquetes, minha obrigação era passar ao redor da mesa com um grande jarro de água e derramá-la sobre as mãos esticadas dos hóspedes em uma salva segurada por Will. Em seguida, Guy oferecia uma toalha limpa. Depois que todos os convidados se lavavam, eu ajudava os serventes a trazer comida da cozinha: tínhamos javali assado, grandes pernas de veado, é claro, capões cozidos, torta de pombo, pudim de ervilhas, queijo e frutas. Cada convidado tinha uma travessa de madeira: um prato chato de pão assado sobre o qual comeriam a carne, com o pão absorvendo o caldo. Will e eu circulamos a grande mesa servindo vinho, recolhendo pratos vazios e trazendo mais comida da cozinha. Sempre que possível, nos revezávamos para encher nossas bocas em um canto escuro do salão.

Naquela ocasião, quando todos já tinham comido o quanto queriam e tínhamos recolhido tudo, exceto as frutas e as jarras de vinho, um homem que eu ainda não tinha visto caminhou até o fundo do salão. Ele segurava uma viela, um belo instrumento musical polido com cinco cordas, um grande corpo redondo e um braço comprido e fino. Apoiando a viela no ombro com a mão esquerda e movimentando o arco de crina de cavalo com a direita, o homem tocou um único acorde longo e dourado, e o silêncio desceu gradualmente sobre o grupo barulhento.

— Meus amigos — ele disse, enquanto o som agridoce ainda ressoava em torno de nossas cabeças, suas reverberações deliciosas estimulando minha alma —, esta é uma canção de amor...

E começou:

— Amo cantar, pois o canto é alimentado pela felicidade...

Ao escrever este verso poético em minha própria língua, o inglês — ele estava, obviamente, cantando em francês —, as palavras parecem um pouco insignificantes, uma manifestação ordinária. Mas, naquele momento, no casarão decrépito nas profundezas da floresta frondosa, ele arrepiou minha espinha. O verso foi cantado com tamanha beleza que, acompanhado pelas notas angelicais da viela, tocou os corações de todos no salão. Vi Guy ficar boquiaberto, revelando uma massa de carne mastigada. Hugh, que estava prestes a beber de seu cálice, parou segurando o recipiente na metade do caminho para sua boca. Então o músico passou suavemente o arco pelas cordas, tocando outro acorde, e cantou:

"Mas ninguém deve se obrigar a fazer uma canção,
Quando o prazer deixou um coração verdadeiro.
O trabalho é duro demais, o esforço não traz prazer."

O cantor era um homem jovem e esguio, de altura mediana. Uma cabeleira loura escura adornava sua cabeça como um elmo liso e brilhante, e seu rosto era belo e aberto. Ele tinha a barba bem-aparada, uma raridade em nossa comunidade, e seu rosto parecia coberto de bondade sob a luz trêmula do fogo. Tudo nele era estranhamente limpo, asseado e meticuloso, da túnica imaculada de cetim azul- escuro, do cinto de joias e da adaga às calças lisas verdes e brancas e suas botas de pelica. Ele se destacava no salão repleto de rufiões enlameados vestidos em roupas caseiras ásperas como um frangote orgulhoso e iridescente cercado por deselegantes galinhas de cor marrom. Agora, as galinhas estavam em silêncio, hipnotizadas.

"Aquele cujo amor e desejo o levam a cantar
Pode compor facilmente uma boa canção
Mas nenhum homem pode fazê-lo sem estar apaixonado."

Eu jamais tinha ouvido uma música tão gloriosa quanto aquela: simples, mas tocantemente bela, uma lufada de notas e a voz — oh, uma voz tão pura — ecoando a melodia, repetindo o refrão da viela à medida que o instrumento seguia para uma nova frase elegante. E o melhor de tudo era que ele cantava sobre amor: o amor de um jovem cavaleiro pela dama de seu senhor. Não o cio esquálido dos fora da lei e das prostitutas, e sim um amor puro, maravilhoso e doloroso; um amor impossível que somente pode ser expressado pela música. Era o amor que inspirava os homens a realizarem grandes feitos, a sacrificarem o próprio sangue por um ideal, uma emoção. E eu sabia o que queria fazer da minha vida: eu queria amar...

"O amor é puro porque me ensina
a criar as palavras e a música mais puras."

...e eu queria cantar.

Capítulo 5

O casarão de Thangbrand estava iluminado pela luz do fogo e pela música. O músico estava em um canto, a viela acomodada em seus braços cobertos de seda, com o queixo empinado, de olhos fechados, a boca rosa aberta, revelando dentes brancos enquanto derramava uma corrente dourada de som no salão. Em bancos ao longo das paredes, nas urnas de pertences pessoais, em banquinhos e cadeiras na mesa comprida e agachados no chão coberto de junco, todos os habitantes da propriedade de Thangbrand escutavam aquela música celestial em absoluto silêncio. Eram as notas peculiares de outra vida, uma vida de beleza sem esforço, de riqueza, gosto e poder, o poder para invocar o deleite com mãos bem alimentadas. Estavam ouvindo o som maravilhoso de uma grande corte, a música de reis e príncipes. E eu queria ser parte dela; eu queria ter aquela música, mergulhar nela, afundar em seu licor inebriante e suntuoso.

Então, aconteceu. Durante a pausa no final de um refrão perfeito sobre a beleza e a dor do amor, Guy riu silenciosamente com escárnio. Foi apenas um som baixo, uma bufada de desprezo. Mas o músico parou completamente no meio de um verso: seus olhos se abriram e ele olhou para Guy, que o encarou por um instante, seu rosto perdendo toda a cor. Então, com o mais leve fantasma de uma mesura dirigida às cadeiras elevadas no fundo do salão, nas quais estavam sentados Hugh e Thangbrand, o músico saiu pela grande porta e partiu noite adentro.

Houve um grande suspiro coletivo. O encanto fora quebrado, mas ainda assim, todos queríamos ouvir mais da feitiçaria do músico. Começando com alguns murmúrios, a conversa brotou novamente no salão. Hugh, que estava mastigando uma coxa de galinha enquanto ouvia a música, gritou "idiota!" e atirou o osso em Guy, acertando-o em cheio na testa. Guy levantou as sobrancelhas e as palmas das mãos em uma mímica de inocência.

Naquele instante, odiei Guy. Antes, ele era um incômodo e alguém a ser evitado, mas naquele momento toda a minha emoção destilou-se em um ódio venenoso e concentrado: eu odiava Guy com uma ferocidade autêntica. Eu desejava não apenas sua morte, e sim sua aniquilação total; a eliminação de seu ser da face da Terra.

O músico francês chamava-se Bernard, descobri no dia seguinte em uma conversa com Hugh após a refeição do meio-dia. Para minha alegria, Hugh disse que Robin havia tomado providências para que eu me tornasse pupilo de Bernard. O francês também assumiria o papel de professor de línguas desempenhado por Hugh, pois eu estava muito mais adiantado que os outros alunos, e Bernard também foi incumbido de me dar aulas de aritmética, geometria, astronomia... e música. Fiquei eufórico, borbulhando de felicidade: eu passaria as tardes inteiras ouvindo músicas maravilhosas e aprendendo a compô-las sozinho. Mas o melhor de tudo era que ficaria longe de Guy e de Will por horas a fio.

Encontrei Bernard no casebre que lhe haviam dado, que ficava em uma pequena clareira na floresta frondosa a cerca de um quilômetro da fazenda de Thangbrand. Fui até lá como se estivesse caminhando no ar, tonto de alegria com minhas perspectivas, misturadas com um pouco de inquietação: eu provaria ser digno daquele grande homem? Hugh deixara escapar que Bernard exigira aposentos separados como condição para aceitar trabalhar como meu tutor. Ele era um homem rabugento, Hugh disse, e não dormiria no salão com os outros fora da lei pulguentos.

Bernard não parecia particularmente rabugento quando o encontrei naquela tarde agradável de começo de outono para apresentar-me como seu pupilo. Ele estava fora do casebre semidecrépito, sentado com o corpo curvado em um tronco serrado caído no solo. Sua túnica, a bela veste de seda azul da apresentação da noite anterior, estava abotoada pela metade e tinha o que parecia ser vômito seco na parte da frente. Ele tinha perdido um sapato e, enquanto dedilhava a viela, ria suavemente para si mesmo, sentado e balançando. No dia anterior, eu o vira como uma figura divina, um amante cortês, um mestre da música, o criador da beleza: hoje, ele estava ridículo.

— Mestre Bernard — falei em francês, colocando-me de pé à sua frente enquanto ele ficava sentado ali com a cabeça apoiada na viela, dedilhando as cordas. — Sou Alan Dale, e vim me apresentar como seu pupilo por ordem de meu mestre, Robert Odo...

— Shhhhhh... — ele repreendeu-me, balançando rapidamente um dedo em minha direção. — Estou criando uma obra-prima.

Ele se entreteve com a viela, tocando pequenos murmúrios musicais e aparentando cochilar ocasionalmente por alguns momentos antes de despertar com um sobressalto. Fiquei parado ali por cerca de um quarto de hora, até que, finalmente, Bernard levantou olhos e disse claramente:

— Quem é você?

Repeti:

— Sou Alan, seu pupilo, e vim servi-lo por ordem...

Ele interrompeu-me:

— Servir-me, hein, servir-me? Bem, então você pode me trazer um pouco mais de vinho.

Hesitei, mas ele gesticulou para que eu fosse embora, gritando:

— Vinho, vinho, vinho decente, vá, garoto, vá, vá, vá...

Então retornei à fazenda de Thangbrand, roubei um pequeno barril de vinho da adega quando ninguém estava olhando e levei-o de volta em um carrinho de mão. Depois, ajudei Bernard a beber.

Como tutor em aritmética, geometria e astronomia, Bernard era um desastre. Na verdade, pelo que me recordo, ele jamais chegou a tocar em tais assuntos.

Mas ele melhorou meu francês, pois era a única língua na qual conversávamos, e ensinou-me música, que Deus seja louvado: ensinou-me a construir cansos e sirventes, canções de amor e poemas satíricos, a afinar e a tocar a viela, a estender minha voz, a controlar minha respiração e muitos outros truques técnicos de seu ofício. Ele era um trovador, ou, mais apropriadamente, já que vinha do norte da França, um *trouvère*, e disse-me que sua maior alegria era tocar e cantar para os grandes príncipes da Europa. Cantar sobre amor: o amor de um humilde cavaleiro por uma dama bem-nascida, cantar sobre *l'amour courtois*, o amor cortês, o amor de um *servus* por sua *domina*...

Naquela tarde, enquanto bebíamos vinho e eu limpava com uma escova o vômito ressecado de sua túnica, Bernard contou-me a história de sua vida. Ele nascera no condado de Champagne e era o segundo filho de um pequeno barão que servia a Henrique, o conde. Ele amava música desde pequeno, mas seu pai, que não se importava muito com música e tampouco com Bernard, não aprovava. Contudo, pressionado pela mãe de Bernard, ele providenciara para que o filho fosse treinado por um dos maiores *trouvères* da França e encontrou um lugar para ele na corte do rei Luís. Bernard confidenciou para mim que, desde o princípio, fora um enorme sucesso — grandes damas choravam abertamente com suas canções de amor, todos gargalhavam com suas sirventes espertas, as quais debochavam da vida cortesã mas nunca iam longe demais. Luís o cobrira de ouro e joias. Todos o amavam. A vida era boa e, para um jovem gentil de boa aparência mas sem fortuna, havia a esperança de um bom casamento com uma das damas mais simples da corte. Era uma vida resplandecente: festas de caça, banquetes reais, jogos de poesia e competições de canto. Mas, como muitos jovens antes dele, Bernard exagerara, pois além da profunda adoração que tinha pela música, ele também amava, quase com a mesma intensidade, o vinho e as mulheres — e foi este último prazer que resultou em sua queda.

Bernard — jovem, belo, engraçado e talentoso — era muito popular entre as damas da corte. Muitas damas, casadas e solteiras, haviam-no recebido em seus aposentos, mas ele fazia amor com leveza e mantinha a liberdade evitando se comprometer com uma única amante. Ele então se apaixonou, ficando completamente enfertiçado pela jovem e adorável

Héloïse de Chaumont, esposa do velho Enguerrand, senhor de Chaumont, um guerreiro de renome muito estimado por suas *preux*, ou proezas, no campo de batalha em defesa do rei Luís.

— Ah, Alan, meu garoto, ela era perfeita, a beleza encarnada. — Bernard contou-me, e seu rosto contorceu-se levemente de dor. — Cabelo como o milho, enormes olhos cor de violeta, uma cintura fina que se inchava em curvas generosas... — Bernard fez o gesto usual com as mãos. — Como eu a amava. Eu teria morrido por ela... bem, não morrido, mas certamente teria sofrido de bom grado muita dor por ela. Bem, não *muita* dor, alguma dor. Digamos apenas um pequeno desconforto... Ah, Héloïse; ela era o ar em meus pulmões, o ar que eu respirava. — Ele tomou um enorme gole de vinho e secou uma lágrima oleosa. — E ela me amava, Alan, ela também me amava verdadeiramente.

Durante várias semanas, os amantes desfrutaram de um caso apaixonado. Então, inevitavelmente, Enguerrand descobriu.

O senhor de Chaumont estava caçando com uma comitiva real nas florestas nos arredores de Paris. Seu cavalo começara a mancar no começo da manhã, de modo que Enguerrand retornou inesperadamente para seus aposentos no palácio, pensando em voltar para a cama e praticar um pouco de esporte com sua jovem esposa em vez de caçar. Enguerrand entrou no quarto da esposa e deparou-se com Bernard nu, com uma ereção enorme, caminhando de um lado para o outro diante da cama de Héloïse, tocando a viela e recitando uma cantiga indecente sobre o rei. A dama, também nua, gargalhava histericamente quando Enguerrand abriu a porta. Infelizmente, o senhor de Chaumont também havia se despido e encontrava-se igualmente em um estado evidente de excitação. Então Héloïse cometeu um erro. Ela continuou a gargalhar. A dama olhou para os dois homens nus, o jovem e o velho, cujas ereções encolhiam rapidamente, e urrou de tanto gargalhar.

— Obviamente, não havia comparação — Bernard informou-me com orgulho. — Ele pode ter sido um leão no campo de batalha, mas, para a cama, era equipado como um filhote de camundongo.

Os dois homens deixaram o quarto rapidamente. Bernard agarrou suas roupas e fugiu pela janela em instantes. Enguerrand retirou-se para a antecâmara para recobrar a dignidade e convocar seus homens de armas.

— Não foi divertido, Alan — Bernard disse com gravidade enquanto as lágrimas escorriam por meu rosto. — Tudo terminou de modo muito triste. O senhor de Chaumont ordenou que Héloïse fosse decapitada... É verdade, nos dias de hoje, na época atual, decapitada por adultério... E ele desafiou-me para um duelo. Quando recusei, pois só gosto de usar minha espada na cama, ele mandou seus assassinos me matarem. Meu pai disse que não poderia me ajudar... Só escapei com vida porque fugi da França e vim para esta ilha miserável encharcada pela chuva. E... você pode acreditar? Ele me perseguiu até aqui! Eguerrand ofereceu uma recompensa de 50 marcos por minha cabeça e fez com que os amigos nobres que tinha na Inglaterra me declarassem um fora da lei... Eu, Bernard de Sézanne, o maior músico da França, un *hors-la-loi.*

Bernard ficou em silêncio, sentindo pena de si mesmo, e servi-lhe mais uma caneca de vinho.

Todas as tardes, depois da refeição do meio-dia, eu caminhava até o casebre de Bernard e explorávamos a música. Foi um período maravilhoso, e aprendi mais sobre a vida, o amor, a música e a paixão naqueles poucos meses do que tinha aprendido em toda a vida. Era uma fuga da opressão na fazenda de Thangbrand, mas apenas temporária. Eu precisava retornar todas as noites para o casarão e as provocações perversas de Guy e Will. Wilfred havia partido, enviado para uma abadia em Yorkshire. Robin tomara providências para isso. Mas a partida de Wilfred teve pouca importância para mim; ele jamais fizera realmente parte de meu mundo, sendo mais como um fantasma vagando pelo mundo humano e aguardando o chamado para uma vida mais espiritual. Exceto pelas poucas horas diárias com Bernard, a vida na fazenda de Thangbrand parecia vazia e imutável: obrigações, refeições sem graça, prática de batalha, mais obrigações... e longas horas tentando dormir no salão enquanto os homens de armas roncavam a meu redor.

Contudo, apesar de não parecer, as coisas estavam mudando: eu estava ficando mais alto e a prática de batalha enchia com músculos minha estrutura magra; surgiram pelos em partes privadas de meu corpo e minha voz começou a rachar e a oscilar entre um timbre feminino e um grunhido masculino. Bernard achava aquilo muito engraçado e imitava meus guinchos e rugidos. Mas, nas aulas de canto, ele começou a ensinar-me as partes masculinas das canções. Eu estava me tornando um homem, pelo menos fisicamente. E, quando lutávamos com espadas no pátio de exercícios, eu me lembrava do homem louro a quem havia matado, firmava os ombros e olhava com raiva para Guy sobre a borda de meu escudo. Eu ainda acabava derrubado na terra, é claro.

Ocorreram outras pequenas mudanças. Nosso assentamento estava crescendo. Jovens enviados por Robin haviam vagado até a propriedade de Thangbrand ao longo do verão, sozinhos ou em pares. Na maioria, eram pouco atraentes: frequentemente malnutridos, exaustos e com um ar de desespero. Mas Thangbrand dava-lhes as boas-vindas, alimentava-os e, depois de descansarem, passavam a se juntar a nós diariamente no pátio bem varrido para a prática de batalha. Em pouco tempo, éramos dez, quinze, vinte homens enfileirados, brandindo espadas ou usando uma combinação de escudo e lança, aprendendo manobras de batalha, treinando incessantemente, enquanto um Thangbrand exasperado rugia para algum infeliz vagabundo recém-chegado:

— Não, seu tolo, isto é uma lança de guerra, não uma vara de gado. Não cutuque com ela, você deveria estar perfurando um homem, e não fazendo cócegas nele. Que Deus nos proteja de todos os camponeses criados no arado!

Nem todos os recém-chegados juntavam-se a nós naquela demonstração farsesca. Os homens com força física acima da média eram treinados para usar o arco: levantando grandes pesos o dia todo, rochas e sacas de grãos para condicionar os músculos, e disparando flechas de freixo com 1 metro de comprimento contra alvos recheados de palha a cem passos de distância, nem sempre com muito sucesso. Os homens que sabiam cavalgar e haviam trazido cavalos que lhes pertencessem ou tivessem sido roubados também eram treinados separadamente. Fui ensinado a cavalgar corretamente por Hugh, que em pouco tempo fez com que eu galopasse dentro de um estábulo, saltando pequenos obstáculos com os braços cruzados sobre meu peito, agarrando-me ao cavalo somente com os joelhos. Hugh também treinava o contingente da cavalaria. Eles galopavam com uma lança sem fio presa sob um braço de encontro a um alvo móvel: uma vara horizontal com um escudo que servia de alvo em uma extremidade e um contrapeso (geralmente, uma saca de grãos) na outra. A vara era fixada em um poste vertical e, quando o escudo era atingido pela lança do cavaleiro, o instrumento girava em alta velocidade e a saca de grãos poderia derrubar um cavaleiro desatento da sela quando passasse pelo alvo. Guy era fascinado pelo alvo móvel. Durante horas, observava os homens praticando e, estranhamente, quando eram derrubados da sela, apesar de os outros observadores gargalharem e limparem as lágrimas produzidas pelo riso, Guy jamais fazia o mesmo. No final de uma sessão de treinamento, ele implorou para ficar uma hora com um cavalo e experimentou por conta própria. Obviamente, como todos os outros novatos, foi derrubado na terra pela saca pesada de grãos todas as vezes em que atacou a máquina. Mas não desistiu. Guy compreendeu que a velocidade era essencial; ele precisava estar se movendo rápido o bastante para evitar o golpe do contrapeso. No entanto, em alta velocidade, era difícil acertar o alvo com a lança, sob o risco de cavalo e cavaleiro colidirem com o pesado bloco de madeira caso a lança não o tirasse do caminho.

Desfrutei plenamente de observar Guy sendo derrubado várias vezes da sela e caindo na grama do campo de treinamento. Mas também senti um respeito relutante. Ele nunca desistia. Depois de cada tombo, ele se levantava, espanava a terra da túnica e das calças, recapturava o cavalo e subia rigidamente de volta na sela. No final da primeira sessão, Guy tinha conseguido acertar o alvo com sucesso uma vez e, devo reconhecer, cavalgara em segurança balançando o corpo perigosamente, levantando a lança em triunfo e gritando vitória para a floresta. Em uma semana, Guy conseguia passar galopando pelo alvo, atingindo o escudo em cheio e com força considerável, sem que o contrapeso móvel nem mesmo chegasse perto dele.

Guy também estava melhorando com a espada. Apesar dos métodos de ensino monótonos de Thangbrand, Guy ficava cada vez mais habilidoso no campo de exercícios. Quando éramos colocados em duplas para praticarmos combate com a espada, em vez da tempestade furiosa de golpes que costumava martelar minhas defesas, Guy passou a demonstrar destreza e astúcia. Ele ameaçava atacar, simulava um avanço, mantinha-me desequilibrado e depois me atingia, derrubando-me estatelado no chão com a parte cega da lâmina e colocando a ponta afiada contra minha garganta, exigindo minha rendição. Ele não me xingava mais e tampouco tentava me ferir de modo perverso no campo de exercícios: Guy estava levando a sério; não a mim, mas sim a prática da guerra. E era bom nela.

Thangbrand percebeu o desenvolvimento do filho e começou a usar Guy para demonstrar manobras específicas com a espada e o escudo, tendo a mim como parceiro. Formou-se um padrão: um ou dois cortes, uma colisão de escudos e eu caía estatelado no chão. Um dia, derrubado de costas pela vigésima vez, senti um grande cansaço nos ossos e não consegui me levantar ao final da sessão. Apenas fiquei deitado, ouvindo os sons dos outros homens e garotos deixando o pátio: as gargalhadas vulgares, o barulho das armas, um palavrão ou dois e, depois, um silêncio abençoado. Continuei deitado ali, olhando para o céu azul de verão acima de mim, quando ouvi uma voz.

— Você não é de todo mau, sabia? — a voz disse. — Ainda não é forte, é verdade. Mas é rápido; muito rápido, acredito. O problema é que não movimenta os pés. Você fica parado como um lenhador tentando cortar uma árvore. Seu inimigo não é uma árvore. É um homem vivo, que respira, move-se rapidamente e luta. E se ele souber como movimentar os pés, matará você.

Era uma voz boa, suave e tranquila, mas com uma profundidade confortante. Virei a cabeça e, olhando para o alto, vi Sir Richard de Lea de pé, bloqueando a luz do sol. Ele esticou a mão e levantei-me com dificuldade.

Sir Richard recuperara-se bem dos ferimentos. Eu reparara nele praticando exercícios com alguns dos outros homens de armas. Eu o vira treinar com o alvo móvel e, obviamente, ele atingiu o centro do alvo com elegância e saiu trotando ileso. Na verdade, ele estava apenas matando o tempo, aguardando até que Sir Ralph Murdac arrecadasse o dinheiro para pagar seu resgate. Mas, aparentemente, estava ocorrendo algum atraso, eu não sabia exatamente o motivo. Sir Richard poderia ter fugido quando quisesse; ele usava uma espada, recebera um cavalo e estava quase totalmente curado. Mas era um fidalgo, um cavaleiro, e tinha dado sua palavra a Robin.

— Observe meus pés — ele disse.

Em seguida, desembainhando a espada, Sir Richard executou alguns passos elegantes no pátio de exercícios, movendo-se levemente para a frente e para trás sobre os calcanhares. Parecia simples: passos curtos para a frente e para trás, de um lado para o outro, e um passo largo antes de avançar para o ataque. Em seguida, ele desenhou um círculo na terra com cerca de 1 metro de diâmetro e deu-me sua espada.

— Ficarei dentro do círculo — ele disse. — Tente me acertar.

— Mas posso machucar você — eu disse. Sir Richard apenas gargalhou.

Ele ficou de pé dentro do círculo na terra, desarmado, e avancei com pouco entusiasmo em sua direção, brandindo sua espada. Ele movimentava-se com facilidade, casualmente, para longe da lâmina.

— Vamos lá, esforce-se mais — ele disse.

Avancei outra vez, mais rapidamente. Novamente, ele se moveu com habilidade, dançando para longe. Ataquei o mais rápido que pude: um golpe veloz como uma serpente dirigido ao seu coração. Sir Richard apenas girou o corpo para evitar a lâmina. Pude perceber como ele pensava que aquilo se desenrolaria e fiquei irritado: eu, o garoto desajeitado, tentaria acertá-lo, ele daria uma gargalhada masculina e saltaria levemente, desviando-se de mim. Acabei bastante estimulado pela humilhação, então dei um golpe rápido e repentino direcionado à sua cabeça; ele abaixou bem a tempo. Em seguida, segurei a espada com as duas mãos e, com um redemoinho de raiva autêntica em meu estômago, brandi a espada com o máximo de força e velocidade na direção de seu tronco. Se o golpe tivesse acertado a cintura de Sir Richard, a espada teria cortado seu corpo, quase o dividindo ao meio. Ele deu um passo à frente, rápido como um relâmpago, até a margem do círculo e segurou com a mão esquerda minhas duas mãos, que agarravam o cabo da espada, bloqueando parcialmente meu movimento. Colocando o pé direito ao lado do meu e a mão direita sob meu ombro direito, Sir Richard empurrou com força — e fui derrubado na terra outra vez.

— Você é rápido — disse Sir Richard —, e também raivoso. Isso é bom. Um homem precisa de raiva em uma luta. — Ele me ajudou a levantar outra vez. — Agora é sua vez — ele disse, e abanou a cabeça na direção do círculo na terra.

E foi assim que Sir Richard de Lea, o cavaleiro nobre e renomado, ensinou-me a movimentar os pés. Pelo resto daquela manhã e, posteriormente, todas as manhãs ao longo das semanas seguintes, após a prática de batalha com Thangbrand, eu ficava dentro do círculo na terra enquanto Richard avançava, brandia a espada e fazia ataques contra meu corpo enquanto eu me esquivava. No começo, ele atacou lentamente, construindo em minha mente os movimentos básicos dos pés para que se tornassem instintivos. Com o tempo, começou a atacar mais rapidamente, chegando a tentar me acertar de surpresa. Depois de um mês, Sir Richard deixou-me usar minha espada para me defender e começou a me ensinar os bloqueios básicos para, depois de algum tempo, mostrar padrões mais complicados. Mas ele enfatizava repetidamente, até que eu enjoasse de tanto ouvir, que o mais importante eram meus pés.

Quando Sir Richard e eu praticávamos em nosso círculo de terra, éramos observados com frequência. Bernard, quando vinha pegar suas provisões diárias no casarão, acomodava-se encostado na lateral do prédio, sorrindo enquanto eu atacava Richard e errava ou era derrubado na terra. E, quase todos os dias, a pequena e amarela Godifa ficava de pé com uma expressão solene na lateral do campo de treinamento, olhando para nós enquanto eu suava, saltava, grunhia e avançava no pátio de exercícios. Ela jamais disse uma única palavra e, sempre que a sessão terminava, ao meio-dia, quando Richard e eu saíamos para beber uma pinta de cerveja na adega, ela já tinha sumido.

Eu desfrutava da bebida após os exercícios tanto quanto do trabalho com a espada. Inicialmente, Sir Richard era taciturno, mas perfeitamente amigável. Contudo, aos poucos, comecei a aprender um pouco a seu respeito. Descobri que ele era mais que um cavaleiro comum. Sir Richard era um Pobre Soldado de Cristo e do Templo de Salomão: um dos famosos cavaleiros templários, a força de elite do cristianismo, treinados durante muitos anos em todas as formas de armas para se tornarem máquinas assassinas perfeitas pela glória de Deus. Aos poucos, dei-me conta de que estava aprendendo a usar a espada com um dos melhores soldados do mundo. Sir Richard contou-me que, no ano anterior, ele fora um dos poucos cavaleiros templários que escaparam do massacre em Hattin quando o infiel Saladino esmagara um exército cristão e matara centenas de cavaleiros cristãos que tomara como prisioneiros. Depois, no mesmo ano, Saladino capturara a cidade de Jerusalém e o papa ordenara uma nova expedição para libertar a Cidade Sagrada das hordas do islã. Sir Richard fora enviado de volta à sua terra natal para pregar a Guerra Santa aos ingleses e ajudar o rei Henrique a levantar forças para as grandes batalhas que seriam travadas em Outremer.

Ele saíra para cavalgar por impulso naquela manhã de primavera com os homens de Murdac, sentindo necessidade de um pouco de exercício e de excitação; ele acreditava que estava saindo em um passeio para punir uma turba de fora da lei, e a última coisa que esperava era ser ferido gravemente e tornar-se um prisioneiro à espera do pagamento de um resgate.

— Mas Deus sempre tem um plano, Alan — ele disse para mim quando perguntei se amaldiçoava seu destino. E recordei que ele, como todos os templários, era um monge, além de soldado.

O outono estava se aproximando e, com a ajuda de Sir Richard, tornei-me rápido com a espada. Eu também estava progredindo musicalmente com Bernard; e, com seu estímulo, estava começando a compor minhas próprias canções. Eram pequenas cantigas constrangedoras, mas Bernard era gentil — ocasionalmente, era severo, mas nunca fez comentários adversos sobre minhas tentativas de compor, nem mesmo uma única vez. Compus canções de amor pensando na bela dama de Robin, Marian, e fingindo ser seu amante.

Inicialmente, achei muito difícil tocar a viela. Bernard estava me apresentando algumas das canções mais simples que tinha composto. Mas mesmo para um canso simples, o dedilhado nas cordas deveria ser executado com precisão e as mudanças de posição deveriam ser feitas rapidamente. Um dia, Bernard perdeu a paciência e gritou comigo:

— Naquele lamaçal, com uma espada pesada e um escudo nas mãos, você parece mover os pés com bastante graça para aquele idiota cavalheiresco... Tudo que lhe peço é que mova os dedos com metade daquela habilidade para minha música.

Em um lampejo de inspiração, percebi que Bernard estava com ciúmes de Sir Richard e do tempo que passávamos juntos. Fiquei emocionado. Percebi, talvez pela primeira vez, que eu tinha amigos de verdade naquela floresta.

Uma semana depois, Robin retornou à fazenda de Thangbrand.

Capítulo 6

O lorde de Sherwood chegou à fazenda de Thangbrand logo depois do amanhecer em um dia claro de setembro, acompanhado por meia dúzia de arqueiros sombrios liderados pelo capitão Owain e por uma fileira de trinta cavalos de carga descarregados. Toda a comunidade apareceu para cumprimentá-lo. Robin e o irmão, Hugh, abraçaram-se como se tivessem passado cinco anos, e não cinco meses, desde a última vez que tinham se visto. Senti-me bastante tímido perto de Robin; os poucos dias que tínhamos passado juntos pareciam muito distantes, e perguntei-me se ele teria mudado, até mesmo se ainda se lembraria do garoto inexperiente com quem cantara e lutara e depois deixara para trás na primavera. Fiquei na margem do emaranhado de fora da lei que cercavam o mestre que retornava tais como cães ansiosos ao redor de um caçador.

Robin viu-me em meio à turba e abriu caminho em minha direção.

— Alan — ele disse —, senti falta da sua música.

Senti uma onda de afeto por aquele homem. Perdoei-o imediatamente por ter me deixado na fazenda de Thangbrand, mas senti um impulso quase incontrolável de deixar escapar que também sentira sua falta. Felizmente, consegui me controlar.

— Como tem andado? — ele perguntou, segurando meus ombros com as duas mãos e perfurando minha cabeça com seus olhos prateados.

— Espero que Bernard não o tenha afastado dos estudos com bebidas e mulheres fáceis?

Ele sorriu para mim. Sorri de volta.

— Bernard é... — comecei. — Bernard é... bem, ele é um grande músico — eu disse tolamente.

Robin gargalhou e disse:

— Bem, espero que ele possa lhe poupar da criação musical por um dia, mais ou menos. Necessito de seus famosos dedos leves. Separe uma capa quente e um capuz grande e monte em um cavalo. Iremos para uma taberna em Nottingham, apenas você e eu. Partiremos em uma hora. — Robin virou-se para falar com Thangbrand.

Ao meu modo de garoto, considerei a notícia incrivelmente excitante — e também um pouco enervante. Na última vez em que estivera em Nottingham, eu fora preso como ladrão e quase perdera o braço. E uma taberna parecia um destino estranho, pois tínhamos bastante cerveja na fazenda de Thangbrand, além de vinho. Mas o simples fato de partir sozinho em uma jornada com Robin fez com que me sentisse especial. Privilegiado. Meu mestre tinha me escolhido como companheiro de viagem; estávamos partindo juntos em uma aventura. Peguei a capa e o capuz, afivelei minha espada e selei um pônei marrom, o cavalo com o qual Hugh ensinara-me a cavalgar. O pônei era uma criatura plácida, com pouco valor em termos de prata, mas tinha muita energia e podia correr todo o dia e toda a noite, se necessário. Além disso, ele me conhecia e não me derrubaria, o que me deixaria envergonhado diante de Robin.

Uma hora mais tarde, já estávamos na estrada, trotando, aparentemente sem pressa, e Robin explicou o que precisava de mim. Fiquei aliviado quando vi que tudo parecia muito simples: um trabalho fácil para um cortador de bolsas, algo que eu já tinha feito cem vezes.

— Iremos para A Viagem a Jerusalém, a nova taberna logo abaixo do castelo em Nottingham. Você a conhece? — Robin perguntou enquanto trotávamos sob o sol de setembro. Eu conhecia a taberna: era um lugar animado, com boa cerveja, escavado no arenito sobre o qual o castelo fora construído, e muito frequentado por peregrinos armados a caminho da Terra Santa e pelos homens de armas de Sir Ralph Murdac durante as folgas. Quando estava em Nottingham, eu tendia a evitar o local, não por carecer de sociabilidade, mas por causa da clientela militar. Mas sim, eu conhecia o lugar.

— Há um homem que bebe lá todas as noites — continuou Robin. — Seu nome é David. Um beberrão. Ele sempre carrega uma chave em uma algibeira presa à cintura. Quero que roube a algibeira e a chave, sem que ele perceba. Você consegue fazer isso?

— Tão facilmente quanto beijo minha própria mão — respondi. — Essa é a parte simples. O difícil é escapar depois. Com certeza, depois de roubá-lo, cedo ou tarde ele sentirá falta da algibeira; se a sorte estiver contra nós, talvez depois de somente poucos instantes. Então clamará por justiça e estaremos nas ruas de Nottingham depois do toque de recolher, dois ladrões sem uma casa para se esconder e as mãos de todos os homens contra nós. Eles nos pegarão, senhor. Não há dúvida quanto a isso.

— Eles não farão isso. Confie em mim. Não ficaremos muito tempo em Nottingham; estaremos fora dos portões e na estrada antes que sua vítima perceba o que perdeu.

— Mas os portões são trancados ao anoitecer e ninguém pode passar até o amanhecer, por ordem do xerife.

— Confie em mim, Alan. Conheço outro tipo de chave, uma chave de ouro, que abrirá qualquer portão guardado por um homem pobre. Mas precisamos nos apressar agora. Precisamos estar na taberna uma hora após o anoitecer.

Esporeamos os cavalos e levantamos poeira por muitos quilômetros até o final da tarde, quando nossos cavalos começaram a espumar, e, com os capuzes cobrindo bem nossas cabeças, passamos pelos portões abertos de Nottingham e entramos nas ruas familiares e movimentadas de minha infância de ladroagem.

Amarramos os cavalos em um corrimão do lado de fora da taberna e, pedindo uma jarra de cerveja, sentamos em uma mesa rústica em um canto da taberna pouco iluminada. Minhas costas doloridas — eu não estava acostumado com cavalgadas tão longas — descansavam contra o arenito frio da parede enquanto eu bebericava minha cerveja e olhava ao redor.

A taberna estava moderadamente ocupada por pessoas que bebiam; talvez houvesse uma dúzia de pessoas sentadas em mesas pequenas ou em bancos ao longo da parede. O lugar era dominado por uma grande mesa comunitária, sobre a qual comidas simples, sopa ou pão e queijo, eram servidas por uma criada gorda com antebraços tão roliços quanto minhas coxas. Um homem alto, magro e sombrio estava de pé apoiado na parede ao lado da lareira, bebendo uma caneca de cerveja. Ele parecia um pouco estranho, sinistro até. Vi-o olhar para Robin, varrer a sala com os olhos e olhar novamente para Robin. O homem parecia estranhamente interessado em nós. Perguntei-me se seria um espião ou informante do xerife, e uma onda de medo passou por meu corpo. Ficamos sentados bebericando tranquilamente no canto, falando pouco, cuidando de nossas vidas. Inclinei-me para a frente e puxei ainda mais o capuz para cobrir meu rosto. Quando levantei os olhos novamente, o homem sombrio ainda estava nos observando. Ele capturou o olhar de Robin e em seguida, com uma inclinação muito leve da cabeça, indicou um homem incrivelmente gordo sentado na mesa comunitária, semiestupefato de bebida, com a cabeça balançando. Robin acenou com a cabeça de modo quase imperceptível na direção do homem e senti uma onda de alívio em meu estômago. O homem sombrio terminou a caneca de cerveja, colocou-a em uma mesa próxima e saiu pela porta.

Robin aproximou a cabeça da minha e disse muito tranquilamente:

— Está vendo nosso alvo?

Assenti.

— Você é o mestre nesta situação — ele falou com a voz pouco mais alta que um sussurro. — Este é seu trabalho. Como quer fazê-lo?

Virei-me e olhei para Robin em puro assombro. Meu rosto enrubesceu de orgulho. Robin Hood, o Senhor dos fora da lei, estava pedindo meu conselho na execução de um crime. Rapidamente, esforcei-me para pensar com clareza e disse:

— Distração. Preciso que você crie uma distração quando eu pegar a bolsa.

— Muito bem — disse Robin. — O que você sugere?

Mais uma vez, fiquei surpreso e lisonjeado com a confiança de Robin em minhas opiniões. Era uma sensação nova assumir o comando na presença de meu mestre — e também prazerosa, como descobri. Refletindo posteriormente sobre o ocorrido, percebo que Robin sabia exatamente como cortar uma bolsa — afinal de contas, vivia fora da lei, e prosperava, havia muitos anos. Ele estava apenas me testando. Mas, naquele momento, sua deferência às minhas opiniões elevaram muito minha alma.

— Irei me sentar ao lado dele, à sua esquerda, o lado no qual está a algibeira — sussurrei. — Você deve se sentar diante dele, no lado oposto da mesa. Tire sua capa e coloque-a a seu lado, sobre a mesa. Finja que está bêbado. Pedimos comida e bebidas, ficamos sentados durante algum tempo, fazemos mais pedidos e, quando uma nova jarra de cerveja for servida, você a derruba como um bêbado em cima do alvo. Em seguida, gritando alto, dizendo o quanto lamenta, amaldiçoando sua própria falta de jeito, você dá a volta na mesa e, ao lado dele, começa a secar suas roupas com a capa. Seja incisivo, manifestando em voz alta sua vergonha por ter molhado um fidalgo tão refinado. Ele pedirá para que pare de colocar as mãos sobre ele, mas você deve insistir que precisa ser seco e que você deve fazer isto para se redimir. Interprete completamente o papel de tolo bêbado, mas assegure-se, tenha a certeza de que o lado esquerdo dele fique coberto por sua capa enquanto seca suas roupas. Isso é muito importante.

— Compreendo — Robin disse, sério. — E enquanto a capa cobre o lado esquerdo, você corta a algibeira?

— E no alvoroço... vamos torcer para que ele fique nervoso com sua ajuda atrapalhada e crie uma confusão; você também pode levantar a voz e demonstrar raiva... Sairei da taberna e aguardarei por você no beco, ao lado dos cavalos. Depois que eu sair, deixe a taberna o mais rápido possível. Depois, cavalgaremos.

— É um bom plano, Alan — Robin disse. — Um plano muito bom. Está pronto?

Assenti. Robin levantou-se e caminhou na direção da mesa comunitária, balançando levemente e gritando para que o servente trouxesse, rapidamente, mais cerveja e um pouco de pão e queijo, não muito mofado.

Acompanhei-o com o olhar baixo, como um criado constrangido pelo mestre bêbado, e deslizei para meu lugar ao lado de nosso alvo.

— Isso — disse Robin, esforçando-se muito mas sem conseguir conter as gargalhadas — foi a coisa mais divertida que fiz em toda uma era.

Estávamos trotando pela estrada que saía de Nottingham e seguia para o norte. Robin subornara generosamente o vigia do portão para que nos deixasse passar, ignorando o toque de recolher. Eu também estava quase impotente de tanto gargalhar, e tive dificuldade em permanecer sobre meu cavalo. Robin tinha um talento natural para a interpretação e desfrutou claramente do papel de camponês bêbado de maneira quase indecente. Ele berrara pedindo mais cerveja, derrubara a bebida, desculpara-se com o alvo, secara-o e amaldiçoara a si próprio com muito entusiasmo. O modo como posicionara as dobras da capa fora milimetricamente perfeito e minhas mãos estavam sob ela com minha pequena faca enquanto Robin secava o rosto do pobre alvo com a barra da capa, cobrindo os olhos do homem quando coloquei a algibeira em minha túnica, caminhei rapidamente para o banheiro externo e saí na noite. Robin juntou-se a mim poucos instantes depois, gritando para trás, para dentro da taberna, sobre erros inocentes, qualquer um pode derramar uma bebida, e algumas pessoas não deveriam se considerar importantes demais para se misturarem com homens honestos.

Tentamos nos recompor, mas sempre que meu olhar encontrava o de Robin, começávamos a rir, cada vez mais alto, até urrarmos hilariantemente mais uma vez. Finalmente, com lágrimas rolando por nossos rostos, conseguimos colocar os cavalos em um trote largo, a estrada iluminada apenas pela luz das estrelas e uma lua de prata, e colocamos alguns quilômetros entre Nottingham e nós.

O amanhecer encontrou-nos cavalgando no aclive de uma pequena colina na direção de uma torre baixa de pedra, aproximadamente na metade do caminho entre Nottingham e a fazenda de Thangbrand. Eu não tinha ideia de para onde estávamos indo, e na última hora a exaustão começara a pesar muito em meus ombros. Mas um dia e uma noite montado em uma sela pareciam não ter qualquer efeito sobre Robin. Suas costas permaneciam eretas e ele cavalgava com uma graça garbosa, a qual esforcei-me ao máximo para imitar. No topo da colina, com o sol forte e alegre sobre o horizonte, ao leste, paramos em um matagal no topo da colina e minha boca abriu-se em surpresa. Pois ali, esperando por nós, estavam Owain, o arqueiro, seus seis homens e a fileira de cavalos de carga.

Descobri que a chave na algibeira abria uma porta de ferro na torre, que fora fortemente construída. Uma vez aberta, Owain e Robin entraram com tochas acesas e percebi por que nossa excursão a Nottingham fora tão importante para os planos de Robin.

Para qualquer arqueiro, era um armazém de riquezas. Apesar de não conter prata, ouro ou joias, havia pilhas e mais pilhas de flechas da melhor qualidade, recém-emplumadas e arrumadas em lotes de trinta unidades ao redor de dois discos de couro que impediam que as penas de ganso fossem amassadas umas contra as outras. Havia também varas de arcos de teixo envelhecido arrumadas em lotes volumosos, além de espadas, escudos, lanças e algumas cotas de malha de ferro antigas em suportes em forma de T.

— Não trouxemos cavalos de carga suficientes — disse Owain.

— O que é este lugar? — perguntei a Robin, olhando ao redor para a cornucópia de armas, suficiente para equipar um pequeno exército.

— Esta é uma das armarias de nosso rei Henrique. Ele está armazenando armas para uma grande peregrinação para libertar a Terra Santa do infiel. Nosso bom amigo David, que espero que, a esta altura, tenha acabado de descobrir que perdeu a chave, é o armeiro do reino, encarregado de fazer estoques no norte para a grande aventura. O rei não confia em Sir Ralph Murdac para que tome conta destas armas, do contrário elas estariam muito bem trancadas no castelo de Nottingham. Assim, David, um homem leal ao rei, apesar de um pouco beberrão, é o responsável.

— Era o responsável — eu disse.

— É melhor nos apressarmos, senhor — disse Owain. — O armeiro já deve ter dado o alarme a esta altura.

E foi o que fizemos.

Uma hora depois, com trinta cavalos de carga tropeçando sob fardos gigantescos, estávamos de volta à estrada do norte, a caminho da fazenda de Thangbrand. A armaria ficara apenas parcialmente vazia. Robin deixou a porta aberta e pendurou com cuidado a chave em um prego na parede. Com um pedaço de giz, escreveu as palavras "Obrigado, senhor" sobre uma pedra cinzenta abaixo do prego.

Robin estava bem-humorado enquanto trotávamos por uma trilha estreita através das árvores. Mas, de repente, parou e levantou uma das mãos. Todos paramos e os arqueiros pegaram as rédeas dos cavalos sobrecarregados para manter os animais parados em silêncio. Ouvi o tropel de cascos de cavalo na trilha e vi o cabelo amarelo brilhante e a figura gigantesca de João Pequeno aproximando-se rapidamente em uma curva na estrada. Ele estava montado em um cavalo gigantesco coberto de suor e acompanhado de dois homens de armas que eu vira na fazenda de Thangbrand mas não conhecia bem.

Robin aguardou impassível e silencioso enquanto João parava selvagemente o cavalo suado. Os dois se olharam enquanto o grande cavalo transpirava docilmente sob o sol de final de verão.

— São os Peverils — disse João, depois de recobrar o fôlego. — Estão atacando novamente nossas aldeias.

— Onde estão, e quantos são? — perguntou Robin.

— Saquearam Thornings Cross; pilharam a igreja local e mataram algumas pessoas. Agora, estão seguindo para o norte, de volta para seu covil em Hope Valley. Cerca de vinte daqueles desgraçados.

— Geraint, Simon, levem os cavalos de volta para a fazenda de Thangbrand — Robin dirigiu-se aos dois homens de armas que haviam chegado com João. Fiquei impressionado que ele soubesse seus nomes, pois eu não sabia. — Você irá com eles, Alan.

— Prefiro acompanhá-lo, senhor — eu disse.

— Faça o que mando — Robin repreendeu-me.

A hilaridade mútua e a camaradagem de nossa aventura para roubar a algibeira em Nottingham haviam desaparecido. Robin adotara sua postura de batalha: sombrio, determinado, um capitão que não deve ser questionado.

— João, siga na frente. Owain, você e seus arqueiros estão comigo.

Robin partiu, cavalgando rapidamente pela estrada atrás de João Pequeno, seguido por Owain e os seis arqueiros sombrios. Os dois homens de armas olharam estupidamente para mim.

Eu disse:

— Vocês ouviram o que ele falou; levem os cavalos para a fazenda de Thangbrand. Tenho outros assuntos a tratar.

E parti a toda velocidade atrás de meu mestre, que desaparecia na distância.

Eu sabia quem eram os Peverils: um grande, velho e extenso clã de pequenos bandidos e ladrões que agiam no norte da Inglaterra, permanecendo boa parte do tempo fora da área controlada por Robin. A família alegava descender de Guilherme, o bastardo, mas pelo lado errado do lençol. No passado, parte do clã fora dona de uma fortaleza impenetrável em Castleton. Contudo, por causa de sua maldade, os Peverils tinham sido destituídos pelo rei Henrique cerca de trinta anos antes e passaram a ganhar a vida com roubos, assassinatos e sequestros. Para dizer a verdade, não eram muito diferentes do bando de Robin. Eu ouvira algumas conversas sobre eles na fazenda de Thangbrand: os Peverils eram considerados cruéis, mas covardes. E, até o momento, costumavam respeitar os lugares pelos quais o édito de Robin circulara.

Alcancei Robin e seus homens depois de cerca de 1 quilômetro e apenas os segui, tentando acompanhá-los enquanto galopavam a toda velocidade pelo condado. Vi Robin olhar para trás uma vez e perceber minha presença. Ele franziu a testa mas não reduziu a velocidade. Permaneci no final da fileira de homens e cavalos velozes e comi areia por uns bons 25 quilômetros, às vezes em pequenas trilhas de terra pela floresta, às vezes cruzando campinas, pequenas áreas urbanas e campos, até pararmos em uma colina baixa com vista para uma aldeia espremida na curva de um pequeno rio. Uma nuvem espessa de fumaça pairava sobre o lugar e pude ver que pelo menos dois casebres ainda pegavam fogo. O lugar fora totalmente destruído: casas incendiadas, gado e ovelhas fugindo, homens mortos e mulheres e crianças violentadas. Até a antiga cruz que dava nome à aldeia fora derrubada. Quando trotávamos colina abaixo rumo à aldeia, ouvi o som de uma mulher gritando e avistei-a pouco depois. Ela estava ajoelhada no chão diante de uma choupana fumegante, com o corpo ensanguentado de um garoto pequeno, talvez com seis anos, em seus braços, balançando para a frente e para trás e chorando para si mesma pela morte da criança, um som de dor agudo, alto e sem palavras. A cabeça do garoto balançava cada vez que ela se movia. Aproximamo-nos sobre os cavalos, Robin desmontou e ajoelhou-se ao lado da mulher. Ele colocou uma das mãos em seu ombro e ela deu um sobressalto repentino, mas parou de fazer aquele barulho pavoroso e, com olhos vermelhos e inchados, encarou Robin, emudecida pela dor.

Correndo os olhos pela aldeia, vi sinais de uma maldade que eu mal conseguia contemplar: os corpos quebrados e mutilados de meia dúzia de camponeses estavam espalhados pela rua enlameada. O corpo de um padre jazia a poucos metros dali, com um braço esticado. Reparei que lhe faltavam alguns dedos, os quais, sem dúvida, haviam sido decepados por causa dos anéis que os adornavam. Uma garota com a garganta cortada e aberta como uma segunda boca estava apoiada de lado nas pedras derrubadas da antiga cruz de pedra no centro da aldeia. Suas saias haviam sido levantadas até seu peito, e seu colo nu parecia um emaranhado de sangue coagulado. Vi que alguém enfiara uma faca em suas nádegas brancas e desviei o olhar rapidamente.

— Aparentemente, estão todos mortos, exceto ela, senhor — disse Owain, indicando a mulher agoniada. Ele e alguns dos homens haviam cavalgado rapidamente ao redor da pequena aldeia em busca de sobreviventes feridos. A mulher que segurava o filho morto levantou o olhar para Owain em seu cavalo e depois se virou para Robin, que permanecia ajoelhado ao seu lado. Ele estava lhe oferecendo seu cantil de vinho. Ela tomou um pequeno gole, e começou a soluçar silenciosamente, os olhos fechados e o queixo afundado no peito.

— Para onde eles foram? — Robin perguntou à mulher. Ela continuou a chorar, ignorando a pergunta. — Para qual direção? — ele perguntou novamente. A mulher olhou para Robin com assombro e apontou com um dedo ensanguentado para a estrada que partia da aldeia rumo ao norte.

— Voltaremos mais tarde para ajudar — Robin disse —, mas agora precisamos pegar os homens que fizeram isso. E fazer com que paguem.

— Nós pagamos a você — disse a mulher em voz baixa. Robin contraiu-se, mas sustentou seu olhar. — Para proteção — a mulher continuou. — Seus homens disseram que, se pagássemos, vocês nos protegeriam de... — O braço livre da mulher apontou para a cena da carnificina na rua enlameada.

Robin levantou-se.

— Fracassei com você — ele disse. A mulher o encarou. — Mas os pegarei — Robin continuou —, e juro que farei com que se arrependam de terem feito isso.

Ela assentiu.

— Pegue-os — disse ela com a voz rouca. — E mate-os, mate todos eles.

Robin concordou e colocou o cantil de vinho na mão da mulher. Montamos nos cavalos e Robin designou um arqueiro para cavalgar à frente como batedor. Ele olhou inexpressivamente para mim.

— Mandei-o ir para a fazenda de Thangbrand — ele disse, sem emoção.

Dei de ombros.

— Jamais me desobedeça novamente — ele disse, e seus olhos brilharam como uma faca desembainhada à noite. Assenti, desanimado demais para estar realmente com medo, e deixamos a aldeia violada, cavalgando pela estrada rumo ao norte.

Acampamos naquela noite, com frio e sem fogueira, em uma floresta elevada de faias. Matthew, o arqueiro batedor, voltara para dar informações a Robin. Os Peverils estavam a menos de 1 quilômetro de distância, desfrutando um banquete de carneiro assado ao redor de uma grande fogueira em um vale abaixo e ao norte da floresta de faias. Eles não haviam se dado ao trabalho de designar nenhum vigia, Matthew informou, e estavam bebendo barris de cerveja ao redor da fogueira, cantando. Também tinham capturado uma mulher e estavam se revezando em estuprá-la.

O ar noturno estava frio, mas Robin nos proibira de fazer uma fogueira. Deveríamos descer marchando até o acampamento dos Peverils, deixando os cavalos para trás, e atacá-los a pé logo antes do amanhecer. Havia

24 homens. Nós éramos nove. Mas eles estariam dormindo, embriagados, alheios à nossa presença até o instante em que atacássemos. Estávamos com frio e com raiva — os homens tinham ficado chocados com o que fora feito em Thornings Cross. Mas o melhor de tudo era estarmos sob a liderança de Robin. Todos os inimigos morreriam, eu tinha certeza.

Eu estava caindo no sono, enrolado em minha capa e meu capuz, sentado entre duas raízes e recostado em um tronco de uma árvore confortável, quando Robin veio até mim.

— De manhã, tome cuidado para não ser morto — ele disse tranquilamente. — Fique atrás quando entrarmos, esses homens são muito perigosos. — Abanei a cabeça. — Não me desobedeça outra vez — Robin disse com a voz gélida.

— Eu posso lutar — eu disse. — Aprendi uma ou duas coisas na fazenda de Thangbrand.

Eu desejava muito fazê-los pagar pelo que tinham feito em Thornings Cross.

— Você não está nem perto de ter aprendido o bastante — Robin disse. — Quero que fique na retaguarda e entre quando o combate estiver quase terminado. E, ainda assim, tome cuidado.

Eu não disse nada, sentindo-me estranhamente desanimado e obstinado.

— Escute — ele disse baixando a voz para que ninguém o pudesse ouvir além de mim —, você é mais valioso para mim do que um arqueiro comum. De verdade. Bernard diz que você é realmente talentoso. Não quero que morra em algum combate esquecido, preciso de você vivo.

Continuei desanimado. Será que ele pensava que eu estava com medo? Teria ele esquecido que eu já matara um homem em batalha?

— Você é exatamente como seu pai — disse Robin. — Ele era um homem obstinado, que não gostava de receber ordens.

— Você me contará o que sabia a respeito dele? — perguntei, querendo mudar de assunto. — Ele nunca falou comigo sobre sua vida antes de vir para o condado de Nottingham, conhecer minha mãe e se apaixonar por ela.

— É mesmo? Que estranho que eu saiba mais sobre ele que seu filho — Robin disse. Ele acomodou-se a meu lado, recostando-se na árvore. — Bem, ele era um homem bom, eu acho, e gentil comigo, além de um cantor realmente maravilhoso. Mas você já sabe disso. Ele chegou na corte de meu pai em Edwinstowe quando eu era apenas um garoto de 9 ou 10 anos. Ele era um *trouvère*...

Sentei-me mais ereto contra a árvore, meu interesse crescendo. Robin continuou:

— E quando ele veio para Edwinstowe, no inverno, meu pai convidou-o a passar o Natal conosco. Tínhamos pouco entretenimento no distrito e a música dele fazia o castelo parecer mais quente e brilhante durante os dias curtos e frios e as noites longas e congeladas do inverno.

— De onde ele vinha? — perguntei. Achei difícil imaginar meu pai maltrapilho, o aldeão que trabalhava no campo, como um *trouvère* com roupas de seda passando o Natal no castelo de um grande lorde.

— Ele vinha da França. O pai dele era conhecido como o Seigneur d'Alle, um pequeno proprietário de terras, e Henri d'Alle, seu segundo filho, estava destinado a entrar para a igreja. Pelo que recordo, ele ingressou no coro da grande catedral que estavam começando a construir em Paris em homenagem a Nossa Senhora. Mas algo aconteceu. Ele jamais falou sobre o ocorrido, mas acredito que tenha se desentendido com o bispo Heribert, primo do nosso Sir Ralph Murdac, diga-se de passagem, e um homem poderoso na Igreja. Heribert era, pelo que ouvi, um padre completamente corrupto. Contudo, na época, era o único responsável pela música da catedral de Notre-Dame. Surgiram boatos sobre o roubo de baixelas e candelabros de ouro, e seu pai levou a culpa. Disseram-lhe que seria perdoado se admitisse que roubara o ouro e que, depois de uma penitência, teria permissão para permanecer na Igreja. Ele se recusou totalmente. Tenho certeza de que era inocente, de modo que talvez estivesse certo em recusar a admitir a culpa. Mas seu pai era um homem teimoso e, por recusar-se, foi obrigado a deixar não só a Igreja, mas também a França, e a pegar a estrada na Inglaterra como *trouvère*, entretendo a nobreza tocando música em seus castelos. Ele jamais perdoou a Igreja por tê-lo mandado embora; às vezes, era abertamente hostil aos padres.

Robin fez uma pausa, hesitando enquanto pensava por um instante, e continuou:

— Em Edwinstowe, eu tinha um padre tutor enviado pelo arcebispo de York. Era um homem brutal, que batia em mim com frequência. Agora está morto, é claro, mas perturbou-me um pouco quando eu era garoto. Seu pai falou com ele. Não sei o que disse ao homem, mas naquele Natal, enquanto seu pai estava conosco, não houve mais surras. Sou grato a ele. Sinto que tenho uma dívida com ele por causa daquele breve alívio.

Robin ficou em silêncio. Então, disse:

— Você vê, sinto que lhe devo um pouco por causa da ajuda que recebi de seu pai naquele Natal, e também, é claro, pela alegria que a sua música me trazia. Portanto, peço que me prometa: tome cuidado de manhã. Fique na retaguarda.

— O que eles fizeram hoje, os Peverils, na aldeia... Quero me vingar — eu disse, esperando agradá-lo ao falar em vingança.

Ele suspirou.

— Eles merecem morrer, merecem sofrer. Mas, para ser honesto, o que faremos amanhã também é do meu interesse. Durante anos, os Peverils respeitaram a mim e a meu território. Eles me conhecem como o lorde de Sherwood. Agora, quebraram nosso pacto e demonstraram falta de respeito, de modo que preciso ensinar uma lição aos Peverils e a outros como eles, mostrando que quando estendo a mão para proteger uma aldeia, uma família ou um homem, eles estão protegidos. Preciso demonstrar que defenderei meu reino. Minha segurança, minha liberdade e meu futuro dependem disso. Se os homens não me temerem, por que não deveriam informar o xerife sobre meu paradeiro? Por que deveriam me pagar por proteção, para trazer-lhes justiça, se acreditarem que eu não sou capaz de fornecer nenhuma das duas coisas?

— Não é uma simples questão de certo e errado? — perguntei. — Essas pessoas são más e devem ser punidas.

— Isso existe. Mas o certo e o errado raramente são simples. O mundo é repleto de pessoas más. Algumas pessoas até diriam que faço o mal. Mas se eu fosse correr o mundo punindo todos os homens maus que encontrasse, não teria descanso. E, se passasse a vida inteira punindo atos maus, eu não aumentaria nem um pouco a quantidade de felicidade no mundo. O mundo tem um suprimento infinito de maldade. Tudo que posso fazer é tentar fornecer proteção para aqueles que a pedem a mim, para aqueles a quem amo e que me servem. E, para proteger a mim mesmo e aos meus amigos, os homens devem me temer, e para fazer com que tenham medo de mim, preciso matar os Peverils amanhã. E você, meu jovem amigo, deve ficar na retaguarda.

Vi os dentes de Robin sorrindo para mim em meio à escuridão enquanto ele se levantava. Retribuí o sorriso. Depois que Robin partiu, enroleime com mais força na capa e tentei dormir, mas as palavras dele me assombravam. Seria o mundo realmente um lugar com um suprimento infinito de maldade? Sim, era verdade que éramos todos pecadores. Mas e quanto a Cristo e sua promessa de perdão e vida eterna?

Atacamos na manhã seguinte, sob a luz cinzenta que antecedia o amanhecer. Foi mais um massacre que uma batalha. Os homens de Robin avançaram com passos silenciosos, posicionaram-se atrás de árvores a menos de 30 metros de distância dos inimigos e dispararam uma flecha após a outra contra as formas adormecidas no chão perto dos resquícios da grande fogueira. Os gritos das primeiras vítimas despertaram alguns dos Peverils, mas poucos conseguiram se levantar totalmente no estado bêbado e surpreso em que se encontravam, e os que o fizeram foram derrubados prontamente por uma saraivada incessante de flechas. Atacamos em seguida e os sobreviventes foram destroçados quando João, Robin e os seis arqueiros atacaram furiosamente o campo, brandindo machados e espadas em uma confusão de aço em movimento, homens gritando e sangue jorrando. Eu pretendera ficar na retaguarda, como Robin pedira, mas quando ele tocou a trombeta para o ataque e os homens avançaram, corri com eles, o sangue circulando quente em minhas veias.

Mas eu não estava em perigo, pois não enfrentei nenhum oponente. Todos os inimigos estavam mortos 12 minutos depois que a primeira flecha foi lançada. Exceto dois.

Sir John Peveril tinha uma flecha no ombro e outra atravessada em seu calcanhar. Ele empunhava um pesado alfanje, uma espada de lâmina espessa, balançando-a ameaçadoramente para os três arqueiros que o cercavam.

— Quero ele vivo! — Robin gritou.

João Pequeno, que estava atrás do inimigo, deu um passo à frente e brandiu seu grande machado, golpeando a parte posterior do crânio de Sir John Peveril com o lado chato da cabeça do machado.

Sir John caiu imediatamente e permaneceu imóvel.

O outro sobrevivente era apenas um garoto, e calculei que não deveria ter mais de dez anos. Ele não sofrera nenhum arranhão, pois os arqueiros relutaram em alvejar um inimigo tão insignificante. O garoto foi rapidamente desarmado de sua curta espada enferrujada e amarrado como um peru de Natal.

Sir John Peveril, por sua vez, teve os braços e as pernas esticados e amarrados a quatro pinos cravados profundamente no chão. Robin assegurou-se de que os pinos penetrassem a pelo menos 30 centímetros no solo e estivessem imóveis. Em seguida, os homens despiram Sir John e o acordaram, revezando-se em urinar sobre seu rosto. Quando finalmente despertou, urrando, balbuciando e xingando, o homem olhou para seu corpo nu amarrado ao solo da floresta e seus olhos se esbugalharam em horror. Ele levantou a cabeça e reconheceu Robin sob os primeiros raios do sol, de pé sobre ele como o anjo da morte, e seu controle se dissolveu. Todo o corpo de Sir John começou a tremer de terror.

— Rob... Robert, por favor — ele gaguejou com os lábios trêmulos. — Pagarei a você, pagarei o que quiser. Apenas me solte. Eu juro, prometo que irei embora. Partirei, deixarei a Inglaterra...

Robin desviou os olhos do covarde coberto de mijo que babava amarrado e impotente diante dele. Acompanhei seu olhar. Ele estava olhando para uma figura clara no chão, à sua esquerda. Era o corpo nu de uma menina morta, com o rosto ferido voltado para o céu, ventre e pernas cobertos de sangue negro. Robin voltou-se para Sir John. Seu rosto era uma máscara fria de indiferença.

— Escolha um membro — ele disse.

— O quê? O quê? — gaguejou Sir John.

— Escolha um membro — disse Robin com voz de gelo.

— Sim, certo, é claro, Robert. Mereço perder um membro. Mas podemos falar sobre isso... posso compensar... posso pagar de volta...

— Escolha um membro... ou perderá todos — disse Robin, implacável. Ele balançou a cabeça na direção de João Pequeno, que esperava segurando o grande machado com uma das mãos.

— Que Deus o destrua, Robert Odo, e todos a quem você ama. Que todos os demônios do inferno carreguem-no para o abismo podre...

João Pequeno deu um passo à frente. Sir John gritou:

— O esquerdo, malditos sejam todos vocês, o braço esquerdo. Escolho o braço esquerdo.

Robin concordou. Virou-se para João Pequeno e disse:

— Que ele fique com o braço esquerdo; remova os outros membros. E quero três torniquetes bem apertados em cada um antes que sejam cortados. Não quero que o maldito sangre até morrer.

Eu gostaria de esquecer o som do machado habilidoso de João Pequeno enquanto executava as ordens de Robin, três horripilantes ruídos molhados, os gritos de Sir John antes de ser amordaçado e a visão de seu torso inconsciente, com um único braço branco ainda preso a ele, os dedos cravados profundamente no solo para espantar a agonia, mas jamais esquecerei, mesmo que eu viva mais cinquenta anos. Não consegui assistir a tudo e Robin, talvez por bondade, ordenou-me que conferisse se todos os outros inimigos estavam mortos. Um deles ainda vivia, mas estava gravemente ferido e inconsciente, com duas flechas na barriga, os olhos piscando e girando. Quando cortei sua traqueia com minha espada para matá-lo, ouvi o último corte na carne feito pela lâmina do grande machado de João Pequeno, um longo suspiro quando os arqueiros soltaram o ar que prendiam nos pulmões. Ninguém fora morto e apenas dois homens sofreram pequenos ferimentos. Fora uma grande vitória, mas a punição imposta a Sir John ofuscara o ânimo dos homens; eles tinham conquistado a vingança.

Soltamos o garoto, deixando-o para cuidar do que restava do homem que era seu capitão e para comunicar a todos os outros Peverils que aquilo fora obra de Robin. Depois, embrulhamos o corpo da garota e, colocando-o sobre um cavalo, deixamos aquele vale sombrio e os corpos dos inimigos no local em que jaziam.

Robin entregou o corpo à mulher em Thornings Cross e deu-lhe prata, que fora recuperada dos Peverils. Owain estivera errado ao relatar que todos os aldeões estavam mortos; muitos tinham fugido para a floresta quando os Peverils atacaram a aldeia, o que salvara suas vidas. Os sobreviventes estavam no pequeno cemitério da igreja quando partimos, no meio da tarde, cavando sepulturas para amigos e familiares: um grupo de camponeses miseráveis, trabalhando à sombra da igreja, pequenos ao lado dos montes de terra fresca.

Estava escuro quando chegamos à fazenda de Thangbrand e eu me sentia drenado de toda a energia, tanto do corpo quanto do espírito. Quando Robin veio se despedir de mim no dia seguinte — estava voltando para seu esconderijo em uma caverna ao norte —, não consegui encará-lo. Eu dormira mal, sofrendo com pesadelos nos quais Sir John Peveril arrastava pelo chão seu corpo incompleto em minha direção, usando o único braço que lhe restava.

Robin pegou meu queixo e levantou meu rosto para que eu fosse obrigado a olhar em seus olhos prateados e brilhantes.

— Não me julgue, Alan, até saber o fardo que carrego. E, mesmo quando souber, não julgue nenhum homem, a menos que você mesmo seja julgado. Não é isso o que vocês, cristãos, pregam?

Não falei nada.

— Venha — disse Robin —, vamos nos despedir como amigos.

Ele sorriu para mim. Olhei em seus olhos prateados e soube que, não importava o quanto estivesse horrorizado com sua crueldade, eu não seria capaz de odiá-lo. Sorri de volta, mas fiz uma careta pálida e lacrimosa.

— Assim é melhor — ele disse.

Então apertou uma vez meu braço e partiu.

Capítulo 7

O outono estava chegando. Os dias ficavam mais curtos, e a floresta de Sherwood, gloriosa com folhas em tons dourados e de cobre, muitas vezes era tomada de manhã por uma bruma congelante. Comecei a usar o *aketon* forrado quase todos os dias e, quando visitava Bernard para as aulas de música, a primeira coisa que ele me pedia era que fizesse uma fogueira para aquecer nossos dedos. Com Robin ausente, a aventura em Nottingham e a mutilação horripilante de Sir John Peveril pareciam pertencer a outro mundo, como um sonho — ou um pesadelo. Eu retornara à vida na fazenda de Thangbrand como se nada tivesse acontecido.

Sir Richard estava prestes a nos deixar. Murdac recusara-se secamente a pagar o resgate, apesar de ser claramente sua obrigação, pois Sir Richard estava lhe servindo quando fora capturado. Por direito, Robin poderia tê-lo executado. Mas não foi o que fez; Robin enviou a Sir Richard uma mensagem dizendo que estava livre para partir e que fora uma honra tê-lo por tanto tempo como hóspede. Fizemos um banquete para marcar a partida do cavaleiro de Thangbrand, pois ele era muito querido e respeitado pelos fora da lei, e apresentei-me pela primeira vez como aprendiz de *trouvère*, pensando em meu pai enquanto cantava.

Receio que tenha cantado uma canção terrível, indigna de sua memória, executada sem acompanhamento, que falava de um cavaleiro que, tendo viajado o mundo e realizado grandes feitos e conquistado muito renome, finalmente retornava para seu lar para pendurar a espada e cuidar de suas terras. Fiz muito esforço para esquecê-la, mas recordo que rimava arar com ralentar, e acredito que tal exemplo sirva para que se possa sentir como era a música. Meus esforços pobres foram aplaudidos gentilmente pela companhia — depois, Bernard cantou. Foi uma das melhores apresentações que o vi fazer: ele começou com uma canção indecente e muito engraçada, de fazer os ouvintes segurarem a barriga de tanto rir, sobre um coelho cavaleiro que quer acasalar com uma coelha dama e fica muito surpreso ao se encontrar no buraco errado; em seguida, Bernard, julgando perfeitamente a quantidade de vinho e cerveja consumidos, ofereceu ao público uma canção clássica sobre um amor condenado, o de Lancelot e Guinevere. Os fora da lei durões estavam chorando quando ele tocou com o arco o último acorde, unicamente belo. Depois, mais uma vez avaliando perfeitamente a plateia, Bernard executou uma instigante canção de batalha para melhorar os humores: a história de Roland morrendo heroicamente em Roncesvalles com um círculo de mouros mortos a seus pés e sua trombeta apertada contra o coração. Aplaudiram Bernard até a casa quase ir abaixo. Depois, todos, inclusive eu, bebemos até desmaiar.

No dia seguinte, Sir Richard fez um voto solene de que não revelaria nenhuma informação sobre a fazenda de Thangbrand ao xerife — de todo modo, duvido que fizesse isso depois de ser traído por Murdac. Em seguida, foi vendado e levado de volta pelas estreitas trilhas secretas de Sherwood para a Grande Estrada do Norte.

Logo antes de partir, Sir Richard deu-me um presente. Era um punhal, uma bela peça de 30 centímetros de aço espanhol polido, afiado como uma navalha, com 2 centímetros de largura no guarda-mão, estreitando-se até uma ponta perversa igual a uma agulha, projetada para perfurar cotas de ferro, estourando os elos com a pressão lateral e penetrando no corpo do inimigo.

— É uma lâmina boa e forte — ele disse ao presenteá-la a mim. — E salvou minha vida muitas vezes. Carregue-a sempre com você, Alan. Um dia, ela também poderá salvar sua vida.

Agradeci-lhe enquanto amarravam a venda sobre seus olhos e o ajudei a montar em sua sela.

— Lamento que não possa ensiná-lo a usá-la — ele disse.

Enquanto se afastavam, ele gritou sobre o ombro:

— Não se esqueça de mexer os pés!

No dia seguinte, Tuck chegou à fazenda de Thangbrand trazendo suprimentos, meia dúzia de jovens e meninos que seriam treinados por Thangbrand, além de novidades. Fiquei muito satisfeito em vê-lo e Tuck cumprimentou-me com um grande abraço de urso.

— Você cresceu — ele disse. — E está um pouco mais carnudo.

Tuck pegou a parte superior do meu braço, apertando o músculo que aparecera depois de muitas horas praticando com a espada com Sir Richard.

— É sobre você que se deve falar em carne — eu disse, cutucando sua grande barriga. Ele direcionou um soco delicado à minha cabeça, do qual esquivei-me com facilidade.

Quando nos sentamos no salão com uma caneca de cerveja e uma galinha assada fria, o rosto de Tuck adquiriu uma expressão grave:

— Tenho más notícias, Alan — ele disse. — É sobre sua mãe.

Meu coração pesou como uma pedra em meu peito. Tuck disse que ela estava morta, assassinada pelos homens de Murdac junto com muitas, muitas outras pessoas, em um ataque ao povoado.

— Sir Ralph disse a seus homens que queria fazer do povoado um exemplo, como um aviso para que outras não acolhessem fora da lei — Tuck disse.

Eles haviam chegado ao amanhecer e começaram a matar sem cerimônia; cavaleiros com cotas cinzentas cortando homens, mulheres e crianças, amarrando cordas nas choupanas e derrubando-as, queimando tudo que não conseguiam derrubar. Os homens lutaram, ancinhos e pás contra espadas e maças, e morreram. Muitos correram para se esconder na floresta. A imagem de Thornings Cross destruída pelos Peverils veio à minha mente. Perguntei-me que diferença havia na verdade entre as forças do xerife e um clã de ladrões.

Eu estava segurando com força o cabo do meu punhal espanhol.

— Preciso ir para lá — eu disse, lívido. Mas Tuck segurou meu braço.

— O povoado não existe mais, Alan. Não restou nada além de cinzas e dor. Sua mãe está com Deus agora. Eu mesmo a enterrei e recitei as palavras sagradas sobre seu corpo. Ela está descansando com os anjos.

— Se ao menos eu estivesse lá...

Tuck colocou um braço musculoso ao redor do meu ombro.

— Se estivesse lá, você teria sido morto. Não, Alan, Deus tem outros planos para você. Seu caminho é ao nosso lado.

Ele tinha outras notícias, mas ouvi-as através de uma nuvem de tristeza, como se sonhasse acordado, compreendendo apenas parte do que Tuck dizia. Robin estivera criando confusão em Barnsdale, Tuck contou, roubando gado e ovelhas de proprietários de terras em Yorkshire. Ele fora perseguido por Sir Roger de Doncaster, que quase o capturara duas vezes em uma armadilha. Mas Robin unira-se a seus homens e, voltando-se contra seu perseguidor, derrotara-o em uma luta. João Pequeno fora ferido — mas não gravemente. Sir Roger escapara vivo por pouco. A história de Tuck animou um pouco meu coração, apesar da dor lancinante causada pela morte de minha mãe.

— Notícias de Marian? — perguntei timidamente.

Tuck olhou-me com estranheza.

— A prometida de Robin, a condessa de Locksley — ele disse formalmente —, está em Winchester com a rainha Eleanor, e é improvável que parta antes que se passe algum tempo.

Em seguida, mudou de assunto.

Eu sabia que a rainha era como uma prisioneira em Winchester, 240 quilômetros ao sul. Henrique, seu marido e, pela graça de Deus, nosso rei, não confiava mais nela, pois a rainha apoiara o filho, o duque Ricardo, nas guerras travadas na França contra o rei, e apesar de ter direito a um cortejo real, incluindo damas de companhia como a adorável Marian, e a todos os confortos adequados à sua posição, a rainha e as damas de companhia permaneciam sob a rígida supervisão do condestável de Winchester, um filho bastardo do rei Stephen, conhecido como Sir Ralph FitzStephen.

A possibilidade de voltar a ver Marian algum dia parecia impossivelmente remota. Contive uma nova onda de infelicidade e tentei prestar atenção às notícias que Tuck trazia do norte.

— ...ele tem quase todos os homens de que precisa — Tuck disse. — Estão todos instalados em uma série de grandes cavernas no norte de Sherwood e em seus arredores; perfeitamente bem escondidos e com espaço suficiente para abrigar um pequeno exército. E, talvez em seis meses, ele realmente terá um pequeno exército...

Mas eu não conseguia me concentrar nas notícias sobre Robin. O rosto enrugado de minha mãe, desgastada por uma vida inteira de trabalho brutal e sofrimento, surgiu diante de meus olhos e as lágrimas rolaram por meu rosto.

Tuck não ficou muito tempo na fazenda de Thangbrand. Ele entregou seus protegidos para o treinamento e pegou a urna que continha a partilha de Robin, cheia depois de um verão de roubos a viajantes que passavam por Sherwood. Então Tuck partiu, acompanhado por uma dúzia dos homens de armas mais competentes, alguns a cavalo e outros a pé, carregando arcos. Agradeci-lhe por ter me trazido notícias sobre minha mãe e disse-lhe que agora eu tinha uma razão dupla para querer me vingar de Sir Ralph Murdac: as mortes de meu pai e de minha mãe.

— A vingança é para os tolos — Tuck disse. — Cristo ensina a perdoar.

Devo ter parecido impressionado, pois ele continuou:

— Lembre-se sempre de que Deus tem um plano, meu filho. Nós, pecadores, podemos não saber qual seja, mas Ele sabe. — E puxou-me para perto dele e me abraçou. Enquanto enterrava o rosto em seu robe áspero de monge, com seu cheiro ordinário de suor e fumaça de madeira, recordei que Sir Richard utilizara as mesmas palavras. Então Tuck me abençoou e partiu, cavalgando com a prata e os soldados pelas profundezas de Sherwood.

Com a partida de Tuck, a escola de cavalaria em Thangbrand ficou repentinamente carecendo de recrutas, e Guy, tendo provado sua destreza com o alvo móvel, foi absorvido pelas fileiras. Eu ainda treinava com Thangbrand como soldado raso mas, graças à ajuda de Sir Richard, agora demonstrava seus movimentos de espada banais aos recém-chegados. Bernard estava impressionado com meu progresso na música; eu tinha um ouvido natural, ele disse, e agora estava compondo com uma segurança cada vez maior. Na verdade, uma série de versos que criei naquela época, sobre o debulho do milho e de grãos, é cantada até hoje. Outro dia mesmo ouvi camponeses locais cantando-a enquanto trabalhavam; a letra mudou um pouco, mas ainda é minha canção simples. Quando perguntei a um deles sobre a canção, ele disse que era uma canção tradicional, o que me fez sorrir e lembrar do comentário petulante de Bernard:

— Não sei por que você joga tempo fora escrevendo cantos para camponeses maltrapilhos. A vida gira em torno do amor, garoto, e o amor é o único assunto apropriado para um *trouvère.*

Mas eu não sabia nada sobre o amor, exceto por um desejo secreto de rever Marian. A luxúria, por outro lado, era algo sobre o que eu começava a aprender bastante; na verdade, eu a sentia como uma pressão cada vez maior em meu ventre. Tuck avisara-me quanto ao pecado do onanismo, dizendo que eu ficaria cego se me satisfizesse. Os outros garotos na fazenda de Thangbrand, especialmente Guy, zombavam da ideia, mas eu gostava de Tuck e o respeitava, de modo que, por causa dele, fazia muito esforço para abster-me.

Havia cerca de uma dúzia de mulheres na fazenda de Thangbrand: a gorda Freya, obviamente, além das esposas e filhas dos homens de armas. Havia a pequena e amarela Godifa, é claro, se é que pudesse ser considerada uma mulher. E havia Cat — a linda Cat —, com cerca de 17 verões de vida, de pele clara, seios generosos, cabelo ruivo e olhos verdes surpreendentes. E ela estava disponível. Cat estava disponível para qualquer um em troca de uma moeda de prata. Ela assombrara os limites de meus pensamentos desde quando a vira pela primeira vez, encostada contra a parede com um fora da lei na primeira noite depois de ter me juntado ao bando de Robin. Eu sabia que, algumas vezes, ela ficara perto do campo de batalha para observar-me lutando com Sir Richard, mas jamais tivera coragem de falar com ela. Ainda assim, eu a desejava, sentia o desejo praticamente dia e noite. Especialmente à noite. Quando não conseguia mais me controlar, sob as cobertas, em meio aos companheiros que roncavam no salão, era ela quem aparecia em minha mente, nua e sedutora. O problema, ao meu ver, era que eu não tinha uma única moeda nem nada de valor que pudesse trocar por seus favores. Contudo, eu sabia onde as conseguir.

Tanto quanto os encantos lascivos de Cat, o grande rubi que eu vira no quarto de Thangbrand e Freya também estava no fundo de minha mente. Apesar da ferocidade de Thangbrand ter me deixado aterrorizado, com o passar do tempo minha curiosidade quanto ao conteúdo daquela caixa de metal enterrada no chão foi aumentando. O que mais haveria nela além daquela grande joia? Decidi descobrir.

Minha oportunidade surgiu logo. O inverno batia à porta da fazenda de Thangbrand e, com ele, aproximava-se o Dia do Massacre. Naquele dia, todos os porcos da fazenda — havia cerca de meia dúzia —, que haviam sido engordados na floresta durante todo o outono, seriam mortos, cortados e preservados em sal para o inverno. Não tínhamos comida suficiente para mantê-los durante os meses de frio, de modo que, se ficassem vivos, perderiam peso até que lhes restasse apenas pele e ossos ou morreriam antes da primavera. Então, os matávamos.

O Dia do Massacre era uma espécie de comemoração na fazenda de Thangbrand: havia muito trabalho a ser feito, como capturar os porcos, matá-los, escaldar a carne para remover os pelos, desmembrar as carcaças e armazenar a carne em jarras com sal. Mas também era um banquete, pois boa parte da carne não podia ser salgada e era comida de muitas maneiras. Salsichas eram feitas com os intestinos, muito bem lavados; as cabeças eram cozidas em grandes tonéis; o ar era preenchido pelo aroma delicioso de porco assado quando os restos e as partes do porco que não valiam a pena salgar eram assados e comidos ainda quentes. Praticamente todos estavam envolvidos no trabalho, supervisionados por Thangbrand e Freya. Mas escapuli durante a sangria, murmurando que tinha uma tarefa a executar para Bernard, que, é claro, não estava nem um pouco interessado em devorar carne de porco com o resto de nós, não quando tinha seu próprio barril de vinho e a amada viela em casa. Bernard alegava que os guinchos dos suínos machucavam seus sensíveis ouvidos musicais.

Com todos nos chiqueiros, no matadouro ou na cozinha, construída separadamente da casa principal por causa do risco de incêndios, entrei sorrateiramente no casarão sem ser notado e segui para o quarto de Thangbrand e Freya. Meu coração batia rápido como o de um pássaro em uma arapuca, apesar de eu saber que as chances de que alguém me pegasse eram mínimas, e minha boca estava seca. Era uma sensação que eu conhecia bem dos meus dias de ladrão em Nottingham; eu gostava dela. E já tinha uma desculpa preparada: Bernard emprestara um pente a Freya, eu diria, e tinha me pedido para pegá-lo de volta.

A porta do quarto rangeu assustadoramente quando a empurrei. Gritei para Freya dizendo que era apenas eu, sabendo muito bem que estava coberta de sangue de porco até os cotovelos no matadouro, e entrei. Apesar de ainda ser dia fora da casa, eu mal conseguia enxergar na escuridão do quarto. Não havia janelas e a única iluminação vinha das lanças de luz que penetravam através de buracos minúsculos na parede de taipa e sob as abas do telhado. Havia poucos móveis no quarto: uma grande cama de casal cortinada, uma urna de roupas, uma mesa e duas cadeiras. Fui diretamente para o canto no qual vira Freya ajoelhada algumas semanas antes e coloquei a mão no chão de terra onde achava que a caixa estava escondida. Tateando, não encontrei nada sob meus dedos, apenas terra lisa. Passei as pontas dos dedos para um lado e para o outro na terra, em movimentos cada vez mais largos: nada. Eu não conseguia entender; seria possível que tivessem mudado o esconderijo? Era provável, com Thangbrand sabendo que eu o tinha visto. Então, ouvi alguém se aproximando, passos no corredor e a porta rangendo... e, em um pânico cego, esquecendo a história do pente, escondi-me rapidamente sob a cama e encolhi-me em uma bola apertada, encostado na parede oposta à porta. Visões de Ralph, o estuprador que fora espancado e castrado, inundaram minha mente, e também me lembrei do informante cuja língua fora cortada ao lado da igreja. E de Sir John Peveril. Se eu fosse pego roubando... eu não suportava pensar naquela possibilidade.

De sob a cama, vi as botas de dois homens. A porta rangeu e foi fechada. Em seguida, um deles ajoelhou-se ao pé da cama. Eu não podia respirar e pensei que meus pulmões explodiriam de terror. Era Hugh; consegui identificar sua figura longa e magra e, ó Deus piedoso, ele estava voltado de costas para mim, cutucando o chão com alguma coisa. Coberto de medo, ocorreu-me um pensamento frio e claro: eles *não tinham* mudado o esconderijo de lugar! Hugh retirou algo do chão — parecia uma pequena bolsa. Ouvi o som de moedas de prata quando ele entregou a bolsa ao outro homem. Depois, Hugh disse:

— Então estamos de acordo. Diga a seu mestre para que tome cuidado. Diga-lhe para não contar a ninguém sobre isso. Diga-lhe...

O outro homem interrompeu grosseiramente:

— Ele conhece este negócio melhor do que você.

Houve um silêncio desconfortável durante alguns segundos. Depois, as botas se moveram, a porta rangeu e eles partiram.

Expirei em um suspiro longo e trêmulo, mas permaneci deitado encolhido sob a cama por mais alguns instantes, ponderando sobre o que acabara de ouvir. Hugh estava pagando a um de seus espiões: aquilo estava claro. Aqueles homens sombrios vagavam até a fazenda de Thangbrand a qualquer hora do dia ou da noite, falavam somente com Hugh, comiam, descansavam por algumas horas e desapareciam novamente. Mas havia algo no pagamento que me pareceu um pouco estranho. Quem era o mestre do espião, se não o próprio Hugh? Eu não conseguia pensar e, enquanto controlava meu coração acelerado, tirei o assunto da cabeça. Depois, saí de sob a cama e ajoelhei-me diante da parte do chão de terra na qual Hugh encontrara a bolsa com a prata. Na escuridão do quarto, era difícil enxergar qualquer coisa parecida com um esconderijo. Meu pânico começou a aumentar e eu queria desesperadamente sair daquele quarto. Passando freneticamente as pontas dos dedos sobre a superfície do chão, não senti nada além da terra dura. Mas, de repente, para minha grande alegria, meus dedos passaram sobre uma forma dura e circular enterrada no chão. Era um anel de metal embutido na terra. Coloquei-o na vertical com as unhas e o puxei.

Era um alçapão que se abria para uma minúscula caverna de riquezas. A caixa de metal estava dentro do esconderijo. Retirei-a de sua sepultura e levei-a até um local um pouco mais iluminado por uma fenda no sapê. Fiquei boquiaberto. A caixa continha coisas que eu nunca tinha visto: gordas bolsas com moedas, broches minúsculos com joias, taças de prata finamente trabalhadas, crucifixos de ouro incrustados com pedras preciosas, um colar de grandes pérolas reluzentes e muitas, muitas pedras preciosas, de esmeraldas do tamanho de ervilhas até o rubi glorioso que eu vira nas mãos de Freya, uma gota de sangue cristalizado do tamanho de um ovo de pardal. Meu queixo estava caído. Era mais riqueza que eu imaginava que existisse no mundo, o bastante para comprar um título de conde. Não consegui me conter e enfiei o rubi em minha algibeira, além de um punhado de moedas de prata que estavam soltas no fundo da caixa. Era loucura, pura loucura suicida. Eu vira como Freya regozijava-se com o rubi — não era possível que não sentisse imediatamente sua falta. No instante em que descobrisse, todos seríamos revistados, o rubi seria encontrado e eu seria punido brutalmente, talvez até morto.

Retirei o rubi da algibeira e o segurei. No quarto praticamente escuro, a joia não passava de uma massa fria e dura na minha mão. Então, levantei-a na direção de um dos minúsculos raios de luz que se cruzavam na escuridão e a pedra tomou vida: seu coração escarlate inflamou-se e a joia começou a brilhar com uma beleza malévola. Juro que a joia começou a esquentar em minhas mãos, como se um dos finos raios de luz tivesse lhe dado vida. Eu sabia que não poderia colocá-la de volta na caixa de Freya. Mas algo moveu-se em minha mente, a semente de um pensamento, o princípio de um plano, e enfiei a joia de volta em minha algibeira, fechei a tampa da caixa e coloquei-a de volta no esconderijo. Fechei o alçapão, espalhei terra sobre ele e retornei sorrateiramente para a luz forte do sol de inverno e para os guinchos dos suínos condenados.

Dei a Cat minha virgindade naquela tarde em um dos armazéns de milho, além de uma moeda de prata, é claro. Não foi nem um pouco como eu esperava. Cat ajoelhou-se diante de mim, levantou minha túnica e desamarrou o cadarço de lã que prendia minhas calças ao cinto. Ela também desatou o cadarço de minhas ceroulas largas de linho e minhas roupas de baixo caíram em um amontoado amassado em torno de meus tornozelos. Meu pau estava duro como pedra e uma pérola de orvalho brilhava em sua ponta. Ela o pegou e começou a lamber delicadamente meu saco balançante, subindo e descendo pela carne tesa e inchada da minha parte mais íntima. Senti uma bolha de calor expandindo em meu ventre, logo acima da bunda, e soube que explodiria logo, a menos que, de algum modo, conseguisse fazê-la parar com seus serviços maravilhosos. Mas, ó doce Jesus, era uma sensação paradisíaca. Ondas de prazer subiam e desciam por meu pau. Senti músculos profundos se contraírem dentro de mim como cordas de arcos esticadas e, com a voz rouca, implorei por piedade, para que ela parasse. Cat levantou os olhos para mim com um sorriso maroto cheio de luxúria, plenamente consciente do poder que tinha sobre mim, e em seguida levantou a camisa e mostrou-me seu corpo nu. Ela era sublime: pele branca como nata, impressionantemente pálida em contraste com o tom moreno de seu rosto, seu pescoço e suas mãos; os seios balançando como frutas rosa maduras, com mamilos rosados grandes e provocantes, levemente endurecidos pelo ar frio. Sua cintura era estreita, tão pequena que eu poderia envolvê-la com as duas mãos, mas o corpo alargava-se novamente em coxas atraentes, entre as quais havia um pequeno emblema triangular de pelos. Ela deitou-se de costas sobre a palha e abriu as pernas. Caí de quatro para a frente, mal conseguindo respirar, e arrastei-me sobre ela, meu pau duro se contorcendo como o nariz de um cachorro quando sente o cheiro da caça. Depois de alguns instantes desajeitados, gloriosos e escorregadios, com a ajuda de Cat, consegui enfiar minha masculinidade em seu buraco apertado... e quase imediatamente, em uma questão de três segundos, jorrei jatos quentes da minha essência masculina. Foi glorioso, por um momento, mas apenas por um momento. Cat ficou furiosa.

— Não dentro de mim, seu idiota — ela disse, empurrando-me rispidamente de cima de seu corpo nu.

Os poucos momentos de prazer descuidado que eu experimentara foram apagados, como uma esponja molhada limpando uma lousa. Senti vergonha da minha inaptidão, da velocidade da minha ejaculação. Cat estava me xingando de garoto burro enquanto colocava desajeitadamente a camisa e se enrolava em uma capa.

— Se eu engravidar e tiver que visitar Brigid para me livrar dele, é você quem pagará a conta — ela ralhou comigo.

Concordei sem dizer nada, querendo apenas que ela fosse embora. Sentia-me vazio, tolo, um garoto que tentara brincar de homem e fora pego; e também havia a culpa. O que Tuck diria se soubesse que eu me relacionara com putas? Cat disparou uma série final de insultos contra mim e saiu com arrogância do armazém de milho. Dane-se o ato de amor, pensei, enquanto me limpava com um pedaço de pano. Levantei as calças, reamarrei o cadarço e endireitei minha túnica. Era realmente aquilo o que Bernard sempre exaltava com suas belas canções de amor ilícito? Parecia absurdo.

Não contei nada a ninguém, somente a Bernard, que ficou maravilhado e insistiu em fazer um brinde à minha masculinidade. Ele disse que poderia escrever algum dia uma canção sobre a criação de uma *posse comitatus* para recobrar minha virgindade perdida. Cat, aparentemente, contara a todos sobre minha insensível primeira tentativa no ato de amar. No jantar daquela noite, Guy levou o salão às gargalhadas quando encheu a boca de cerveja e a cuspiu prontamente sobre a mesa enquanto caçoava longamente em voz alta sobre a velocidade da minha ejaculação. Will chegou a se mijar de rir — e Guy, naturalmente, fingiu que o irmão tinha seguido meu exemplo de emissão involuntária. Eu deveria ter sentido um ódio profundo dele. Normalmente, suas travessuras provocantes levavam-me a uma fúria quase violenta. E realmente senti raiva, até certo ponto, mas ela estava revestida por uma espécie de pena desapegada em relação a Guy: como se eu fosse o próprio Deus em uma nuvem confortável olhando para baixo e vendo um mortal infeliz. Eu sabia exatamente como lhe serviria em breve. Ele não.

Passaram muitos dias até que o roubo do rubi fosse descoberto. A primeira coisa que ouvi foi um grito agudo e repetitivo, parecido com o som de um apito, vindo do casarão. Eu estava no campo de treinamento com Will, praticando as evoluções usuais com a espada e o escudo. Corremos imediatamente para o casarão e para a fonte daquele som terrível. Era Freya, obviamente; ela estava em seu quarto, ajoelhada no chão com o conteúdo da caixa de joias espalhado ao seu redor. Ela arranhara o rosto gordo com as unhas e sangue escorria pelas bochechas; agora, estava puxando seu cabelo grisalho e ralo, arrancando-o em grandes tufos oleosos. Ela continuava a dar aquele guincho aterrorizante, interrompendo-o apenas quando enchia os pulmões de ar: *Iiiiiiiiiiiii*, ah, *iiiiiiiiiiii*, ah, *iiiiiiiiiiii*...

Ficamos todos ali, olhando para ela, espremidos no quarto em um semicírculo ao redor daquele monte macio de feminilidade estridente ajoelhado no chão, cercado pela pilhagem de toda uma vida. Freya estava aterrorizante, uma louca coberta de sangue gritando e imobilizando a todos com o horror quase sobrenatural daquele som terrível, terrível.

Então Thangbrand abriu caminho com os ombros em meio à turba e deu um tapa enorme no rosto da mulher. Freya foi jogada pelo quarto de encontro à parede e, misericordiosamente, parou de gritar. Ela encolheu-se em uma grande bola fetal e ficou parada, soluçando e tremendo, enquanto Thangbrand nos conduzia do quarto para o salão. Ao sair do quarto, capturei seu olhar lívido, que projetava uma ferocidade animal sobre mim. Involuntariamente, dei um passo para trás.

Ao meio-dia, Hugh reuniu todos no salão. Sua figura magra e alta com a túnica e as calças pretas estava ainda mais parecida com a de um diretor escolar que de costume. Ele limpou a garganta:

— Parece que há um ladrão entre nós — ele disse.

Alguém riu debochadamente — cerca de metade dos homens no salão eram fugitivos da polícia por terem agido de modo pouco confiável com a propriedade de outras pessoas.

— Quietos — Hugh ralhou, varrendo o salão com os olhos e eliminando com um olhar gélido toda a alegria. — Há alguém aqui que rouba dos companheiros. Iremos encontrá-lo agora e ele será punido. Todos devem formar uma longa fila... Agora, façam isso agora. Formem uma fila com a mão esquerda sobre ombro do homem ou da mulher à sua frente.

Intrigados, os fora da lei arrastaram-se para formar uma grande fila que serpenteava pelo salão. Depois, por ordem de Hugh, todos conferimos as algibeiras e os bolsos das pessoas à nossa frente.

— Vocês estão procurando por uma joia, uma joia grande e preciosa — Hugh disse.

Eu estava totalmente calmo. O homem de armas atrás de mim passou as mãos sobre meu corpo em uma revista superficial e procurou dentro da algibeira presa a meu cinto. Ele não encontrou nada, é claro. Roubar o rubi poderia ter sido tolice, mas eu não era burro o bastante para guardá-lo comigo. Nada foi encontrado.

Os fora da lei, apesar do olhar severo de Hugh, recusaram-se a levar a situação a sério.

— Acho necessário que você seja revistada mais minuciosamente — um rufião de ombros largos disse para Cat. — Há muitos lugares nos quais você pode ter escondido a joia que ainda não foram revistados adequadamente. É melhor eu dar uma olhada.

Cat balançou o traseiro e riu:

— Sem cobrança extra para você, meu lindão!

Thangbrand, apertando com firmeza sua espada, caminhava pelo salão, a encarnação da fúria contida. Ele sempre voltava o olhar para mim. Em voz baixa, tremendo de raiva, disse:

— Revistem os baús de todos, e comecem pelo dele.

Thangbrand apontou um dedo diretamente para mim. Não havia nada em meu baú, obviamente, exceto roupas sujas, como logo ficou provado. Mas Thangbrand continuou a me encarar enquanto a revista se expandia. Os fora da lei começaram a tirar os baús dos amigos que estavam juntos à parede do salão, onde normalmente ficavam guardados, e reviraram suas bugigangas, lembranças, calças velhas e fedorentas e ceroulas endurecidas. Nenhum rubi foi encontrado. Em vez disso, um ar contagiante de hilaridade contida tomou os homens e mulheres reunidos, com fora da lei experimentando as roupas dos outros e cabriolando pelo salão em meio a zombarias e aplausos. De repente, Will Escarlate deu um grande grito de triunfo. Todos pararam e olharam para ele. Seguro acima da cabeça de Will, reluzindo como sangue sob a luz do sol, estava o grande rubi.

— Onde o encontrou, garoto? — Hugh perguntou.

Os olhos de Will esbugalharam-se. Foi quase cômico: ele percebera tarde demais o que a descoberta significava. Will não disse nada, mas olhava diretamente para Guy, que estava de pé perto da porta aberta.

— Onde o encontrou, garoto? — Hugh disse outra vez, a voz metálica. — Encontrou-o no baú de quem?

Will continuava olhando para Guy e, com as mãos trêmulas, levantou o dedo e apontou-o diretamente para o irmão. O rosto de Guy ficou branco. Ele disse:

— Não, não...

O salão estava paralisado em choque. O filho de Thangbrand? Como Guy seria capaz de roubar do próprio pai? O rosto de Thangbrand ficou vermelho de fúria. No silêncio, pôde-se ouvir o ruído áspero de sua espada sendo desembainhada. Então, com a espada na mão, Thangbrand caminhou na direção do filho, que estava com o rosto cinza. Guy estava aterrorizado: levantou as duas mãos à sua frente, com os dedos esticados, como que para afastar a acusação silenciosa, para insistir na própria inocência. Mas Thangbrand ainda avançava com a espada nua em punho. Então, de repente, os nervos de Guy não resistiram e ele se virou, rápido como um rato, disparou pela porta aberta do salão e sumiu sob o sol.

Capítulo 8

Depois de uma longa vida, na qual cometi muitos pecados, revejo aquele momento no casarão de Thangbrand com sentimentos conflitantes, mas poderosos. Fiz algo terrível ao esconder o rubi no baú de Guy e desejava plenamente causar o mal que resultou do ato — quebrando para sempre o laço de amor que existira entre Guy e o pai, Thangbrand. E Thangbrand, a seu modo ríspido, realmente amava Guy. Ele amava o filho mesmo depois da descoberta da joia em seu baú. Se Guy não tivesse fugido, se tivesse mantido a calma, negado o roubo e defendido sua posição, poderia ter sido punido, mas Thangbrand jamais teria matado o próprio filho.

Pedi perdão a Deus pelo que fiz a Thangbrand e Freya, que tinham sido gentis comigo à sua própria maneira. Mas não pedi perdão pelo que fiz a Guy, e jamais o farei. Guy era um valentão perverso e grosseiro e, naquele dia, provou que também era um covarde; ele tornou minha vida miserável em um momento no qual eu estava fraco e vulnerável. E odiei-o por isso. Em minha mente, Guy foi meu inimigo desde os primeiros dias na propriedade de Thangbrand, quando me espancou e ameaçou. Houve outros insultos e ferimentos muito mais graves, e jamais consegui perdoar seu desdém pela música de Bernard, mas foi depois da primeira surra, poucos dias depois de chegar à fazenda de Thangbrand, que comecei a avaliar como poderia planejar sua queda. Minha adorável esposa, que agora está com Deus e os anjos, costumava me dizer que eu era cruel, impiedoso; Tuck disse-me certa vez que eu era um homem "frio", mas nenhuma destas descrições é totalmente verdadeira. Sinto pena e já demonstrei piedade. Mas Guy era meu inimigo, um adversário odiado que me fizera mal — e era mais forte do que eu. E daí se eu o derrotasse através de uma fraude? Derrotei-o, e isso é tudo que importa. *Frère* Tuck não concordaria, mas Robin teria compreendido: ele teria chamado o que fiz de vingança e consideraria o ato uma obrigação.

Quando todos no salão nos recobramos do choque da revelação de que Guy era um "ladrão", depois que ele escapara para o sol fraco do inverno, Guy já tinha sumido havia muito tempo na floresta frondosa. Hugh organizou uma espécie de busca, mas com pouco entusiasmo: um punhado de homens a cavalo seguindo para a floresta e retornando cerca de uma hora depois, dizendo que não haviam visto nada. A verdade é que ninguém queria realmente capturá-lo. Até onde todos sabiam, Guy não prejudicara ninguém além do próprio pai. Até mesmo a fúria de Thangbrand fora relativamente aplacada; o rubi fora recobrado, Freya fora colocada na cama com uma jarra de vinho quente e a perspectiva de aplicar uma justiça severa ao filho não era algo que o velho guerreiro saxão apreciava. Então, Guy sumiu. Boa sorte, a maioria disse. Mantive a boca fechada.

A vida voltou ao normal na fazenda de Thangbrand. O clima esfriara, com as primeiras lufadas de neve atravessando os galhos esqueléticos das árvores. A neve não formou montes no campo de treinamento mas, ainda assim, Thangbrand decidiu suspender os exercícios de batalha durante o inverno. Ele parecia ter perdido o ânimo depois da partida de Guy e ficara moroso e desanimado, permanecendo às vezes em seu quarto durante dias seguidos, emergindo somente para responder aos chamados da natureza e ladrar ordens para que lhe entregassem comida no quarto. Freya também parecia confusa, chocada. Ficava sentada em silêncio o dia todo ao lado da lareira, tecendo fios de lã, sem falar, quase imóvel, concentrada no tear.

Eu, por outro lado, estava bastante animado. O Natal aproximava-se, a época de banquetes e de contar histórias, de bebida, de música e de alegria. Havia rumores de que Robin viria para o sul de seu esconderijo na caverna e que passaria o Natal conosco na fazenda de Thangbrand. Eu ansiava por rever meu mestre — parecia que havia se passado uma era desde nossa aventura em A Viagem a Jerusalém — e por, talvez, impressioná-lo com minhas proezas musicais.

O Natal com minha mãe sempre fora um acontecimento modesto, mas ali em Sherwood, com os fora da lei, com Robin — e sem Guy para me atormentar —, eu esperava nadar em música, boa comida e companheirismo prazeroso.

Sem as práticas de batalha ocupando metade do dia, os soldados e eu ficamos com tempo livre, o qual usamos fazendo preparativos para os 12 dias de celebração do nascimento de Nosso Senhor. Supervisionados por Hugh, cortamos lenha em cepos para a grande pilha ao lado do casarão, ajudamos as cervejeiras a preparar grandes barris de cerveja, ajudamos os cozinheiros, que preparavam tortas e carne assada para o banquete e decoramos as construções com azevinho e visco.

Apesar dos preparativos de Natal, descobri que tinha mais tempo para praticar música com Bernard. Ficávamos sentados em seu pequeno casebre, longe do barulho do casarão, bebíamos vinho e tocávamos juntos a noite toda, às vezes com a pequena e loura Godifa, a quem chamávamos de Goody, que escutava em silêncio e juntava-se timidamente aos refrões com sua pequena voz adorável e límpida. Às vezes, éramos apenas nós dois, Bernard tocando a viela e eu acompanhando-o em uma elegante flauta de madeira que ele talhara para mim. Bernard ensinou-me quase todo o seu repertório, de cantigas ridículas e obscenas aos grandes romances agridoces de partir o coração. Às vezes, apenas conversávamos. Além da música, Bernard amava vinho e conversar — sobre as mulheres que amara, sobre a vida cortesã na França e sobre o quanto odiava a vida de fora da lei, como costumava dizer: "Mijando os resquícios de minha juventude nesta floresta, cercado de idiotas sem ouvido musical que não sabem distinguir boa música do peido de um monge."

Bernard era raramente enfadonho, exceto quando muito bêbado, quando falava sem parar sobre o amor, suas maravilhas e seus sofrimentos. E, mesmo em tais ocasiões, logo percebia a própria pompa e zombava de si mesmo. Eu apreciava muito sua companhia e passei a ficar cada vez mais em seu casebre, enrolando-me em uma capa e dormindo em uma pilha de palha no canto da sala quando a lareira apagava e a música e a conversa terminavam. Era muito trabalho voltar tarde da noite para o casarão e encontrar um lugar em meio aos fora da lei que roncavam. Ocasionalmente, Hugh ralhava comigo por ignorar minhas obrigações noturnas. Mas, na verdade, havia muitas pessoas para ajudar e raramente sentiam minha falta quando eu ficava no casebre. Bernard não parecia se importar nem um pouco que eu, na prática, tivesse ido morar com ele. E a preguiça salvaria minha vida.

Nas manhãs, eu removia a palha das minhas roupas, jogava água no rosto e corria cerca de um quilômetro de volta para a fazenda de Thangbrand para iniciar minhas tarefas matutinas. Então, em torno do meio-dia, eu voltava para começar outra rodada de música e conversa que renderiam até o meio da noite. Às vezes, quando ficava conosco até depois da meia-noite, Goody também se encolhia no casebre de Bernard. Éramos um grupo pequeno e feliz: Goody sempre ansiosa por nos agradar, deleitada em realizar tarefas para Bernard e eu. Bernard estava quase que permanentemente bêbado — mas era capaz de consumir quantidades enormes de álcool e ainda parecer sóbrio e tocar a viela com uma habilidade delicada e maravilhosa. Minha cabeça não era tão forte — apesar de ter completado 14 anos naquele verão e considerar-me um homem — e eu misturava vinho com muita água da nascente, como os gregos e os romanos costumavam fazer, Bernard contou-me.

Na véspera do Natal, apresentamo-nos juntos diante de toda a comunidade: além de meia dúzia de peças para flauta e viela, toquei sozinho duas composições minhas. Bernard interpretou um poema épico sobre o rei Arthur, o qual havia musicado. Ele encerrou a apresentação tocando uma canção fascinante na viela, uma série estonteante de acordes agridoces que arrepiavam os pelos do pescoço, sobre a qual cantei a história de uma mulher de luto pelo amante que fora morto em batalha. Foi um triunfo; até Thangbrand aplaudiu e sorriu pela primeira vez em semanas. Hugh fez um belo discurso e descreveu Bernard como um ornamento brilhante em nossa comunidade.

— Ele faz com que eu pareça um adereço, um brinco de ouro ou algo parecido — Bernard murmurou para mim em voz baixa.

Naquela véspera de Natal, Hugh também conduziu as orações à meia-noite, pois era um escrivão treinado por monges e profundamente religioso, além de que não tínhamos um padre. Eu desejara que Robin estivesse presente mas, aparentemente, ele sofrera atrasos no norte, e estava com Tuck. Fora do casarão aquecido, todos marchamos à meia-noite, nossa respiração virando vapor sob o luar prateado e, à medida que os grandes flocos de neve leves como plumas começaram a cair, agradecemos o nascimento de Nosso Salvador. Fazia um frio mortal, frio demais para permanecer do lado de fora e, depois de murmurarmos um pai-nosso e uma ave-maria, todos marchamos de volta para o calor do salão. Este foi o único elemento religioso durante toda a quinzena de Natal, mas, naquela altura, eu já estava acostumado com os modos pouco cristãos do bando de Robin. Contudo, orações mantêm o diabo afastado e, posteriormente, imaginei que se talvez, apenas talvez, tivéssemos prestado mais atenção às nossas próprias almas naquela noite de Natal, poderíamos ter evitado a chegada do horror que estava prestes a cair sobre nós.

Depois das breves orações, a bebedeira começou de fato — durante toda a noite e também os dias e as noites seguintes. O Natal tornou-se uma espécie de borrão: gigantescos barris de cerveja, aquecidos com atiçadores em brasa e acrescentados de mel e temperos, eram deixados abertos próximo à lareira no centro do salão, onde permaneciam agradavelmente aquecidos. Homens e mulheres enchiam grandes jarras e bebiam até o líquido escorrer pelas bochechas. Um tolo chegou a cair dentro de um barril e precisou ser içado gaguejando, gargalhando e respingando cerveja antes que se afogasse. Os fora da lei tropeçavam gritando pelos cantos, gargalhando e perseguindo as mulheres. Alguns faziam a cortesia de sair para mijar ou vomitar, outros apenas contribuíam com a sujeira no chão de tábua corrida.

A longa mesa no salão, normalmente desmontada todos os dias após o almoço, ficou montada durante os 12 dias. Os fora da lei mais sóbrios devoravam a comida que os serventes traziam à mesa: porco assado, fresco e salgado, travessas fumegantes de carne e coxas de veado, pães quentes da padaria, tortas de pombo, lampreias salgadas cozidas, gansos assados em espetos, queijos... No final de cada dia, os serventes, que estavam sóbrios, recolhiam as travessas vazias e os restos e dois homens fortes empilhavam os festejantes inconscientes no canto do salão, fora do caminho das botas que passavam. Então começavam a contar histórias. Os homens contavam lendas fabulosas sobre gigantes, feiticeiros e monstros, sobre os homens do Oriente distante, que tinham cabeças de cães, e dos monópodes, homens que tinham somente um único pé gigantesco, sob o qual abrigavam-se da chuva ou do sol deitando-se de costas e usando o pé gigante como telhado. E havia também as garotas ágeis que viviam nos grandes oceanos e tinham caudas de peixe em vez de pares de pernas. Segundo alguns fora da lei, havia até um monstro que vagava pelos arredores de Sherwood — um lobisomem. Era um homem mau que podia se transformar em uma besta, caçava outros homens e comia a carne das vítimas. Apesar de eu saber que se tratava apenas de conversa fiada destinada a assustar o ouvinte, um arrepio desceu pela minha espinha e, justamente quando a história estava sendo contada, ouvimos o uivo de um lobo vindo da floresta e um dos homens, um traquinas de rosto malvado chamado Edmund, inclinou-se para a frente, olhou-me nos olhos e disse:

— É ele. É o homem-lobo. E hoje está sedento de sangue humano.

O irmão de Edmundo, Eduardo, que estava sentado a meu lado, agarrou repentinamente meu braço; dei um salto com o susto, derramando sobre mim o conteúdo de minha caneca de cerveja. Os fora da lei caíram no chão de tanto gargalhar, literalmente rolando em uma felicidade incontrolável sobre o assoalho imundo. Não vi absolutamente nada de engraçado. Em seguida, meu vizinho, aquele que havia me assustado, deu-me um tapa nas costas e alguém me trouxe outra caneca de cerveja, e as histórias continuaram.

Naquela quinzena de Natal, houve apenas três brigas das quais tomei conhecimento, e apenas uma fora fatal; uma briga estúpida sobre quem deveria desfrutar dos favores de Cat que terminou com uma punhalada. Enquanto discutiam, levei Cat tranquilamente para os estábulos e, enquanto os dois fora da lei lutavam até a morte pelos direitos sobre seu corpo, possuí-a de maneira muito mais satisfatória que em nossa desastrada primeira vez juntos. Gostei mais. Ela apenas ficou feliz por receber a moeda de prata.

O morto foi retirado do salão e colocado para congelar sobre a pilha de madeira que ficava fora do casarão. aquela altura, a neve já estava espessa sobre o solo e o corpo seria enterrado quando a terra descongelasse o bastante e os homens estivessem suficientemente sóbrios para escavar uma cova: poderia levar muitas semanas. Thangbrand considerou a luta justa, outro barril de cerveja foi trazido, fizeram um brinde à memória do morto e o banquete continuou.

Até Bernard estava enjoado depois do sexto dia — e ele estivera berrando, empanturrando-se e vomitando com os melhores deles —, então enchemos uma saca com comida da mesa longa e rolamos um barril de vinho para seu casebre, onde demos continuidade às celebrações. Deus seja louvado, tal decisão salvou nossas vidas.

Durante dois dias, bebemos, cantamos e contamos histórias sujas, às vezes com os hóspedes mais respeitáveis do casarão, convidados por Bernard, ou tendo somente Goody como plateia. Hugh nos fez uma rápida visita, trazendo um porco assado inteiro, mas parecia distraído e desconfortável e partiu pouco depois, sem se embebedar. Continuamos a farra sem ele. Então, no início de uma manhã no começo de janeiro, fui arrancado de um sono vinoso por Goody, que sacudia vigorosamente meu ombro. Olhei para ela com a vista embaçada. Não passara muito tempo desde que amanhecera, de modo que ainda era cedo demais para estar de pé e ativo depois da festança da noite anterior. Então percebi que ela estava pálida e chorando, as lágrimas descendo por suas bochechas imundas e abrindo canais pálidos na sujeira.

— Aqueles cavaleiros, aqueles homens, estão matando todo mundo... é horrível, horrível. E o casarão está em chamas — ela balbuciava e puxava violentamente minha roupa. — Todos eles: mamãe, papai, Hugh... todos... estão queimando.

Goody mergulhou em um surto de soluços e, instintivamente, abri meus braços e a criança caiu entre eles. Depois, ela se afastou, bateu em meu peito com os punhos cerrados e gritou:

— Venha *agora*, você *precisa* vir agora.

Eu ainda estava atordoado pelo vinho e pelo sono, mas logo senti o cheiro: um traço de perfume que fez meu sangue gelar. Fumaça de madeira ao vento e um toque de carne incinerada.

Com um terror crescente e dedos inchados pelo frio, afivelei meu cinto, com o punhal e a algibeira presos a ele, e calcei as botas. Lembrei que minha espada estava no casarão. Eu ouvia Bernard roncando como uma trombeta em seu quarto e decidi que acordá-lo antes de saber o que estava acontecendo seria desperdício de tempo. Assim, saímos na manhã fria. Goody seguiu à frente, trilhando pela neve o caminho familiar até a fazenda de Thangbrand, puxando minha mão para me apressar. Eu estava relutante, pois sentia que estava indo ao encontro de uma catástrofe. O cheiro da fumaça ficava cada vez mais forte e pude ouvir gritos indistintos e fracos no ar da manhã.

— Venha! Venha! — Goody implorava, tentando me empurrar na direção do assentamento. Vi uma nuvem espessa de fumaça pairando sobre onde ficava o casarão. Então parei e agachei-me até ficar da altura de Goody. Olhei em seus olhos azuis e assustados:

— Quero que fique bem perto de mim e que, aconteça o que acontecer, fique muito, muito quieta. — Ela concordou em silêncio. — Precisamos sair da trilha — eu disse e, seguido por Goody, caminhamos pela neve em ângulos retos em relação à trilha até a sombra acolhedora das árvores. Levamos quase meia hora para contornar o assentamento, às vezes com neve até os joelhos, para que pudéssemos nos aproximar pelo sul, pela trilha principal. Então, escondidos sob as árvores, comigo segurando Goody com firmeza sob um braço e a neve caindo delicadamente, olhamos para o portão principal, que fora arrancado de suas dobradiças enormes, e deparamo-nos com uma cena de pesadelo.

O pátio estava repleto de corpos caídos em poses estranhas, braços e pernas estirados, espalhados como bonecas abandonadas por uma criança. Mas não eram bonecas: mesmo da margem das árvores, a cem passos de distância, pude ver os ferimentos abertos, as túnicas e calças manchadas de vermelho, grandes faixas de neve ensanguentada no campo de prática de batalha onde todos havíamos nos movimentado tão mecanicamente sob o comando de Thangbrand. Agora, cavaleiros com cotas de ferro movimentavam-se entre os mortos mutilados. Os homens usavam as cores de Sir Ralph Murdac: preto e vermelho. Suas espadas e pontas de lança estavam tingidas de sangue e podia-se perceber um estranho eco de cores das marcas do xerife em seus escudos.

E havia também o próprio Murdac. Montado em um grande cavalo de guerra negro, com a cabeça descoberta, seu belo rosto iluminado pelo prazer da batalha. Dava ordens aos homens a cavalo, os quais se reuniram à margem do campo de treinamento e se voltaram para o casarão. A porta do casarão, 7 centímetros de carvalho sólido, estava totalmente fechada, mas um círculo de homens mortos — nossos homens — estava caído perto dela. A palha sobre a porta estava em chamas, com camadas de fumaça rolando por debaixo das frestas e elevando-se para se juntarem a uma grande coluna negra que subia para o céu. As casas anexas também estavam em chamas; os cavalos nos estábulos, indefesos, estavam mortos e torravam entre as chamas. Aqui e ali, a palha do telhado do casarão explodia espontaneamente em chamas — até as paredes de sapê estavam fumegando. Foi quando me dei conta: a porta fechada, os homens de Sir Ralph alinhados em grupo, prontos para atacar... É claro, havia pouquíssimos corpos! Apenas uma dúzia, aproximadamente, enquanto nossa companhia contava com pelo menos cinquenta almas. Nem todos estavam mortos. Thangbrand, Hugh e todos os combatentes ainda estavam dentro do casarão. Em pouco tempo, sairiam repentinamente e... senti uma chama de esperança. Mas ela logo se apagou. Os homens de Murdac se posicionaram. Mais cavaleiros juntaram-se a eles. Um segundo grupo de cavaleiros estava se formando no outro lado do pátio. Aguardavam o ataque repentino, esperando para massacrar os fora da lei quando saíssem correndo do casarão em chamas. Pude imaginar o horror das cenas dentro do casarão, a fumaça sufocante, brasas fumegantes caindo do telhado, a consciência de que a morte os aguardava do lado de fora, o desespero amargo, mulheres e crianças chorando e protegendo as cabeças com capas mergulhadas em cerve ja, Thangbrand dando ordens, calmo e corajoso, os homens afivelando seus cintos, agarrando as espadas, secando o suor e as lágrimas dos olhos agredidos pela fumaça e esperando, esperando pela ordem para atacar...

Para minha surpresa, e também para surpresa dos homens do xerife, quando finalmente iniciaram o ataque, ele não veio através da porta fumegante de carvalho, e sim pela parte posterior do casarão, onde ficava o quarto de Thangbrand e Freya. Toda a extremidade do casarão desabou de uma só vez com um grande estrondo e os fora da lei saíram em uma pressa fervorosa. Um anel de espadachins com roupas chamuscadas e rostos pretos, rosnando e gritando enquanto cercavam nossas mulheres e crianças. Mantiveram bem a formação, de vinte ou trinta pessoas, correndo como um grupo compacto na direção dos portões destruídos, escorregando na neve enlameada, tossindo fumaça e gritando desafiadoramente, tentando não tropeçar nos mortos caídos no chão. Naquele instante, a cavalaria de Murdac atacou.

Os cavaleiros com armaduras de aço atacaram o círculo de fora da lei como um punho de ferro atravessando com um soco uma cesta de junco podre. Imediatamente, a coesão do círculo foi desfeita. Fora da lei correram em todas as direções, seguidos pelos homens a cavalo. Foi uma carnificina sangrenta. Alguns correram para a paliçada, saltando sobre as paredes de madeira e tentando passar sobre elas para escapar e encontrar segurança na floresta. Pouquíssimos conseguiram. Os cavaleiros mataram os fugitivos, perfurando suas costas enquanto escalavam, prendendo corpos à madeira com suas lanças. As pessoas que ainda estavam no campo de treinamento foram cortadas prontamente pelas espadas. Os cavaleiros trotavam pelo campo, cortando cabeças e ombros com suas espadas quando passavam pelos fugitivos, esmagando crânios com maças e machados e dando meia-volta para cavalgar, cortar e dar porretadas novamente.

Houve pouca resistência enquanto os cavaleiros, quase que casualmente, mutilavam nosso pequeno bando — homens, mulheres e crianças — em uma carnificina sangrenta. Vi Cat, a bela, devassa e pecadora Cat, com o cabelo ruivo solto e esvoaçando, fugir de um cavaleiro, que a alcançou e amassou seu crânio com uma maça, o ferro duro ouriçado atravessando o cabelo vermelho esvoaçante, deixando-a aos tropeços, coberta de sangue, com a cabeça grotescamente deformada, antes de cair para nunca mais se levantar. Um grupo com não mais de uma dúzia homens e mulheres formou-se novamente perto do portão, reunido ao redor de Thangbrand, que despontava sobre Freya, encolhida de medo, brandindo uma grande espada nas duas mãos e urrando seu grito de guerra para os cavaleiros que os cercavam. Os fora da lei que ainda estavam de pé, alguns com ferimentos horrendos, braços cortados e rostos talhados por cortes, juntaram-se ainda mais ao redor de Thangbrand, ajoelhando-se aos pés dele em um círculo imperfeito e olhando ao redor, agarrando escudos, quando os tinham, ou segurando espadas e lanças, desafiando o inimigo com uma coragem desesperada. Durante alguns instantes, pareceram aquilo que deveriam ser: o porco-espinho, uma antiga manobra defensiva contra a cavalaria que Thangbrand martelara dentro de nossas cabeças ao longo de muitas horas naquele mesmo campo de treinamento. Mas apenas por alguns segundos. O segundo grupo da cavalaria derramou-se sobre o porco-espinho como uma grande cachoeira de cavalos e homens, de cascos afiados e espadas brandidas, eliminando-o em um mar de sangue. Vi Thangbrand ser atingido na garganta por uma lança que o derrubou no chão. Em seguida, os fora da lei espalharam-se novamente, com cavaleiros em todos os lugares, espadas salpicadas de sangue escarlate levantando e caindo sobre figuras que corriam, o sangue molhando os flancos e os machinhos dos cavalos conforme os animais recuavam e pisoteavam os mortos e os moribundos.

Eu estava segurando Goody, minha capa enrolada ao nosso redor, e cobri seus olhos com a mão quando seu pai tossiu um último suspiro sangrento naquele pedaço ensanguentado de lama e neve.

— Precisamos partir — sussurrei para ela. — Eles começarão a procurar por sobreviventes em breve e, se nos encontrarem, nos matarão.

Goody não disse nada. Apenas olhou para mim com os olhos azuis esbugalhados naquele rosto mortalmente branco e assentiu. Era uma garota corajosa. Impeli-a a partir e começamos a caminhar vigorosamente entre as árvores, de volta para o casebre de Bernard.

Tirei-o da cama enquanto ele me amaldiçoava ao inferno e mais além, coloquei seus sapatos em seus braços e, gritando e esbofeteando seu rosto sonolento e bêbado, fiz com que compreendesse que precisávamos correr, naquele instante, sem tempo para explicações. Peguei um pão e os restos de uma perna de porco fria, um emaranhado de capas e capuzes pendurados em um prego atrás da porta e, quando tropeçamos para fora do casebre, sob a luz brilhante do dia, olhei ao redor e meu coração saltou em minha garganta quando vi os primeiros cavaleiros — meia dúzia de homens sujos de sangue sobre seus cavalos — trotando pela trilha que vinha do casarão. Corremos para a cobertura espessa das árvores, com Bernard já segurando com firmeza o braço de Goody, ocasionalmente chegando a tirar os pés dela do chão enquanto fugíamos. Segui logo atrás, com os braços carregados de roupas e comida, tropeçando e derrapando na neve que parecia sugar minhas botas. Imaginei sentir o pulso surdo dos cascos dos cavalos atrás de mim e o vento que antecedia um corte em meu rosto feito por uma espada invisível. Corremos com o coração disparado, a respiração cortando nossas gargantas, e atravessamos a vegetação rasteira, alcançando a segurança da floresta. Continuamos a correr, pulmões explodindo com o esforço, afastando-nos do casebre e da clareira e nos embrenhando cada vez mais profundamente em Sherwood. Finalmente, paramos e nos escondemos sob um enorme e antigo azevinho, com suas folhas pontiagudas arranhando nossos rostos enquanto nos embrenhávamos profundamente sob sua copa. Descansamos curvados e sem fôlego ao redor do tronco grosso da árvore. Não havia nenhum som, apenas o de nossa respiração pesada. Não conseguíamos ver praticamente nada através da espessa folhagem verde e preta. Se não podíamos ver, não poderíamos ser vistos.

O solo estava seco sob aquele azevinho antigo e maravilhoso. Enrolamo-nos com as capas e os capuzes e esperamos até que nossos corações retornassem ao ritmo normal. Duas vezes, ao longo de duas horas, ouvimos um cavaleiro passar por perto, os cascos de seu animal visíveis através das paredes espinhosas de nosso esconderijo. Comemos o pão e o porco e mastigamos punhados de neve enquanto trocávamos olhares taciturnamente, mas não ousamos dizer uma palavra sequer. Afrouxei o punhal na bainha presa a meu cinto. A neve caía rápida e densa, criando um pesado cobertor branco sobre a árvore, e nossa visão do mundo exterior ficou ainda mais limitada. O frio começou a morder meus dedos e coloquei-os sob minhas axilas. Mudamos de posição, acolhendo-nos como cãezinhos, compartilhando as capas que nos cobriam. Goody parecia em estado de choque, com arranhões vermelhos cruzando seu rosto, branco como um osso. Bernard parecia cinzento e perturbado, com o nariz brilhando e vermelho por causa da bebida e do frio — e, apesar de ainda não ter completado trinta anos, pude ver o velho no qual se tornaria. Espiei novamente por entre as folhas. Perguntei-me se mais alguém teria sobrevivido ao massacre e se nós mesmos sobreviveríamos até o final do dia. Então, talvez depois de mais meia hora, quando, apesar do frio e do terror, eu ficara um pouco entediado, mesmo sonolento, ouvi um tamborilar de cascos de cavalos e o som de equipamentos balançando, o que fez meu coração disparar. O barulho cessou e pude ver através da cortina do azevinho as pernas e os cascos de uma grande força de cavalaria parada a menos de 10 metros de nosso esconderijo.

Então alguém falou com uma voz tão alta e aterradoramente próxima que poderia muito bem estar falando diretamente em meu ouvido:

— Você ficará com este setor, capitão.

A voz falava em francês e tinha um toque de excitação febril e um leve ceceio.

— E quero que todas as árvores, arbustos e folhas sejam revistados. Quero todos aqueles vermes mortos, está entendendo? Caso os capture com vida, enforque-os. Todos eles. São fora da lei e suas vidas estão confiscadas. Não quero que ninguém escape e cultive seu veneno em meu condado.

Eu conhecia aquela voz. Ouvira-a pela última vez em Nottingham, quando me debatia preso por um homem de armas, e seu dono chamara-me de "lixo". A voz pertencia a Sir Ralph Murdac.

Capítulo 9

Encolhido com Goody e Bernard, rígido de terror, sob a proteção débil do azevinho, escutei Sir Ralph Murdac a apenas alguns metros de distância enquanto ordenava os homens de armas a nos matar. Pude ver os cascos cobertos de sangue de seu cavalo a poucos metros de meu nariz mas, penetrando no medo, seu tom em francês ceceado agrediu minha alma e senti uma descarga de ira fervente. Deitado ali, eu podia imaginar seu rosto belo e desdenhoso enquanto comandava seus subordinados para que nos localizassem e acabassem com nossas vidas. Lembrei-me da dor causada por seu chicote de montaria quando cortou meu rosto. Cheguei a sentir o cheiro de seu perfume sobre o fedor do cavalo quente, do suor da batalha e do sangue, uma lufada revoltante de lavanda e, muito assustado, senti a ponta de meu nariz começar a coçar e uma vontade quase incontrolável de espirrar.

O menor barulho resultaria na morte de todos nós, mas o espirro crescia inexoravelmente, contorcendo meu nariz e fazendo meus olhos se sentirem como se tivessem sido esfregados com caldo de cebola. Eu não podia fazer nada para parar com aquilo; enfiei a bainha dobrada de minha capa sobre o rosto, colocando-o contra a terra coberta por folhas da floresta, e o espirro escapou com toda a força: uma descarga explosiva de esbugalhar os olhos que fez todo o meu corpo tremer. Dentro da minha cabeça, o som foi ensurdecedor, mas quando a levantei, ouvi... nada. Murdac estava em silêncio, presumi, para confirmar o que ouvira. Um cavalo mudou de posição, arreios de aço fazendo barulho. Meu coração estava na boca, todos os meus músculos contraídos. Eu estava determinado a correr se fôssemos descobertos. Não ficaria para ser enforcado como meu pai. No silêncio, um cavalo peidou ruidosamente. Um homem gargalhou e disse algo em voz baixa para um parceiro. Murdac chamou a atenção dos homens e continuou a dar ordens em seu lamento sibilante em francês. Senti meu corpo relaxar e olhei para Goody e Bernard, que me encaravam com um horror descrente. As expressões em seus rostos eram tão cômicas que senti vontade de gargalhar. Em vez disso, espirrei outra vez.

O segundo espirro foi muito mais alto que o primeiro, que fora quase totalmente abafado pela capa. Não esperamos para ver se tínhamos sido descobertos. Rápido como um coelho assustado, Bernard arrastou-se sob os galhos do azevinho, seguido por Goody e por mim. Saímos sob a parte posterior da árvore e disparamos floresta adentro. Atrás de nós, gritos e trombetas seguidos pelo trovejar dos cascos dos cavalos. Corremos para a parte mais densa da floresta, nossos rostos chicoteados pelos galhos, braços e pernas arranhados por ramos espinhosos.

Os cavaleiros demoraram para começar a nos seguir, sem dúvida surpresos com nossa aparição repentina. Uma corrida entre um homem a cavalo e um homem a pé não é uma corrida. Exceto, no entanto, em uma floresta densa. Estávamos na floresta antiga, fora da trilha, desviando pelas pequenas brechas entre as árvores, caminhando rapidamente pela neve espessa, tropeçando sob galhos caídos, em arbustos espinhosos e cordas de hera, saltando obstáculos, arando a neve espessa, atiçados pelo pânico, mais ou menos na mesma direção, com Bernard à frente e eu por último. Ouvíamos os cavaleiros atrás de nós mas, quando olhei de relance para trás na densa vegetação rasteira, percebi que estávamos nos afastando cada vez mais da meia dúzia de cavaleiros que nos perseguiam. Eles estavam com espadas em punho e cortavam violentamente galhos baixos e folhas rasteiras para abrir caminho para as montarias, mas só conseguiam avançar a passos lentos, plumas idênticas de fumaça saindo das narinas dos cavalos. Olhei novamente para trás e estávamos a uns bons 50 metros de distância, quase fora de vista.

A esperança aumentou — mas olhei para meus amigos e vi que ambos estavam com problemas. Bernard esforçava-se para seguir em frente, exausto por não estar acostumado a fazer exercícios, e Goody tremia de frio. Ela parecia prestes a cair. Avancei até os alcançar e, olhando rapidamente para trás para me assegurar de que não estavam nos vendo, arrastei-os em ângulos retos na direção para a qual estávamos correndo, embrenhando-nos cada vez mais profundamente na vegetação rasteira espessa e coberta de neve, atravessando a crosta branca congelante e afundando até os joelhos. Depois de 30 metros tropeçando sobre os montes de neve, tropeçamos em uma vala e ficamos deitados ali, engolindo o ar com os corações disparados, os ouvidos atentos para o som dos cavaleiros.

Nada. Sherwood parecia destituída de vida. Uma floresta branca. Mas nosso rastro na neve era claro, conduzindo diretamente a nosso emaranhado úmido, enlameado e ofegante. Não poderíamos ficar ali mais que alguns instantes para recuperar o fôlego. Olhei para o céu cinzento; começara a nevar novamente, mas restavam apenas duas ou três horas de luz naquele curto dia de inverno. Se conseguíssemos permanecer fora do alcance dos cavaleiros até o anoitecer, estaríamos seguros. Provavelmente. Coloquei Goody nas costas de Bernard e puxei um galho morto de um pinheiro, cujo estalo ao ser quebrado ecoou alto pela floresta. Paramos aterrorizados. Quando não ouvimos nada além do silêncio assustador da floresta coberta de neve, Bernard sussurrou:

— Para qual direção?

Parei para pensar. Robin estava no norte, só Deus sabia onde; o assentamento de Thangbrand, àquela altura, era uma ruína fumegante; minha mãe estava morta e minha aldeia fora destruída. Do nada, a imagem de Marian surgiu em minha mente. Eu sabia que ela estava em Winchester, longe de Murdac e seus cavaleiros assassinos. E que poderia nos colocar em contato com Robin.

— Marcharemos para o sul — eu disse, tentando soar determinado, e estiquei um braço na direção que eu acreditava que levaria a Winchester.

Bernard virou-se sem dizer nada, Goody agarrada às suas costas como um macaco, e começou a caminhar pesadamente pela neve. Caminhei de costas atrás deles, espanando as marcas na neve com o galho, fazendo o possível para apagar nossas pegadas e abençoando a neve que caía e que, passado o tempo necessário, cobriria nosso rastro.

Durante toda aquela tarde cinzenta, enquanto a neve caía, caminhamos pesadamente pela floresta. Às vezes, carregávamos Goody nas costas e, ocasionalmente, ela caminhava sozinha. Goody não reclamou uma vez sequer enquanto nos arrastávamos pela paisagem branca e silenciosa. Eu tinha certeza de que nossos rastros teriam sido cobertos pela neve e, depois de uma hora de progresso silencioso, ousei ter esperanças de que os cavaleiros tivessem desistido da perseguição. A única coisa viva que vimos foi a forma baixa e esguia de um lobo, uma sombra cinzenta correndo pela floresta em um percurso paralelo ao nosso. Lembrei-me de que janeiro em Sherwood era conhecido como o mês do lobo; havia histórias de bebês roubados do berço por lobos famintos, e diziam que um lobo entocado saltara sobre um homem a cavalo e arrancara um pedaço de carne do traseiro do animal com uma mordida antes de desaparecer novamente na floresta.

Peguei um galho quebrado e arremessei-o na direção da furtiva besta cinzenta. O lobo afastou-se bamboleando e desapareceu na floresta sob a escuridão do crepúsculo. Seguimos marchando, as pernas dormentes de frio. Estávamos ensopados e exaustos. Quando a noite começou a cair, soube que precisávamos encontrar um local seguro para descansar: os dedos e o nariz de Goody estavam azuis de frio e o rosto de Bernard tinha uma cor amarelada. De repente, logo adiante de nós, ouvimos o som chocante de uma trombeta. Galvanizados de medo, mergulhamos em um banco de neve e nos encolhemos sob as raízes brancas de uma faia enquanto dois cavaleiros com fardas pretas e vermelhas passaram galopando. Eu estava seguro de que não tinham nos visto quando passaram galopando, mas o que me preocupava era que tivessem surgido à nossa frente, e não por trás. Desesperado, descobri que perdera completamente o senso de direção e que, na escuridão da noite que caía, era provável que estivéssemos andando em círculos. Percebi com horror que não tinha ideia de onde estávamos e tampouco da direção que deveríamos seguir. Meu cérebro estava enevoado pelo frio. E, conforme a neve continuava a cair, dei-me conta de que, mesmo desconsiderando os cavaleiros de Murdac, não sobreviveríamos àquela noite a menos que encontrássemos logo calor e abrigo.

Depois de mais um quarto de hora caminhando pela neve, no fim do dia, chegamos a um local perfeito para acampar. Não quero blasfemar, mas há momentos em minha vida em que sinto como se o Senhor Deus Todo-Poderoso tivesse organizado o mundo apenas para meu benefício. Enquanto tropeçávamos pela neve, dormentes de frio, terror e cansaço, chegamos a uma pequena clareira na floresta, em cujo centro havia um carvalho enorme e muito antigo, com muitos metros de diâmetro, que ficara oco com o tempo e apodrecera até se tornar um tubo semiaberto, dentro do qual havia espaço suficiente para três pessoas dormirem. Não éramos os primeiros a usar a árvore como abrigo para descansar: removendo a neve próxima da entrada, descobrimos os restos de uma fogueira, com grandes pedras enegrecidas posicionadas para refletir o calor e cinzas enlameadas. E, dentro do tronco oco, arrumada cuidadosamente, havia uma pequena pilha de gravetos secos e uma dúzia de galhos secos de carvalho partidos em toras. Sabíamos que era arriscado e que a luz seria visível a centenas de metros em todas as direções, mas precisávamos do calor de uma fogueira. Fiz uma chama com a pederneira e o aço que carregava em minha algibeira, encolhemo-nos no abrigo da árvore e esperamos até que nossos membros descongelassem. Não tínhamos comida — havíamos deixado os restos do porco e do pão sob o azevinho naquela manhã —, mas à medida que o calor preencheu o espaço circular de madeira, meu humor começou a melhorar. Goody, que não dissera uma única palavra depois de ver a mãe e o pai serem mortos no assentamento de Thangbrand, acomodou-se ao meu lado e começou a chorar em silêncio. Envolvi seu corpo magro com o meu e acariciei seu cabelo louro e fino até ela adormecer. Bernard, por outro lado, parecia ficar mais irritado e agitado que relaxado à medida que o calor fluía de volta para seu corpo. Ele parecia ter esquecido nossas aventuras terríveis e, em pouco tempo, estava suficientemente recuperado para reclamar da falta de vinho.

— Havia um cantil de vinho praticamente cheio ao lado da porta do casebre; por que diabos você não o pegou quando partimos? — perguntou-me com petulância.

Eu não disse nada. Meu estômago roncava e minha boca estava seca, mas não tínhamos nada para comer, sem falar no precioso vinho de Bernard, de modo que mastiguei alguns punhados de neve e apenas fiquei sentado, olhando para o fogo, esperando que minhas roupas secassem e pensando sobre aquele dia terrível. Teria alguém sobrevivido, além de nós? Estariam os outros espalhados pela floresta, morrendo no frio por causa dos ferimentos sofridos? Thangbrand estava morto, eu vira aquele horror; e Freya, sem dúvida, fora massacrada com os outros. Mas onde estava Hugh? Teria conseguido escapar?

De repente, com um espasmo, sentei-me ereto. Eu caíra no sono. Bernard parecia estar dormindo, deitado ao longo da curva interior da árvore. Goody estava a meus pés, em um casulo feito com uma capa. O que havia me despertado? Era algum tipo de perigo. A fogueira estava morrendo, mas a lua brilhava, quase cheia. Joguei outro tronco na fogueira e, enquanto observava as fagulhas voarem e as chamas renascerem, vi na extremidade da clareira, sob o luar brilhante, a figura de um homem. Ele estava caminhando em nossa direção.

Minha mão saltou para meu cinto e pousou sobre o punho confortante do punhal. Dei um chute na figura adormecida de Bernard. O homem atravessou a clareira dirigindo-se diretamente para nossa fogueira. Era esquelético, com um rosto magro e oco coberto quase até os olhos por uma barba cinzenta. Seu cabelo oleoso descia até os ombros. Tinha os lábios retorcidos em um sorriso de saudação e vislumbrei dentes pequenos e amarelos. À medida que se aproximou, percebi que vestia o que parecia uma capa e uma saia feitas de pele de lobo e tinha os pés envoltos por trapos cinzentos. Vi seu peito nu, as costelas protuberantes sob a capa — por Deus, como devia estar com frio — e sua pele imunda, coberta de arranhões e cortes parcialmente cicatrizados. Ele carregava uma pesada clava de madeira sobre um ombro e, quando chegou ao lado oposto da fogueira, vi que estava tremendo. O homem levantou a mão livre em um gesto de saudação.

— Boa-noite, senhores — ele disse.

Falava com hesitação, como se não estivesse habituado à língua humana, mas havia algo de familiar nele.

— Por piedade, concedam a um pobre homem um lugar ao lado de sua fogueira... e um pedacinho de sua carne, se tiverem um pouco.

Olhei para Bernard, que apenas deu de ombros e moveu as pernas para permitir que o homem viesse até nosso lado da fogueira e entrasse no abrigo.

— Não temos comida — eu disse. — Mas você é bem-vindo ao conforto de nossa fogueira.

Ele entrou no abrigo, agachou-se e esticou as mãos, aproximando-as do fogo. Seus braços também eram dolorosamente magros e estavam cobertos de machucados antigos e arranhões recentes. Olhei para ele com suspeita. Eu não conseguia tirar da cabeça a ideia de que já havíamos nos encontrado. Em Nottingham, talvez?

Depois de alguns minutos de silêncio, durante os quais Bernard pareceu cair novamente no sono, o homem disse:

— Posso perguntar, senhor, o que traz jovens como vocês para a floresta em uma noite tão fria... e sem comida ou cavalos?

— Isso é assunto nosso — eu disse com firmeza. — Não lhe interessa.

Eu não queria contar nada sobre nós. Havia algo a respeito do homem, uma qualidade selvagem, que me deixava com a guarda levantada. E, silenciosamente, jurei que não adormeceria enquanto ele estivesse em nossa companhia.

— O assunto é seu, mestre, e sou seu hóspede. Desculpe-me por minha impudência e peço seu perdão.

Ele pareceu tímido e encabulado ao falar, e senti um pouco de culpa por ter sido tão ríspido. Mas eu ainda não estava à vontade tendo-o conosco, dentro da árvore oca. E, cada vez mais, tinha a certeza de que havíamos nos encontrado anteriormente.

— Vou dormir agora, senhor, com sua permissão — o homem disse.

Assenti e tentei sorrir encorajadoramente para compensar a descortesia de pouco antes. Ele olhou para mim por um período um pouco mais longo do que me parecia confortável e reparei em seus olhos, quase amarelos. Ele então se enrolou na capa de pele de lobo, como um cachorro grande e muito magro, e adormeceu.

Àquela altura, Bernard roncava levemente e Goody não movera um músculo sequer desde quando o homem estranho chegara ao acampamento. Ainda estava enrolada do nariz até os dedos dos pés em uma capa, deitada imóvel a meus pés. Coloquei mais um tronco na fogueira, puxei minha capa sobre os ombros e decidi que permaneceria acordado.

Às vezes, a força de vontade de um homem simplesmente não é o bastante. Estava quente dentro do pequeno abrigo na árvore. As pedras da fogueira refletiam o calor para dentro da câmara de madeira e o som da respiração suave de Bernard tinha um efeito tranquilizador. Sem dúvida, o horror e, mais tarde, o terror daquele longo dia também fizeram efeito e logo senti minhas pálpebras se fechando. Levantei-me, caminhei no frio fora do abrigo e esfreguei neve no rosto. Mas quando me sentei novamente, minha cabeça voltou a balançar e deslizei para um estranho mundo de sonhos.

Eu estava cavalgando atrás de Robin em uma cavalaria de soldados. Eu galopava ao lado de seu ombro esquerdo, na posição de honra. Diante de mim, acima da minha cabeça, o estandarte de Robin tremulava corajosamente ao vento: uma cabeça de lobo cinza em um campo branco. Olhei para a imagem estilizada da máscara de lobo na bandeira enquanto ela revoava no vento. De repente, a imagem mudou e o rosto do animal tomou vida, as pinceladas pretas e cinza sobre o linho branco transformaram-se em pele real, orelhas aguçadas e pontudas, os dentes em um rosnado, o animal encarando-me. Depois, com um rugido, o lobo saltou do estandarte diretamente sobre mim. Acordei com um sobressalto.

O estranho estava de pé sobre a forma adormecida de Bernard, segurando a clava com uma das mãos. Enquanto meus olhos se abriam, a arma fez um arco e acertou a cabeça do *trouvère*. Gritei algo sem sentido e atrapalhei-me com meu cinto para pegar o punhal. O estranho virou-se e fiquei chocado com a transformação do homem miserável que, poucas horas antes, pedira humildemente meu perdão. Ele havia se tornado um monstro, uma besta: seus olhos amarelos brilhavam naquele rosto em forma de focinho coberto pela barba cinzenta, sua boca estava levemente aberta e um fio de baba escorria dos lábios.

— Carne — ele disse, quase sussurrando —, carne fresca. E ela simplesmente entrou em minha casa, sem permissão, e fez uma fogueira. Uma fogueira para ser cozida.

O homem gargalhou, um cacarejo seco e maníaco. Foi quando eu soube que o diabo entrara em seu corpo e que estava louco. Agachado, ele avançou em minha direção segurando a clava com as duas mãos, o lado mais grosso balançando de um lado para o outro.

— Venha para mim — ele disse. — Venha para o jantar.

Ele gargalhou novamente. Minha mão estava molhada no cabo do punhal; fiquei ereto e observei o movimento da clava. Era hipnótico, e foi somente com uma força considerável que consegui levantar o olhar para seus olhos. Eu estava com medo, tremendo com temores ancestrais horrendos, mas sabia que precisava esperar e observar aqueles terríveis olhos amarelos em busca de um indício de que fosse atacar.

Goody acordou e tirou a cabeça de dentro da capa. Ela estava deitada no chão entre eu e o homem selvagem. Ele a olhou.

— Bonita, muito bonita — ele murmurou. — Tão doce e suculenta. Bem-vinda à minha cozinha, pequena senhorita.

Ele sugou o fio de saliva de volta para a boca e o engoliu, estalando os lábios. Dei um passo à frente, o punhal estendido em minha mão direita, e fiquei de pé sobre Goody. Mas tropecei ao me mover e dei um pequeno passo, que me desequilibrou. Então, o homem se moveu — rápido como um raio. Ele simulou um ataque contra minha cabeça com a clava, um golpe curto e direto com a parte larga da arma. Quando tirei minha cabeça do raio de alcance do golpe, o homem mudou a direção da clava e a madeira dura acertou meu pulso direito. O punhal caiu no chão e deslizou até a parede do abrigo. Então ele saltou sobre mim e, com a capa de Goody enrolada em meus pés, caímos no chão.

Ele era incrivelmente forte para um homem tão magro; talvez fosse a força da loucura, pois, enquanto rolávamos no chão, imobilizou-me com facilidade e começou a tentar me morder no rosto e na garganta. Eu sentia o cheiro de seu hálito, um estranho odor fecal, e seus olhos amarelos brilhavam como velas em seu rosto selvagem. O medo era meu amigo — apertei as mãos ao redor do pescoço do homem e, mais poderoso por causa do pavor que sentia, apertei com toda a força enquanto ele sacudia, chutava e arranhava meu rosto e meu corpo. Mas o homem era forte demais para mim. Conseguiu se livrar das mãos que apertavam seu pescoço e rolou sobre mim, a boca vermelha aberta, babando e procurando pelas veias grandes em meu pescoço. Eu apenas conseguia manter seus dentes afiados longe da minha vida, empurrando com fraqueza seu peito escorregadio de suor e seus ombros. Minhas mãos perderam a força ao apertar seu pescoço e o rosto do homem aproximava-se da minha carne. Gritei:

— Goody, pegue o punhal!

Em seguida, hasteando-me com toda a força que me restava, tirei-o de cima de meu corpo e consegui imobilizar um de seus braços com meu joelho enquanto ele se contorcia de costas no chão. Com o braço esquerdo, agarrei seu braço direito, que estava livre, e olhei durante um segundo para o rosto horrendo daquela besta humana. Seus olhos abandonaram os meus e, repentinamente, olharam atrás de mim, acima da minha cabeça, para a esquerda. Naquele instante, senti uma lufada de ar atingir meu rosto e os dois braços magros da menina, as mãos fechadas com firmeza ao redor do cabo, enfiaram o punhal com força, atravessando o olho esquerdo do homem e atingindo seu cérebro torturado. A besta deu um espasmo, depois outro, e ficou imóvel: o corpo flácido, os braços abertos no formato de um crucifixo... a cabeça presa ao chão de terra por 30 centímetros de aço espanhol.

Caí para trás, ofegante por causa do esforço. Goody correu para meus braços e a segurei, balançando levemente e olhando para o homem morto — pois na verdade, na morte, não era mais um animal. Era apenas um homem, morto. Sua saia de pele de lobo havia subido pelas coxas durante a luta e reparei que entre suas pernas havia... nada. Apenas uma cicatriz feia e escura. Foi quando o reconheci: era Ralph, o estuprador que fora espancado, mutilado e exilado do assentamento de Thangbrand em uma de minhas primeiras semanas lá. Bem, *requiescat in pace*, pensei. Que Deus o perdoe por seus muitos pecados terríveis.

Segurei Goody nos braços durante muito tempo, olhando para o homem morto enquanto ela chorava silenciosamente contra meu peito. Depois, enrolei-a em uma capa, conferi o estado de Bernard — estava inconsciente, mas respirava com facilidade —, reacendi a fogueira e cuidei de mim. Meu braço direito estava inchado e dolorido, mas sofrera apenas uma contusão. Esfreguei-o com neve para reduzir o inchaço e o frio diminuiu um pouco a dor. Em seguida, arranquei o punhal do crânio de Ralph e limpei-o em sua saia antes de arrastar o cadáver para fora da árvore oca, através da clareira e até as árvores. Eu não tinha forças para escavar uma cova, tampouco para encontrar pedras para cobrir o corpo. Portanto, apenas o deixei ali, a 30 metros do acampamento, no meio das árvores e fora de vista. Enquanto caminhava de volta para o calor da fogueira, ouvi o primeiro uivo. Um som solitário e lamentoso na floresta silenciosa — e apressei o passo na direção de Goody e Bernard.

Cochilei até o amanhecer, com Goody segura em meus braços e os lobos fazendo sua assustadora música noturna na floresta ao nosso redor. Com a primeira luz do dia, esfreguei neve no rosto e procurei em nosso esconderijo qualquer coisa que pudesse nos ajudar. Encontrei uma velha panela de ferro e coloquei-a junto à fogueira, cheia de neve. Mas, fora a panela, não encontrei nada além de alguns trapos mofados e malcheirosos e ossos velhos que pareciam perturbadoramente humanos. Recolhi os ossos e levei-os para onde deixara o corpo de Ralph, na margem da clareira. Mas o corpo tinha desaparecido. O lugar fora revirado pelos pés de dúzias de lobos e havia um pouco de sangue na neve, alguns tufos de pelo, e nada mais. Era o mês do lobo em Sherwood e aqueles animais famintos comeriam até botas velhas se fossem deixadas fora de casa à noite.

Bernard continuava inconsciente e tinha um grande calombo na têmpora, feito pela clava de Ralph. Mas, até onde eu podia dizer, seu crânio não estava quebrado e acreditei que acordaria eventualmente. Goody voltara a dormir e, considerando o que passara no dia anterior e durante a noite — assistir à morte dos pais e depois tirar ela própria a vida de um monstro —, fiquei feliz que também estivesse inconsciente. Dei-me conta de que não iríamos a nenhum lugar naquele dia. Eu não carregaria Bernard e Goody e concluí que seria melhor permanecermos aquecidos no abrigo da árvore do que vagarmos pela floresta sem saber onde estávamos e tampouco para onde íamos. Comecei a catar mais lenha para a fogueira, quebrando galhos mortos e levando-os para o abrigo. Fiquei com fome enquanto trabalhava e, uma ou duas vezes, ouvi os uivos dos lobos, que me fizeram correr com os braços carregados de lenha de volta para a segurança do acampamento.

Fiz uma boa fogueira, estoquei lenha para a noite e consegui dormir desconfortavelmente por algumas horas. A fome corroía meu estômago — fazia um dia e uma noite desde que havíamos comido a parca refeição de pedaços de porco e pão seco sob o azevinho. Comecei a sentir inveja de Bernard, que permanecia inconsciente e, consequentemente, alheio à dor da fome. Ele estava pálido, mas seu coração batia regularmente. Cobri-o com sua capa e o deixei deitado. Goody acordou no meio da tarde, perguntou se havia comida e aceitou beber água aquecida. Eu estava um pouco impressionado com ela: dez anos de idade e lidando com aquela situação como uma mulher madura, como um soldado experiente, na verdade. Eu ainda não me acostumara com a ideia de que ela tinha matado friamente um louco com um único golpe do meu punhal. Mas era filha de um guerreiro e crescera cercada por fora da lei. Mortes violentas no assentamento de Thangbrand não eram ocorrências incomuns.

À medida que o crepúsculo caiu sobre a clareira, os lobos começaram seu canto lamentoso. Um lobo iniciou o coro, seguido por outro. Depois, três e quatro. A matilha estava sendo convocada e, como se eu próprio fosse um lobo, os pelos em minha nuca se arrepiaram.

— É realmente muito bonito, não é mesmo? — disse Bernard. — Quase em harmonia, mas não exatamente. E tão triste...

Fiquei tão satisfeito por tê-lo de novo conosco que corri até ele e o abracei.

— Não me sufoque, garoto — ele disse com petulância. — E pare com esse choro ridículo.

Ele estava exagerando, é claro. Havia apenas um indício de umidade em meus olhos. Mas eu estava muito feliz por tê-lo de volta na terra dos vivos. Bernard gemeu e sentou-se, apalpando o calombo na cabeça.

— Afinal de contas, o que aconteceu? — ele perguntou. — Minha cabeça está me matando, mas sinto como se não tomasse uma bebida há uma vida inteira.

Então contei a ele, as palavras tropeçando umas sobre as outras: o homem parecido com um lobo, a clava contra sua cabeça adormecida, a luta, o golpe salvador de Goody com o punhal e como o corpo do louco fora devorado pelos lobos.

Bernard assentiu e contraiu-se de dor com o movimento.

— Você é uma garota muito corajosa — ele disse a Goody, que ruborizou. — Então, qual é o seu plano? — Bernard perguntou-me.

Avaliamos juntos a situação: a noite estava caindo, mas parara de nevar; não tínhamos comida, mas tínhamos aquecimento e um abrigo; além disso, havia a possibilidade de que os homens de Murdac ainda estivessem nos procurando, sem contar com a hipótese de que outros sobreviventes estivessem precisando de nossa ajuda. Deveríamos ficar parados? Ou seria melhor seguir para o sul na esperança de encontrar algum casebre onde pudéssemos implorar por ajuda? E havia também os lobos... Nossa discussão foi pontuada por um volume cada vez mais alto de uivos que vinham das proximidades. Ocasionalmente, sob as árvores na margem da clareira, eu vislumbrava olhos brilhando na escuridão, refletindo a luz da fogueira. Aqui e ali, uma forma cinzenta movia-se entre as árvores.

Bernard interrompeu-me levantando a mão:

— Acho que está claro que devemos ficar aqui hoje à noite se quisermos permanecer inteiros.

Ele gesticulou na direção da floresta escura, onde agora víamos três pares de olhos de animais. Bernard estava certo. Os uivos haviam cessado. A matilha estava reunida à nossa porta, e não iríamos a lugar algum.

Aumentamos a fogueira e, durante meia dúzia de horas naquela longa noite, pouca coisa aconteceu. Cochilamos, bebemos água quente e observamos os olhos irem e virem na margem da clareira. Então, bem depois da meia-noite, uma sombra furtiva saiu do meio da floresta escura e um lobo atravessou trotando a clareira branca antes de desaparecer do outro lado. Era um animal grande, mas esguio, que nos olhou malevolamente enquanto passava diante de nosso abrigo patético. Então, sozinhos ou em pares, tendo tomado coragem com a travessia do primeiro lobo, outros animais saíram da escuridão e começaram a se aproximar do acampamento. Colocamos mais galhos na fogueira e, inicialmente, os animais afastaram-se do calor crepitante. Mas, gradualmente, retornaram. Um lobo sentou sobre as pernas traseiras a apenas 4 metros de nós. Ele bocejou e pude ver claramente sua língua enorme e seus dentes brilhando sob a luz de uma grande lua cheia.

Observamos em silêncio o animal preguiçoso. Ele bocejou outra vez, retraindo seus lábios negros para revelar dentes grandes e mortais, afiados como navalhas. Tirei um galho da fogueira e abanei-o para que chamas surgissem na extremidade em brasa. Depois, arremessei-o diretamente contra o lobo, que desviou com facilidade e afastou-se alguns passos — mas, em seguida, voltou exatamente para o mesmo lugar. Seus irmãos juntaram-se a ele, mais de vinte bestas cinzentas e esguias.

— Não desperdice madeira assim — disse Bernard. — Precisaremos dela.

Olhei para a pilha de madeira em um canto do abrigo na árvore e, com o coração pesado, percebi que ele estava certo. Mesmo não sendo possível que ainda demorasse muito até o amanhecer, mal tínhamos lenha suficiente para manter uma pequena fogueira acesa pelo resto da noite. Amaldiçoei-me por não ter pegado mais lenha. Os lobos reuniram-se em um círculo mal formado ao redor do raio de alcance da luz da fogueira, olhando como demônios do inferno, dentes grandes, olhos e uma fome selvagem. Depois da beleza assombrosa dos uivos no começo da noite, estavam estranhamente silenciosos. Mas não ficaram sentados imóveis — alguns se afastavam para investigar atrás de nossa árvore oca e outros mudavam de posição para nos observarem pela esquerda e pela direita com seus malignos olhos amarelos. Bernard e eu havíamos nos armado: ele tinha um forte galho de árvore e eu segurava a arma de Ralph. Ficamos um em cada lado da fogueira, na entrada do abrigo na árvore, aguardando o ataque que tínhamos certeza de que era iminente. Mas os lobos pareciam não ter pressa. Goody ficou diretamente atrás da fogueira, alimentando-a ocasionalmente e do modo mais econômico possível a partir da pilha cada vez menor de lenha, e permanecia de prontidão segurando o punhal. Os lobos começaram a correr de um lado para o outro da clareira, diante da fogueira, mantendo distância de nossas clavas e do fogo, mas aproximando-se mais cada vez que cruzavam a clareira. Ocasionalmente, um deles avançava em nossa direção em uma corrida exploratória, chegando a poucos metros de nós, trotando cada vez mais perto, até que reagíamos e nos movíamos para atacar a besta com as clavas, mas o animal se esquivava e sumia na escuridão. Eles pareciam estar nos testando, avaliando nossa força, talvez tentando nos assustar para que corrêssemos para longe do abrigo e da segurança da fogueira. Mas não tínhamos para onde correr e, com a árvore oca às nossas costas e com a fogueira entre nós e os lobos, Bernard e eu estávamos nas melhores posições que conseguíamos imaginar naquela circunstância.

Contudo, devo admitir que estava com medo. Caso se embrenhassem entre nós, aquelas grandes bestas poderiam nos rasgar em tiras sangrentas em um instante em meio aos rosnados. Tentei não pensar em como seria a sensação dos dentes brancos e pontiagudos perfurando minha carne, rasgando e abrindo meu corpo. Se eu estava com medo dos lobos, eles demonstravam pouco medo de nós. As corridas exploratórias continuavam, com os animais sempre permanecendo fora de perigo. Depois, quando Bernard e eu ficamos totalmente enfastiados com a brincadeira, uma besta veio em minha direção e deu um grande salto para atacar minha garganta.

O lobo quase me pegou desprevenido; eu fora tão ludibriado pelas dezenas de aproximações parecidas, as quais sempre terminavam com uma retirada veloz, que estava despreparado quando o ataque foi feito. Mas, graças a Deus, reagi bem a tempo quando a enorme forma cinzenta saltou contra mim. Recuei um passo e brandi a clava em um arco curto e perverso, acertando a besta em cheio no lado do focinho enquanto estava no ar. O lobo caiu de lado, ganindo de dor, mas, pousando como um gato, simplesmente recuou furtivamente para trás dos irmãos, lambendo o nariz e aparentando estar mais constrangido que ferido. Aquele primeiro movimento, no entanto, quebrou a imobilidade dos lobos.

Outro lobo avançou rapidamente contra mim, aproximando-se lentamente para, logo depois, saltar na direção do meu rosto, um borrão com um rosnado malicioso. Outro lobo trotava atrás dele. Pelo canto do olho, vi uma grande forma cinzenta saltar ao mesmo tempo na direção de Bernard. Golpeei com força e acertei o corpo da primeira besta com o som de costelas sendo quebradas. Revertendo o ataque, acertei um golpe e rebati o ombro do segundo lobo. Os dois animais afastaram-se ganindo, seguindo aos tropeços até ficarem fora de alcance. Bernard estava com os dentes do lobo presos no galho de árvore, o qual segurava como uma vara de combate, horizontalmente, com as duas mãos. De repente, o *trouvère* afastou a vara de seu corpo, largando a clava e o animal preso a ela sobre a neve. Inclinando-se, pegou um galho em chamas da fogueira, com o qual acertou o rosto do animal surpreso. Houve um chiado gerado pelo fogo e um ganido. A besta recuou, mas o sangue de Bernard estava quente. Ele pegou outro galho da fogueira e, gritando furiosamente enquanto balançava dois galhos em chamas ao redor da cabeça, atacou toda a matilha. Deixar a segurança de nossa posição era um ato suicida, mas funcionou. Os lobos espalharam-se diante dele, saltando habilmente para longe dos galhos parcialmente queimados que Bernard balançava.

Os animais não ficaram intimidados por muito tempo. Vi um grande lobo preto contornar Bernard enquanto ele brandia e atacava ineficazmente seus irmãos de matilha, mas saltei prontamente para além da proteção da fogueira, dei três passos para alcançar o animal e acertei a clava de Ralph no centro de sua espinha. Houve um estalo nauseante e a besta negra, com as pernas traseiras paralisadas e uivando de raiva e agonia, afastou-se do círculo de luz da fogueira, arrastando-se com as patas dianteiras. Bernard e eu recuamos rapidamente para nossas posições ao lado da fogueira. Enquanto recuávamos, os animais retornaram, apenas levemente castigados, e recomeçaram a vagar na margem do círculo feito pela luz da fogueira — a qual, percebi repentinamente, havia diminuído consideravelmente.

— Por favor, não façam isso de novo — Goody disse atrás de nós. — Por favor, não me deixem aqui sozinha para ser comida por eles.

Virei a cabeça para trás para vê-la e, em seguida, olhei para Bernard. Ele estava sem fôlego após o ataque enlouquecido e ria silenciosamente consigo mesmo.

— Não se preocupe, doçura — ele arfou. — Estamos todos juntos aqui. Se eles pegarem um de nós, pegarão os três.

Franzi a testa. Não considerei as observações de Bernard úteis.

— Falta pouco para o amanhecer, Goody — eu disse. — E lembre-se: eles estão com tanto medo de nós quanto nós deles.

Era algo ridículo de se dizer e, em meio ao terror e à exaustão, começamos a gargalhar. Bernard estava apoiado em uma clava-galho parcialmente queimada, lágrimas rolando pelo rosto enquanto gritava e bramia com hilaridade. Os lobos realmente pareceram incomodados com os sons estranhos que suas presas estavam fazendo e ficaram se movimentando desconfortavelmente, entrando e saindo da área de alcance da luz da fogueira. Mas não por muito tempo. Logo depois, o ataque recomeçou. Desta vez, foi para valer.

Os lobos adotaram o mesmo padrão de antes — faziam corridas curtas em nossa direção, em pares ou em trios; nós brandíamos as clavas e os animais afastavam-se das armas dançando com leveza. Era exaustivo. Ocasionalmente, Bernard ou eu atingíamos uma besta com um golpe satisfatório. Mas era raro, e nossos braços estavam ficando cansados, mortalmente cansados de balançar constantemente as clavas pesadas. Contudo, tínhamos um problema maior do que nossa quase exaustão: lenha.

A fogueira estava diminuindo e olhei para trás, encarando Goody com reprovação. Era dela a função de manter as chamas altas. Mas ela apenas apontou em silêncio para a pilha de lenha e vi nossa morte no punhado patético de gravetos que restavam.

— Falta pouco para o amanhecer — disse Bernard.

Fazia horas que estávamos dizendo aquilo um para o outro, mas eu não sabia que diferença o amanhecer faria.

Os últimos gravetos foram para a fogueira. Trocamos olhares. Goody segurava meu punhal e estava agachada no fundo do abrigo. Àquela altura, os lobos estavam se revezando nos ataques, que eram praticamente contínuos. Quando um deles começava a correr, nós o atacávamos, mas enquanto estávamos lutando com o primeiro animal, outro tentava morder nossas pernas. Bastava atacar o segundo lobo e outro saltava, tentando morder nossos rostos. Raramente atingíamos nossos alvos. Era como um jogo, um jogo mortal, com bestas e mandíbulas reluzentes no ataque e o movimento da clava pesada — e o fogo diminuindo cada vez mais. Nossos braços ficavam cada vez mais enfraquecidos, mas não havia descanso. Eu sabia que, se abaixasse a guarda por um único segundo, um lobo atravessaria a abertura na árvore e rasgaria a carne de Goody, seguido por uma onda de rosnados de uma ferocidade aguda que nos rasgaria em tiras ensanguentadas. Um animal, mais magro que os outros, estava escapando pelo lado direito da árvore. Pude vê-lo pelo canto do olho e, quando os outros animais pausaram por um instante, ataquei-o com a clava, forçando a besta a retornar para as sombras. Mas uma forma cinzenta que estava na minha frente saltou sobre mim e, enquanto eu golpeava com força seu traseiro, o segundo animal saltou de volta das sombras e cravou os dentes em meu antebraço direito. Gritei de horror e dor; eu sentia o peso assustador do animal puxando-me para baixo, derrubando-me no chão, onde eu sabia que seria imediatamente aniquilado pela matilha. Mas, quase imediatamente, Goody — a linda e corajosa Goody — apareceu a meu lado e investiu contra o corpo da besta com o punhal. O lobo ganiu quando a ponta da lâmina perfurou o lado de seu corpo e soltou meu braço. Ajoelhado, com meu sangue escorrendo no ar gelado e segurando a clava com a mão esquerda, ataquei outra forma cinzenta que voava na direção da minha cabeça. Pela piedade de Deus, a matilha recuou e pude ver uma dúzia de formas imóveis na neve enquanto me esforçava ofegante para levantar, com o sangue pingando de meus dedos.

Àquela altura, a fogueira estava quase apagada, mas um tom cinza começou a preencher a clareira. Enquanto me apoiava exausto e sem fôlego em minha clava, vi que ainda havia cerca de 15 animais salivando em um semicírculo ao redor da árvore. Seria aquele o meu fim? Seria o meu destino ser exaurido por aqueles monstros para depois ser feito em pedaços e devorado? Levantei a clava com muita dificuldade e ataquei debilmente uma das bestas quando ela ameaçou investir contra mim. Os irmãos do lobo não se moveram. As grandes línguas rosadas rolaram para fora de suas bocas e as bestas pareciam rir de nossas tentativas desastradas de enfrentá-las. Goody estava amarrando um pedaço rasgado de uma camisa em torno do meu braço ferido quando, como que atendendo a um sinal silencioso, todos os lobos avançaram ao mesmo tempo. Brandi a clava, mordendo o lábio por causa da dor lancinante que sentia no braço. Bernard conseguiu acertar astutamente o crânio de um lobo. O animal uivou e afastou-se correndo até ficar fora de alcance. Depois, repentinamente, todos os animais pararam e se viraram, olhando para a extremidade oposta da clareira. Foi quase cômico: todos os animais, por um instante, absolutamente imóveis em postura de ataque, como se tivessem sido transformados em pedra. Virei-me para olhar na direção para a qual todos os lobos estavam olhando e meu coração saltou quando, por entre as árvores, surgiram correndo os dois maiores cães que jamais vi. Grandes como bezerros, com pelagem avermelhada e cinzenta, enormes cabeças quadradas e mandíbulas terríveis capazes de atravessar a perna de um homem adulto, dois cães gigantescos saltaram através da clareira, atravessando-a em um par de batidas do coração e colidindo diretamente com os lobos. Apesar de estarem em desvantagem numérica de oito para um, não tiveram problemas. Um dos cães enormes agarrou a cabeça de um lobo jovem com sua mandíbula gigantesca e esmagou totalmente o crânio. O outro agachou-se e cravou as presas na barriga de um lobo, arrancando uma cauda de intestinos vermelhos e amarelos antes de morder sangrentamente outra forma cinzenta encolhida. Homens começaram a entrar na clareira. Alguns estavam a cavalo e outros vinham a pé. Agora, os lobos recuavam totalmente, atravessando a neve perseguidos pelos dois cães gigantes. Um cavaleiro, segurando um arco de guerra encordoado, surgiu galopando, saltou do cavalo e, sem parar para respirar, disparou uma flecha que atravessou o corpo de um lobo, que caiu se debatendo e ganindo na neve. Era Robin, vi com uma onda de alegria. Ao lado dele estava Tuck, disparando uma flecha depois da outra contra a matilha que desaparecia, e a forma enorme de João Pequeno, além de meia dúzia de amigos dos quais eu sentira muitas saudades.

— Já não era sem tempo — Bernard murmurou. Em seguida, largou o galho e desabou arrasado na lama congelada revirada pelos lobos.

Capítulo 10

Caí de joelhos na neve, largando a clava e finalmente permitindo que meus braços exaustos caíssem pendurados nos ombros. Não sei por que e nem como ele aparecera em cima da hora para salvar-nos da morte certa e, em meu alívio sublime, não me importava.

Tuck aproximou-se e colocou-me de pé. Envolveu-me com os braços fortes e senti seu grande calor e sua força fluindo para mim. Ele cuidou do meu braço, limpando-o rapidamente e envolvendo-o com uma bandagem nova. Robin cumprimentou-me, olhou para meu rosto com seus grandes olhos prateados e parabenizou-me por ter sobrevivido. Ele parecia satisfeito por me ver e senti o calor familiar de afeto por ele. Depois, Robin agradeceu-me por ter salvado Godifa.

— Foi ela quem me salvou — eu disse, com a voz trêmula de alívio.

Contei a todos como ela matara Ralph, o homem selvagem, e ajudara a combater os lobos com meu punhal. Goody apenas ficou ali de pé com a cabeça baixa, parecendo mais culpada que heroica, mas todos os homens fizeram um grande alvoroço em torno dela, dizendo-lhe que era filha de seu pai e que ele teria ficado orgulhoso dela, o que a fez sufocar um soluço de choro.

O melhor de tudo era que os homens de Robin haviam trazido comida. João estendeu cobertores grossos de lã sobre a neve e devoramos a carne fria, o queijo e o pão que haviam retirado de suas bolsas. Bernard descobriu um cantil de vinho e parecia estar tentando beber todo o conteúdo em um único gole gigantesco. Tuck havia examinado o galo em sua cabeça e afirmou que Bernard provavelmente não morreria de imediato. Na verdade, o vinho e a comida reanimaram Bernard o bastante para que ele, sentado em um cobertor coberto de migalhas na clareira nevada, começasse a compor a canção que, posteriormente, viria a ser conhecida como "A canção da morte do lobisomem de Sherwood", uma melodia com ar sobrenatural que imita os uivos dos lobos selvagens e fala sobre a besta que espreita nos corações de todos os homens. Pude ouvi-lo murmurando sob a respiração entre goles de vinho. Ele apresentou a canção algumas semanas depois, em uma aconchegante caverna iluminada por uma fogueira, quando eu estava cercado por dúzias de guerreiros de Robin e, mesmo naquela companhia poderosa, ela congelou minha alma.

No entanto, ocorreu um evento que me pareceu um pouco estranho. Robin trouxera consigo um prisioneiro, um soldado comum de meia-idade ou um pouco mais velho, com uma expressão culpada e assustada em seu rosto caído e um ferimento aparentemente doloroso no ombro feito por uma flecha, o qual o impedia de levantar o braço direito para se defender. Robin contou-me que havia encontrado um pequeno grupo de homens de Murdac enquanto procurava por sobreviventes do massacre no assentamento de Thangbrand. Eles haviam derrotado rapidamente aquele punhado de soldados mas, estranhamente, em vez de eliminarem todos os guerreiros sobreviventes, Robin insistira em manter o homem vivo. Olhando para ele e lembrando-me de Sir John Peveril, contive um tremor. Montado em um cavalo, com as pernas amarradas por baixo da barriga do animal e a mão saudável amarrada à maçaneta da sela, o prisioneiro era uma figura lastimosa. Aproximei-me para falar com ele, mas Robin impediu-me, colocando a mão em meu ombro.

— Não fale com ele, Alan; nem mesmo olhe para ele — ele disse. — Apenas finja que ele não existe, que é um fantasma.

Fiquei olhando para Robin. Estaria ele contemplando outra mutilação horripilante? Não ousei desobedecer, de modo que evitei o pobre homem. Que Deus tenha piedade de minha alma.

Minhas recordações do resgate terminam neste ponto. Talvez o choque dos dias anteriores tenha roubado minhas memórias, ou talvez a mordida do lobo ou meu estado de exaustão total. Talvez seja apenas o preço de viver por tanto tempo: agora não importa, sou velho, e os detalhes de algumas partes de minha vida ficaram turvos e alguns momentos desaparecem por completo de minha mente. Mas algumas memórias são claras como uma corrente de água cristalina da montanha, e uma delas é a do meu primeiro conselho de guerra com os homens de Robin nas cavernas.

Empacotamos nossos pertences na clareira, apesar de não me lembrar disso, e montamos nos cavalos. Tuck chamou de volta os grandes cães caçadores de lobos: chamavam-se Gog e Magog, Tuck disse-me posteriormente, insistindo que ainda eram filhotes. Um amigo havia lhe dado os cães e Tuck disse que os estava treinando para a guerra. Mas, filhotes ou não, jamais me senti inteiramente confortável na presença dos cachorros, sabendo que seus caninos enormes eram capazes de arrancar um de meus braços sem se esforçarem mais do que eu me esforçaria para puxar a coxa de um frango.

Cavalgamos pela floresta por muitas horas, certamente apesar de não me lembrar de absolutamente nada da viagem. Quando chegamos à base secreta de Robin, meia dúzia de grandes cavernas nas profundezas de Sherwood, meu braço ferido foi tratado, creio eu e providenciaram um lugar para eu dormir. Passei alguns dias, imagino, recuperando-me de meu recente ordálio, mas isso também fugiu da minha memória: minhas recordações tomam vida novamente em uma longa mesa coberta de comida e bebida, três ou quatro dias depois do combate contra a matilha de lobos. Robin estava sentado na cabeceira, com Hugh e João Pequeno a seu lado. Os bancos ao lado da mesa estavam ocupados por soldados fora da lei que almoçavam carne de veado assada servida em travessas de ouro puro que faziam a luz refletir no teto baixo. Eu jamais vira tamanho esplendor e fiquei chocado com a maneira casual com que os homens batiam com as bandejas ao passá-las e as arranhavam com suas facas. Na extremidade da mesa oposta à cabeceira, Will Escarlate e eu dividíamos um frango cozido com molho de cebola. Tuck estava ausente; ele quase nunca participava dos conselhos de Robin, dizendo que sua alma cristã ficava ofendida ao ouvir os planos perversos de homens maus.

Bernard tampouco participou das deliberações; ele e Goody estavam em outra caverna, onde aperfeiçoavam "A canção da morte do lobisomem de Sherwood", com Goody fazendo um acompanhamento arrepiante parecido com uivos de lobos. Ela se recuperara de modo impressionante desde a aventura e parecia novamente cheia de vida e animada, como costumava ser, apesar de gostar de manter Bernard ou eu por perto o tempo todo. Certa vez ouvi-a soluçando baixinho sob as cobertas uma ou duas vezes, quando a dor em meu braço mordido impedia-me de dormir.

Descobri que Hugh e Will Escarlate haviam sobrevivido ao massacre no assentamento de Thangbrand por puro acaso. Mais cedo, na manhã em que os homens de Murdac atacaram, Will estava agachado na longa trincheira parcialmente coberta por tábuas de madeira que nos servia de latrina. Ele vira os primeiros soldados a cavalo atravessarem o portão ao amanhecer e, sem nem mesmo amarrar as calças, correra diretamente para a floresta e escondera-se em uma árvore por um dia e uma noite. Os homens de Robin, cavalgando rumo ao sul para se juntarem a Thangbrand para o final das comemorações da quinzena natalícia, haviam deparado com Will nas ruínas chamuscadas do casarão do velho saxão, agachado no chão, abraçando os joelhos contra o peito, balançando para a frente e para trás e chorando incontrolavelmente. Para mim, ele agora era um garoto mudado: estava amigável e tentava me agradar. Aparentemente, os dias de animosidade mútua haviam sido deixados para trás havia muito tempo. Contudo, sempre que sorria para mim e eu via o espaço vazio em seus dentes da frente, o qual eu fizera astutamente com o prego de ferro, eu me perguntava se ele teria realmente me perdoado ou se, um dia, quando eu menos estivesse esperando, tentaria se vingar.

Hugh também estava se aliviando atrás do casarão de Thangbrand quando os cavaleiros inimigos atacaram. Ele disse que gritara um aviso para dentro do salão onde as pessoas dormiam, pegara uma espada e correra para o estábulo com a intenção de lutar a cavalo. Contudo, quando montou no animal, os fora da lei estavam fazendo uma barricada dentro do casarão e todos os homens de Thangbrand que se encontravam fora da casa estavam mortos. Com isso, ele também fugiu para a floresta e, cavalgando em uma velocidade assustadora para o norte, encontrou os homens de Robin ao anoitecer.

Robin estabeleceu a ordem no conselho batendo fortemente uma caneca de prata com joias sobre a mesa de madeira. Um silêncio caiu sobre a companhia; não consegui evitar de sentir uma onda de excitação. Eu estava sendo incluído, pela primeira vez, nas deliberações do maior fora da lei da Inglaterra. Senti que era um de seus tenentes de confiança. Meu rosto estava quente, transpirando, e meu coração estava disparado com a empolgação.

— Cavalheiros — disse Robin. — Antes de começar, façamos um brinde a Thangbrand, um bom amigo e um grande guerreiro. E juro, aqui e agora, por minha honra, que a morte dele será vingada. Cavalheiros: Thangbrand, o fazedor de viúvas.

Todos murmuramos o nome do morto e bebemos. Robin esvaziou a caneca com joias e colocou-a sobre a mesa. Pode ter sido a proximidade na caverna repleta, mas comecei a me sentir levemente desconfortável. Minha cabeça começou a doer, com um pulso latejante dentro dela, parecido com um grande tambor.

— O que nos traz ao próximo assunto — continuou Robin. — Acredito que fomos traídos no assentamento de Thangbrand. Alguém conduziu Murdac e seus homens até a fazenda. A pergunta é... quem?

— Pode ter sido qualquer um — disse Hugh. — Um camponês local, um aldeão insatisfeito com a justiça de Robin...

— Todos têm medo demais — interrompeu João Pequeno. — Pelos cachos sebentos de Deus, nós nos empenhamos muito para aterrorizá-los. Quem iria nos trair e correr o risco de trazer dor e morte para si próprio e sua família?

— Há um candidato — Hugh disse lentamente. — Wolfram... ou, como ele se refere a si mesmo, Guy. Ele roubou uma grande joia de Thangbrand e fugiu da fazenda por causa do medo que sentia da ira do pai.

— Ele trairia os próprios pais? — Robin perguntou. — Roubá-los... bem, sim. Mas conduzir tropas até a porta da casa da mãe e do pai, planejando para que fossem massacrados... não sei. Faça perguntas, por favor, Hugh. Quero saber logo. E, caso seja Guy, quero-o morto. Mas não tão rapidamente.

"'O próximo problema é o que fazer quanto a Murdac', prosseguiu Robin. 'Durante muitos anos, mantivemos um acordo de trabalho perfeitamente bom com nosso xerife superior: eu não molestava seus homens, permitia que seus criados executassem suas obrigações em paz, e ele não trazia problemas para minha reserva. Ele deixou de demonstrar o respeito adequado por minhas operações e mostrou, de maneira extremamente bárbara, que não teme minha vingança. Portanto, cavalheiros, alguma ideia? O que devemos fazer a respeito de Sir Ralph Murdac, feudatário de nosso nobre rei Henrique e condestável do castelo real de Nottingham?'"

Por alguns segundos, houve silêncio. Então, um dos fora da lei, um homem grande e burro chamado Much, filho de um rico moleiro de Nottingham que fora obrigado a tornar-se fora da lei depois de matar um homem em uma briga em uma taberna, murmurou:

— Por que não matamos o desgraçado?

Robin sorriu para ele, e disse:

— Estou ouvindo...

Much ficou claramente constrangido por estar em evidência. Abaixou a cabeça e murmurou:

— Coloque alguns homens dentro do castelo de Nottingham, conheço-o bem, eu costumava entregar farinha lá... Esperamos na passagem escura no calabouço, Murdac chega, enfiamos uma faca em sua garganta e o problema acabará.

As palavras de Much foram recebidas com o silêncio da incredulidade. Ele prosseguiu, embaralhando as palavras:

— Ou talvez algum bom arqueiro na muralha pudesse... uma flechada distante, mas com uma flecha...

— Cale a boca, seu tolo — João Pequeno interrompeu. — Jamais conseguiríamos entrar. Você sabe que há mais de trezentos homens de armas no castelo? E depois? Como os homens conseguiriam escapar com vida no alvoroço que começaria em seguida? Não, não, não. Devemos aguardar até que ele se aventure para fora de sua toca e atacá-lo em Sherwood; devemos pegá-lo em nosso território, e não no dele.

Hugh interrompeu:

— Nós realmente desejamos a morte dele? — Outro silêncio estarrecido. — Quero dizer, não seria melhor apenas lhe dar uma lição? Se pudermos nos vingar e lhe dar uma lição ao mesmo tempo, ele pode ficar mais maleável. Mais inclinado a fazer outro acordo conosco, o que seria vantajoso para os dois lados.

Minha cabeça ainda latejava. Tomei um pequeno gole de cerveja de um cálice de prata e, enquanto olhava para o belo recipiente, ele entrava e saía de foco. Tentei desesperadamente me concentrar e ouvir as argumentações.

— E quanto à família dele? — perguntou Will Escarlate, de seu lugar a meu lado.

— Não mataremos mulheres e crianças — disse Robin. — Não importa o que as pessoas digam, não somos monstros.

Robin olhou ao redor da mesa para assegurar-se de que todos os presentes tivessem compreendido. Will enrubesceu:

— Eu não estava pensando na esposa e nos filhos de Sir Ralph, senhor, a esposa dele morreu no ano passado e os filhos estão na Escócia, mas apenas no primo dele, William Murdac, o coletor de impostos. Você o conhece? Ele mora no caminho para Southwell?

— É possível — disse Robin.

— Possível? Ele é perfeito! — Hugh deu um murro na mesa. A pancada ecoou em meu crânio. — Aquele homem é odiado, desprezado por todos. Seu empenho em arrecadar o imposto de Saladino chegou à beira da loucura, e duvido que tenha entregado toda a prata ao primo. Qual coletor de impostos faz isso? Sabemos que o próprio Murdac esconde uma boa quantidade de prata que jamais é entregue ao rei. Os cofres do primo também devem estar abarrotados.

O irmão de Robin empurrou sua cadeira para trás e levantou-se diante da mesa, punhos cerrados descansando sobre a madeira. Ele emanava certeza.

— O solar dele é bastante isolado, visitei-o há alguns anos — prosseguiu, sua voz reverberando dolorosamente em meus ouvidos no confinamento da caverna. — Ele tem apenas um punhado de homens de armas morando no local. E — Hugh disse com um floreio, como um jogador revelando a carta vencedora — não é casado. Nada de esposa ou crianças com que se preocupar.

Hugh sentou-se novamente, olhando em triunfo para Robin.

— Sim. Bom. Muito bem, Will — Robin disse, concordando com a cabeça para a extremidade oposta da mesa, dirigindo-se ao ruivo, cujo rosto abriu-se em um enorme sorriso de felicidade. Para João Pequeno, Robin disse:

— Você pode cuidar disso?

João concordou. Hugh franziu a testa. E Robin acrescentou:

— Quero que a cabeça deste William de Southwell seja trazida para cá. Farei com que seja entregue a Murdac com uma mensagem pessoal. Leve Will Escarlate com você, já que ele conhece o lugar.

O homem grande concordou outra vez. Robin virou-se para Hugh:

— Paz, irmão, quero que você organize outra coisa para mim, mais importante que um ataque punitivo...

Hugh assentiu, mas parecia relutante.

— Certo. Próxima questão — disse Robin. — Quero que a fazenda de Selwyn seja organizada como uma nova escola de treinamento e quero guardas posicionados dia e noite em todas as estradas que seguem para lá. Não quero uma repetição do que ocorreu na fazenda de Thangbrand. — Depois, para Hugh: — Você ainda tem pessoas dentro do castelo? Ótimo. Assegure-se de que nos avisem prontamente quando qualquer grupo com mais de, digamos, cinquenta homens partir a cavalo de Nottingham...

A conferência prosseguiu. Comecei a me sentir muito mal. O braço mordido latejava — ele não havia se recuperado bem apesar de ter sido coberto por Tuck com um curativo mergulhado em água benta. Minha cabeça latejava e minha visão entrava e saía de foco. Observei indistintamente enquanto Robin escutava as opiniões de seus homens, tomava uma decisão e seguia para o assunto seguinte. Ele era infalivelmente educado, mesmo quando os planos mais ridículos eram propostos, dizendo apenas:

— Não acho que esta ideia seja a melhor que tivemos hoje.

Ele não precisava ser cruel: João estava sempre pronto para dar uma sova em algum tolo e a análise que Hugh fazia de sugestões idiotas era impiedosa, como eu bem sabia de meus dias como seu pupilo.

Apesar de estar me esforçando muito para me concentrar, percebi que não conseguia manter a atenção. As palavras embaralharam-se e comecei, em meio à tontura e à dor, a ponderar as relações mantidas entre aqueles homens. Todos pareciam ter papéis bem definidos dentro do bando: Hugh, aparentemente, controlava o dinheiro e a parte de inteligência das operações; era dotado de uma mente sutil e tinha uma abordagem filosófica em relação aos negócios. John era quem impunha a vontade de Robin, além de ser responsável por treinar os homens no uso de armas. Robin era o juiz: tomava decisões, dava ordens e equilibrava as duas forças opostas da mente e do corpo, representadas pelo irmão e por John. E Tuck? Tuck era um enigma. Na verdade, o que estava fazendo ao se associar àquela companhia bruta?

A conferência chegou ao fim e, depois de dispensar os homens, Robin permaneceu com Hugh na mesa, conversando em voz baixa com o escrivão. Observei os dois conversarem. O rosto de Hugh estava iluminado de prazer enquanto ele escutava as instruções discretas de Robin. Os dois ficavam muito parecidos sob aquela luz, apesar de o rosto de Hugh ser mais alongado e velho, e também, de certo modo, mais triste. Mas estava claro que Hugh idolatrava o irmão mais novo; seu rosto tinha um ar de devoção absoluta enquanto o escutava. Robin colocou a mão no ombro do irmão e ambos se levantaram da mesa, com Hugh saindo da caverna apressadamente, feliz e determinado. Não voltei a vê-lo por semanas.

Robin veio até mim quando eu estava na boca da caverna, desejando que ele também me mandasse realizar uma missão ou alguma tarefa difícil. Ele olhou duramente para meu rosto, preocupado.

— Você não está bem — ele disse. — Deixe-me ver seu ferimento.

Ele levou-me de volta para a longa mesa, minhas pernas tremendo sob meu corpo, e fez-me sentar. Enquanto desenrolava gentilmente as camadas do curativo, senti pela primeira vez o cheiro, uma lufada de deterioração, o fedor de carne apodrecendo. Enquanto afrouxava as últimas camadas do tecido encharcado de sangue e pus, Robin arrancou as crostas em formação sobre as marcas das perfurações feitas pelos dentes do lobo e gritei quando uma agonia esbranquiçada subiu rapidamente por meu braço e uivou dentro do meu cérebro. Depois, perdi a consciência.

Sonhei com mulheres. E com a floresta selvagem. Eu estava deitado de costas na floresta salpicada pelo sol e ouvia alguém cantando: era "A canção da donzela". A cantora era uma garota de uma beleza quase impossível: flexível e magra como um salgueiro jovem, com um vestido branco com alças pendurado sobre seu corpo jovem e seus seios pequenos e doces. Ela dançava enquanto cantava, ondulando para o meio das árvores e surgindo entre elas, como se fossem suas parceiras de dança. Levantei-me com dificuldade e comecei a correr atrás dela, gritando para que esperasse por mim. Enquanto tropeçava pela floresta com a garota sempre quase a meu alcance, o céu começou a escurecer e saí da floresta, chegando a um trecho pantanoso e vazio, onde parei. Meu olhar foi atraído por uma gigantesca pedra cinzenta, quase da altura de um homem, mas inclinada em um ângulo parecido com o de uma árvore desarraigada. A garota de branco continuava a dançar perto da pedra, mas seus passos eram mais lentos, mais solenes. Ela me chamou mas eu não conseguia me mover e, encolhendo os ombros graciosamente, continuou a dançar ao redor da rocha cinzenta, acariciando-a. Depois, subiu transversalmente a pedra, montando sobre ela como faria em um cavalo, a gigantesca rocha cinzenta despontando entre suas coxas. Então a rocha se transformou em um garanhão cinza que chutava o ar com grandes cascos do tamanho de travessas. A garota deu um grande grito uivante e saiu voando no céu sobre sua montaria. Eles voaram sobre a clareira, com a garota dando gritos selvagens enquanto circulavam acima da minha cabeça. Depois, tão suavemente como uma pena que cai, retornaram ao solo e o cavalo transformou-se novamente em pedra. A garota desmontou com suavidade e deitou-se encolhida na base da rocha, aparentemente dormindo. Enquanto eu a observava, seu rosto pálido começou a corar e ela agarrou a barriga, começando a gemer. Novamente, tentei me mover para ajudá-la, mas não conseguia. Estava amanhecendo e, quando olhei para meus pés, vi que haviam se transformado em raízes de árvores. Olhei novamente para a garota de branco e vi que ela deixara de ser uma menina. Estava deitada de costas, nua, em uma poça de sangue ondulante, a qual se transformou e tornou-se as dobras de um cobertor vermelho sob ela. Seus seios aumentaram, ficaram mais cheios e caíram pendurados para os dois lados de seu corpo; a barriga também inchou e agora estava enorme, madura. Em seguida, enquanto olhava para ela, sua vulva abriu-se como uma flor enorme e, com um longo grito da mulher, um enorme bebê ensanguentado saiu espremendo-se entre suas pernas. Estiquei meu braço direito na direção da mulher, mas foi quase impossível levantá-lo — vi que ele havia se transformado em um galho fino que terminava em ramos retorcidos onde antes ficavam meus dedos. O braço incendiou-se e a dor o percorreu. As chamas começaram a se espalhar para cima, queimando lentamente na direção do meu ombro.

Sob a sombra da grande rocha, a mulher segurava seu bebê, ambos enrolados no cobertor escarlate. Ela olhou para mim e sorriu. Imediatamente, fiquei mais calmo; era um sorriso através das eras, um sorriso confortante e eterno. As chamas de meu braço de madeira apagaram-se repentinamente, como se o membro tivesse sido mergulhado em um balde com água, e as marcas da queimadura retrocederam, retraindo-se em uma única linha preta cruzando meu antebraço. Olhei de volta para a mulher e vi que ela estava mudando novamente. A capa escarlate começou a escurecer, ficando marrom e depois preta. A mulher começou a mudar de forma, suas costas ficaram mais curvadas e os seios murcharam. Dentes caíram de sua boca como as pétalas de uma flor morta e a carne do rosto começou a se desintegrar. O bebê em seu joelho começou a escurecer e a mudar de forma. Uma pelugem escura apareceu em sua pele, ficando mais espessa até se tornar um pelo que cobria o corpo, e uma longa cauda negra brotou de seu traseiro. Eu estava olhando para uma velha com um gato preto piscando em seu colo. Ela olhou novamente para mim e sorriu: uma careta desdentada em um rosto igual a uma noz. Ela estendeu a mão, esticou um dedo ossudo e me chamou; gritei, invadido por um terror inominável.

Quando acordei, estava deitado em um catre de palha em um casebre escuro, nu, sob um cobertor espesso que cheirava a fumaça e a suor antigo. A única luz vinha de uma pequena fogueira no centro do quarto. Um bule de ferro enegrecido estava pendurado em uma corrente sobre o fogo, e uma mulher cuidava dele, murmurando em voz baixa para si mesma. Pelo seu perfil, soube que era a mulher do sonho, todas elas, de algum modo, a donzela, a mãe e a velha, todas em uma. Molhos de ervas secas estavam pendurados no teto e, nos cantos do casebre, havia pilhas de trastes: espadas e escudos velhos cobertos de teias de aranha, os chifres de um grande veado, montes de roupas velhas empoeiradas e o que parecia um esqueleto humano. A mulher viu que eu estava acordado e, com uma concha, colocou um pouco do caldo do bule em uma tigela, a qual trouxe até mim.

— Como está se sentindo? — ela perguntou com um sotaque curioso e alegre. Balbuciei que me sentia melhor, percebi que estava morrendo de fome e comecei e beber a sopa grossa. Ela observou-me comer e olhei-a de volta enquanto sugava e engolia como uma criança voraz. Estudei-a com cuidado. Ela tinha um rosto oval comum, cerca de 20 anos, deduzi, mas desgastada pelos começos das rugas que a acompanhariam pelo resto da vida. Tinha longos cabelos castanhos penteados para trás e amarrados em um rabo de cavalo atrás da cabeça. Não usava capuz nem véu e aparentava estar usando apenas um vestido marrom sem forma, parecido com um saco. Ao redor do pescoço, em uma tira de couro, usava um símbolo curioso, no formato de uma fúrcula de galinha ou da letra Y. Olhei novamente para seu rosto e vi que tinha os olhos castanhos mais bondosos que já vira e, apesar de ser apenas poucos anos mais velha que eu, percebi que me lembrava minha mãe.

Quando terminei de comer, ela pegou a tigela e deu-me um cálice contendo uma infusão de ervas para beber, um pouco amarga, mas refrescante.

— Deixe-me ver este braço — ela disse, começando a desamarrar a atadura de linho branco e limpo. — Pensamos durante algum tempo que você precisaria perdê-lo, pois estava muito infeccionado, mas, pela bênção da Mãe e pela pouca habilidade que tenho, ele parece estar melhorando.

Ela desenrolou a última volta da atadura e gritei em choque. Havia quatro perfurações profundas na carne do meu braço, ferimentos vermelhos fundos com bordas pretas cercadas por pus amarelo, e em cada buraco arrastavam-se duas larvas gordas e rosadas. Ela sorriu:

— Não fique assustado — disse. — Estão lhe fazendo bem. Elas comem a carne ruim e não tocam a carne saudável. Você deve seu braço às minhas pequenas belezinhas gorduchas.

Com extremo cuidado, ela retirou cada uma das larvas e as colocou em uma pequena caixa de madeira. Depois, lavou delicadamente o ferimento com um líquido amarelado e cobriu cada perfuração com uma massa de teias de aranha antes de enrolar novamente todo o braço com uma atadura nova.

— Você deve dormir agora — ela disse. — O descanso trará a cura...

E, antes que terminasse de falar, eu estava dormindo profundamente.

Quando voltei a acordar, Robin estava presente.

— Brigid diz que você está melhorando — ele disse com um sorriso.

Olhei para ele.

— Quem?

— Brigid, a sacerdotisa; quem o curou. A irlandesa que, sem dúvida, tem alimentado você com olhos de salamandra e pênis secos de morcego durante a última semana. — Ele estava sorrindo. — Se bem que devo dizer que você parece estar bem com isso.

E eu realmente me sentia bem. Havia outra atadura limpa e branca em meu braço e senti uma pequena pontada quando flexionei os músculos, mas me sentia bem. Talvez um pouco fraco, mas bem. Na verdade, sentia-me muito bem.

— Bem, você já passou tempo demais como uma lesma na cama. O que precisa é de um pouco de ar fresco, de exercício. — Robin sorriu para mim. — Sei que gosta de roubar, então vamos sair e pegar alguns veados do rei.

Naquela tarde, e por muitos dias depois, cacei veados com Robin. Apesar de estar fraco inicialmente, minha força total voltou depois de mais ou menos um dia e descobri que estava feliz. Na verdade, jamais estivera tão feliz. Cavalgávamos floresta adentro para um local onde os caçadores tinham avistado pequenos rebanhos de veados vermelhos e depois prosseguíamos a pé, aproximando-nos silenciosamente dos animais pela floresta densa, armados com grandes arcos. Os matadores de homens feitos de madeira de teixo tinham um alcance muito maior que a madeira leve de freixo dos arcos de caça usados pela maioria das pessoas, mas eu não conseguia esticar a corda nem mesmo até a metade de sua extensão com o braço ferido — honestamente, jamais dominei realmente o grande arco, mesmo depois de passar anos com alguns dos melhores arqueiros. Mas eu podia me aproximar da caça como um nativo, movendo-me silenciosamente pela floresta, observando cada passo para evitar pisar em algum graveto que pudesse partir sob meu pé e assustar a caça. Nós nos aproximávamos dos veados, movendo-nos de modo dolorosamente lento com o vento batendo em nossos rostos para evitar que os animais sentissem nosso cheiro, parando por alguns segundos entre cada passo e permanecendo imóveis como estátuas para garantir que não tínhamos sido descobertos. Quando nos aproximávamos o suficiente do veado ou da corça, digamos, a uma distância de 50 metros, ou até mais próximo quando as árvores eram suficientemente densas, Robin ou, ocasionalmente, um de seus homens, disparava uma flecha, mirando a um palmo abaixo do ombro para perfurar o coração e os pulmões. Robin tinha uma pontaria magnífica, mas sempre havia uma perseguição confusa depois que o animal era atingido e começava a correr para a morte. Cruzávamos rapidamente a vegetação rasteira seguindo a trilha de manchas de sangue vermelho brilhante até alcançarmos a besta ofegante, exausta e moribunda. Então, os caçadores matavam o animal com suas lanças.

Se o animal fosse um veado adulto, com chifres impressivos, os homens os cortavam, separando-os do corpo, e os embalavam com cuidado especial, enquanto a carcaça, com as vísceras removidas, era colocada nas costas de um cavalo para a viagem de volta para casa. Percebi que a morte de cada veado parecia afetar Robin de um modo estranho. Sempre que matávamos, ele abaixava a cabeça e fazia um prece silenciosa antes que os caçadores pudessem agarrar a besta. E, com muita frequência, Robin quase parecia ter uma lágrima nos olhos depois de matar. Era um comportamento estranho, pois eu sabia o que ele era capaz de fazer com outros homens. Mas a tristeza diante da morte de um animal jamais pareceu diminuir seu entusiasmo pela caça.

Eu era dono do meu tempo nas cavernas de Robin; não havia aulas formais e as obrigações eram poucas. Quando não estava caçando com Robin, eu desfrutava da prática de luta de espadas com João Pequeno. Ele retornara da missão em Southwell com uma saca pesada e encharcada, a qual largara aos pés de Robin. Pedi licença e saí da caverna enquanto examinavam o conteúdo, mas ouvi que Robin providenciara a entrega de uma cabeça decepada a Murdac durante um de seus banquetes com um bilhete em um pergaminho enfiado na boca.

João Pequeno parecia impressionado com minha habilidade com a espada, apesar de que, quando lutávamos — ambos com espadas emprestadas, pois a minha, eu presumia, tinha derretido no fogo no assentamento de Thangbrand, e João sempre usava um gigantesco machado de duas lâminas em batalha —, mesmo sabendo que estava facilitando as coisas para mim, jamais consegui penetrar sua guarda. Para dizer a verdade, eu sentia um pouco de medo dele; João havia se mantido distante de mim em nossos encontros anteriores, mas as sessões de luta de espadas nas cavernas aproximaram e senti que ele queria ser amigável. E, apesar do tamanho gigantesco, da dureza e dos palavrões incrivelmente blasfemos que dizia, eu gostava dele.

Um dia, quando estávamos sentados na grande mesa cuidando de nossas armas após uma sessão de prática enlameada na floresta, com o vento gemendo fora da caverna principal e a chuva pingando na entrada, João contou-me a história de como se juntara a Robin como fora da lei.

— Eu estava servindo ao pai dele, você sabe, o velho barão Edwinstowe — ele disse enquanto esfregava uma parte enferrujada de sua armadura de cota de ferro. — Eu era mestre de armas no castelo, como meu pai antes de mim, que Deus guarde sua alma, e cabia a mim ensinar o jovem Robin a lutar. Ele era da sua idade, talvez um pouco mais novo, e cheio de pecado e impudência naquela época. — Ele riu com a lembrança. — Mas era um garoto bonito e havia fogo nele... e também coragem. Gosto de homens corajosos, sempre gostei e sempre gostarei.

Ele fez uma pausa na história e usou uma pequena faca de frutas para raspar uma marca resistente de ferrugem de sua enorme couraça de malha de ferro. Depois, continuou:

— Começamos o treinamento do modo certo, com varas de madeira. O barão foi contra, dizendo que era uma arma de camponeses. Apenas um pedaço de madeira. Mas insisti, pois existe muita habilidade no uso da vara; ela não custa nada para ser feita e, quando se está desesperado, um pedaço sólido de madeira pode salvar sua vida. — Pensei na clava de Ralph e na noite dos lobos e concordei em silêncio.

— Ele era rápido, forte e aprendia depressa. E tinha coragem. Costumávamos praticar na ponte levadiça do castelo. Nós dois na ponte sobre o fosso, com metade dos criados do castelo observando debruçados sobre as muradas. Eu o derrubava na água nove entre dez vezes, mas ele sempre se arrastava para fora da lama e da sujeira e pegava novamente sua vara. Como disse, era um garoto tempestuoso. Em cerca de um mês, ele conseguia me derrubar ocasionalmente na água... Depois, senti que estava pronto para passar para o aço frio.

"Acontece que, apesar de nos acertarmos com certa força com as varas, ele sempre tinha mais hematomas do que deveria quando tirávamos as roupas para nos lavarmos depois de uma luta e, às vezes, também tinha marcas no rosto. Perguntei-lhe uma vez a respeito e ele apenas abanou a cabeça e fingiu que eu fizera as marcas na sessão anterior. 'Você é um homem cruel e brutal, João Nailor', ele dizia com escárnio. 'Você não conhece a própria força.' Ele mentia, é claro, e eu sabia. Mas se não queria me contar, não havia muito que eu pudesse fazer..."

João parou, deu um enorme gole em sua caneca de cerveja e largou a cota de malha em um balde de madeira. Acrescentou dois punhados de areia com um pouco de água e vinagre e começou a mexer vigorosamente a mistura com um grosso pedaço de madeira.

— Acontece que eu gostava do garoto — ele disse, falando alto sobre o ranger da areia contra a cota de malha de ferro. — Você o podia derrubar, mas ele sempre levantava novamente. E nunca reclamava. Jamais. Mas eu estava curioso quanto a quem poderia estar batendo nele. Quem ousaria? Ele era o filho mais novo de um barão normando, descendente do grande bispo Odo, que veio para cá com o Conquistador. Seu irmão mais velho, William, estava viajando com o pai, servindo ao rei durante boa parte do ano. Hugh, que era apenas um ou dois anos mais jovem que William, mantinha a posição de tesoureiro da família Brewister em Lincolnshire. Não era possível que fosse um dos irmãos mais velhos quem o estivesse espancando. Não poderia ser nenhum dos criados ou homens de armas. Na verdade, quando pensei sobre a questão, soube que só poderia ser um homem, mas não acreditava que ele fosse capaz de punir Robin com tamanha perversidade. Era o padre

Walter, um clérigo, um homem de Deus, que fora enviado pelo arcebispo de York para servir como tutor do jovem Robin.

Ele parou de raspar a cota de malha de ferro contra a areia molhada, tirou a cota encharcada do balde, olhou-a, reparou em uma parte enferrujada e jogou-a de volta no balde. João deu outro gole na caneca e voltou a mexer a armadura no balde barulhento em círculos rangentes e regulares.

— Um dia, quando Robin saiu para praticar combate comigo, estava obviamente sentindo dor nas costelas. Ele insistia que não era nada, mas o obriguei a levantar a camisa e a me mostrar o lado do corpo. Todo seu torso era um emaranhado de hematomas, e pelo menos três costelas estavam quebradas. Fui trocar umas palavras com o padre Walter.

"Ele era um homem alto e esguio com um nariz longo e curvado, parecido com um bico, e tinha uma expressão lamentosa e piedosa. Abri a porta de seu quarto no alto do castelo e encontrei-o rezando, ajoelhado sobre as frias lajotas de pedra do chão, diante de uma grande janela aberta, e apertando um grande crucifixo de madeira diante de si. Estava rezando em voz alta e ouvi o final: '... perdoe este pecador miserável por sua fraqueza; remova as ciladas da tentação de seu caminho e fortaleça sua vontade de resistir. Afaste-me do fogo da danação eterna. Peço em nome de Nosso Senhor Jesus Cristo, único Filho de Deus, amém.'

"O padre levantou-se rigidamente e virou-se para mim: 'Como posso ajudá-lo, meu filho?', ele perguntou tranquilamente. Fiquei parado na porta, indeciso. 'É sobre o garoto Robin', eu disse, e contei-lhe que, na minha opinião, estava sendo severo demais com ele. Mencionei os hematomas e as costelas quebradas e sugeri de modo educado e amigável que ele deveria ser um pouco mais brando com Robin no futuro.

"Padre Walter ergueu-se ao máximo, e não era muito mais baixo que eu, apesar de muito magro. 'Seu boi insolente, ousa falar comigo sobre a punição de um pecador?' Ele estava gritando comigo, urrando como a ira de Deus, e admito que fiquei espantado. 'Acalme-se, padre, estou apenas sugerindo que...', mas ele me interrompeu. 'Seu pateta marginal, você acha que algumas marcas no corpo são importantes. Ele é um demônio do inferno enviado para tentar homens bons a se desviarem do caminho da retidão e, se eu quiser, irei espancá-lo até que sangre para remover de sua alma a mácula imunda do orgulho.' Ele seguiu ralhando e comecei a ficar irritado. O barulho que estava fazendo chamara duas serventes, que observavam a discussão, boquiabertas, pela porta aberta. 'Pelas calças imundas de Cristo, Padre, existe uma diferença entre castigo e bater em um garoto até que sangre todos os dias e...', ele interrompeu-me outra vez, gritando: 'Ousa questionar minhas ações? Ajoelhe-se diante de mim e implore por perdão ou condenarei sua alma ao abismo mais distante e sua carne será cortada por rios de fogo por toda a eternidade!'

"Então, perdi o controle — disse João com um esperto sorriso de lado para mim, e finalmente parou de mexer no balde. — Eu nunca tivera muita admiração por padres e não gosto de ser ameaçado por ninguém. Então, agarrei o valentão reclamão, empurrei-o com força pelo quarto e o segurei pelo calcanhar de cabeça para baixo para fora da janela. Aquilo fez com que calasse a boca. Ele apenas ficou ali pendurado, comigo segurando-o por uma perna magrela, a saia de sua batina revoando ao redor de sua cabeça e 27 metros de ar entre sua tonsura e as pedras do jardim do castelo. Uma multidão formou-se abaixo da janela, mas ninguém pensou em pegar um lençol para pegá-lo. Talvez também o odiassem.

"Falei do modo mais calmo que consegui: 'Se você voltar a encostar um dedo no garoto, acabarei com sua vida miserável. E para o inferno com minha alma eterna. Você entendeu?' Ele concordou furiosamente com a cabeça; seu rosto estava vermelho, inchado de sangue, mas juro que jamais vi um homem parecer mais assustado. Então, puxei-o de volta para dentro do quarto e coloquei-o sobre seu catre. Ele estava mudo de terror. Acho que ninguém jamais o desafiara em sua vida. Fui embora e ele ficou sentado no catre, tremendo de medo e encarando-me com um ar de ultrajado. Foi a última vez que o vi com vida.

"Na manhã seguinte, esperei por Robin no jardim, pois deveríamos trabalhar com combinações de espada e adaga, se me lembro bem. Acabara de amanhecer, mas não havia sinal dele. Então parti em sua procura, pensando que devia ter dormido além da conta. O quarto dele também ficava no topo do castelo. Quando passei pelo quarto do padre, olhei para dentro.

Era horrível — pelas hemorroidas inchadas de Deus —, uma visão que jamais esquecerei. E já vi algumas coisas, amigo. Também as fiz.

"O padre estava nu, amarrado à cama. Uma mordaça estava enfiada em sua boca. Seu corpo inteiro estava coberto de queimaduras — queimaduras purgantes, de um vermelho vivo, com carne escurecida ao redor. Em torno da cama, havia os restos de uma dúzia de velas e os restos queimados de duas tochas de madeira que normalmente eram fixadas em talhas na parede para iluminar corredores escuros. O ar estava tomado por um cheiro parecido com o de carne de porco queimada. Parecia que cada centímetro da pele tinha sentido o toque da chama ao longo do que deveriam ter sido muitas horas. Ainda hoje, tremo ao pensar na agonia que o homem deve ter suportado antes de finalmente ser libertado, tendo a garganta cortada de orelha a orelha. E, como um insulto final, seu próprio crucifixo de madeira fora enfiado rudemente em sua bunda, até a barra da cruz.

"Olhei para o morto e soube quem tinha feito aquilo. Mas, apenas para confirmar, olhei rapidamente no quarto de Robin. Não havia sinal do garoto, não havia dormido na cama e suas roupas e armas tinham sumido. Então, compreendi. Eu seria culpado por aquilo. Na véspera, eu discutira publicamente com o padre e ameaçara matá-lo... E, naquele dia, ele fora encontrado morto. Não demoraria muito até que viessem à minha procura.

"Peguei alguns pertences, selei um cavalo e estava atravessando o portão principal quando os gritos começaram nos andares superiores do castelo. Encontrei Robin em torno do meio-dia. Ele estava sentado na beira da estrada para o sul, comendo calmamente pão com queijo. Enquanto olhava para ele sentado ali, tão inocente quanto um cordeirinho de leite, achei difícil acreditar que tivesse passado a maior parte da noite torturando um padre. Ele cumprimentou-me quando me aproximei, desmontei do cavalo e sentei-me a seu lado. Havia um leve cheiro de carne queimada nele mas, fora isso, Robin parecia igual. Comemos em silêncio por algum tempo, então eu disse: 'Bem, você matou um homem de Deus, e o enforcarão por isso caso seja pego. E, se não o culparem, colocarão a culpa em mim. Portanto, o que faremos agora?'

"'Não se preocupe, João, disse Robin. 'Já resolvi tudo. Acredito... acredito que precisarei obter um título de conde.'

"Ri em descrença, achando que ele estava louco. Afinal de contas, o garoto não tinha nenhum centavo, nenhum amigo e estava fugindo da lei por ter assassinado um padre. Mas Robin prosseguiu tranquilamente, como se estivesse falando sobre qual túnica gostaria de vestir naquele dia: 'E, para o que quero conquistar, preciso me tornar muito temido, e depois muito poderoso, e depois extremamente rico.' Ele olhou para mim com aqueles estranhos olhos cinzentos e percebi que falava totalmente a sério. Depois, ele disse: 'Precisarei de sua ajuda, João. '"

Capítulo 11

Alan, meu netinho, está com febre. Começou quando as folhas novas estavam aparecendo nas macieiras; quando os primeiros viços de vida verde brotaram depois dos meses gélidos do inverno. A mãe dele, Marie, minha nora e encarregada da casa, está fora de si de preocupação; ela teme que o filho morra como o marido. Ela não dorme, fica sentada ao lado do catre de Alan tentando alimentá-lo com um mingau ralo e secando a testa do filho com um pano úmido. Quando ele dorme, ela reza. Passa horas ajoelhada na igreja da aldeia, implorando à Virgem Maria para que salve a vida do filho e cansando os ouvidos da Santíssima Trindade. Mas parece não estar surtindo efeito. O garoto está perdendo peso rapidamente, transpira e remove as cobertas em meio à febre. Ele balbucia, grita e sacode os braços — temo que, em breve, esteja com Deus.

O padre Gilbert, clérigo da paróquia, recomendou jejum e orações para persuadir o Todo-Poderoso a salvar a vida do garoto. Não posso me opor, ficarei de bom grado sem comida se isto salvar meu neto; quando rezo ao Nosso Salvador, o Senhor Jesus Cristo, peço-lhe que tome minha vida no lugar da de meu neto. Marie diz que a doença é uma punição. Ela diz que meus pecados do passado, acumulados durante minha época como fora da lei, são a causa do sofrimento do garoto. Ela diz que é a vingança dos céus. Ela pode estar certa; com certeza, tenho na alma muitas manchas negras obtidas naqueles dias de roubos, assassinatos e blasfêmias, mas acho difícil acreditar que Nosso Pai Piedoso possa matar um garoto inocente e cheio de vida pelos malfeitos tão antigos de um velho cansado.

Se Alan não começar a melhorar logo, decidi sacrificar mais que minha carcaça velha e sem valor. Colocarei minha própria alma em risco. Farei uma visita a Brigid. Ela ainda está viva, e não mora longe, apesar de hoje ser ainda mais velha e enrugada que eu. E, mesmo sabendo que é uma bruxa e uma mulher de práticas depravadas e demoníacas, também conheço seu poder, de modo que irei até ela e implorarei por ajuda. Pelo bem de Alan.

Nas cavernas de Robin, à medida que meu braço recobrava a força e as marcas dos dentes do lobo tornavam-se pequenos calombos rosados e brilhantes, passei a ver Bernard com menos frequência do que no assentamento de Thangbrand; ele se retraíra depois de nossa aventura na floresta e começara a negligenciar a higiene, deixando crescer uma barba rala e irregular. O frangote iridescente havia sumido; ele começou a ficar mais parecido com os outros fora da lei e passava a maior parte do tempo bebendo e compondo sozinho em uma das muitas câmaras de pedra que formavam o vasto esconderijo de Robin. Ele me disse que a acústica em sua caverna era extraordinária; e, com certeza, a música que fazia ali tinha uma qualidade ressonante e material única. Os homens diziam que as cavernas de Robin tinham sido escavadas no leito da rocha por anões mágicos e eram capazes de se fechar totalmente, segundo a lenda, quando assim desejavam os espíritos da floresta, sem deixar nenhum sinal de que jamais tivessem existido. Na verdade, eram apenas muito difíceis de encontrar, pois ficavam em um recanto distante em uma parte desabitada de Sherwood, e jamais revelarei sua localização. Fiz um juramento de que jamais contaria e, apesar de meu senhor, Robin, estar morto, não quebrarei a promessa que fiz a ele.

As cavernas eram espaçosas; em caso de emergência, podiam abrigar duzentos homens. Obviamente, era raro que houvesse tantos ao mesmo tempo no acampamento. Robin enviava um fluxo constante de patrulhas armadas, cada uma com vinte homens e sob o comando de um "capitão" de confiança, para vigiarem as redondezas em busca de tropas inimigas e para prepararem emboscadas contra viajantes ricos. Acredito que fazia isso para manter os homens duros, ocupados e longe de problemas, pois, quando ficavam nas cavernas, eles tendiam a passar o tempo sentados bebendo e jogando, e logo começavam a brigar entre si. A disciplina era tão rígida quanto no assentamento de Thangbrand. As regras eram simples: respeitar Robin e os oficiais; obedecer suas ordens sem questionar; não roubar dos companheiros; e nem pensar em tocar no baú de moedas de prata nos fundos da caverna que continha a cota de Robin. Caso alguém desrespeitasse as regras, a punição seria uma morte horrível.

Eu estava feliz ali. Os homens aceitaram-me como *trouvère* assistente de Bernard e protegido de Robin. À noite, eu cantava para os homens, às vezes com Bernard ou, cada vez mais, sozinho. Eu caçava quase diariamente com Robin, empanturrava-me de carne de veado, desfrutava de discussões filosóficas com Tuck, quando ele estava presente, o que era raro, pois preferia ficar sozinho em sua cela de monge ao lado da balsa. O que fora um local de exílio temporário do priorado de Kirkless havia se tornado seu lar permanente. Alguns diziam que o priorado estava satisfeito por ter se livrado dele. Com certeza, o local era apropriado para Tuck. Ocasionalmente, eu praticava lutas de espadas com João, apesar de ele estar ocupado treinando os recrutas que pareciam surgir como que por mágica na caverna, sempre famintos, sempre maltrapilhos e extremamente gratos por terem a oportunidade de servir a Robin em batalha.

Goody tornou-se uma grande favorita entre os fora da lei e suas mulheres. Era mimada por quase todos no acampamento e corria ao redor fazendo observações inteligentes para velhos guerreiros grisalhos e sendo aplaudida por sua astúcia e seu humor. Eles tinham ouvido a história de como fora corajosa contra o lobisomem, como eu ouvia se referirem comumente ao selvagem Ralph, e a amavam por isso. Ela ficava muito à vontade na companhia deles, tendo crescido na fazenda de Thangbrand. Contudo, suas roupas ficaram esfarrapadas e desgrenhadas, e em pouco tempo seu rosto e seu cabelo ficaram imundos. Naquela companhia de homens duros, o novo visual caía-lhe como uma luva.

Um dia, quando estávamos caçando, mencionei a Robin como Goody estava com uma aparência selvagem, e ele concordou.

— Ela precisa de uma mãe — disse.

Havíamos seguido um rebanho de veados naquela tarde, mas eles ficaram assustados com alguma coisa e galoparam para longe; agora, estávamos caminhando lentamente de volta para o topo de uma colina, onde tínhamos deixado os cavalos.

— Precisarei enviá-la para algum lugar. Você também. — Robin olhou-me de lado. Fiquei chocado.

— Mandar-me para algum lugar? Por quê, senhor?

A ideia me desanimava. Eu havia me adaptado bem à vida nas cavernas, estava feliz ali. Eu sentia que havia conquistado a confiança de Robin, talvez até sua amizade.

— Não posso tê-lo aqui desperdiçando a juventude conosco — Robin prosseguiu. — Cantando baladas rudes para bêbados todas as noites. Você tem música demais para isso, demais mesmo, dentro de você, sabe disso. Bernard fez um ótimo trabalho lhe ensinando.

— Mas para onde você me enviará? — perguntei.

— Para algum lugar civilizado — ele disse, e depois mudou de assunto. — Você é bastante devoto, Alan, não é?

Eu sabia que Robin tinha me visto fazer as orações antes de dormir todas as noites na caverna principal. Mas ele não falou com desdém, parecia genuinamente interessado.

— Acredito que o Senhor Jesus Cristo é meu salvador e o salvador de toda a humanidade — eu disse. Ele grunhiu. — O senhor não acredita em Nosso Senhor? — perguntei, sabendo a resposta.

— Eu costumava acreditar — ele disse. — Eu costumava acreditar com todo o coração. Mas, agora, acho que a Igreja está entre Deus e o homem, e que sua sombra obstrui a luz da bondade de Deus. Acredito que o caminho para Deus não seja através da Igreja corrupta e orgulhosa.

Ele ficou em silêncio, pensando, e talvez poupando o fôlego enquanto subia a colina íngreme. Quando nos aproximávamos do cume, ele disse:

— Acredito que Deus esteja em todas as partes, Deus está ao nosso redor, Deus é isso...

Robin moveu a mão fazendo uma curva ampla a seu redor, indicando uma faixa da floresta que parecia especialmente bela naquele dia de primavera. Tínhamos chegado ao cume da colina e olhávamos para uma longa extensão de folhagens viçosas. Abaixo de nós, a cerca de 20 metros de distância, nossos cavalos estavam amarrados sob a sombra de um grande e amplo carpino verde brilhante repleto de folhas novas. Sob a árvore, um tapete azul de jacintos, como um mar ondulado que parecia fluir interminavelmente pela floresta. A tarde estava dourada, uma leve brisa movimentava as folhas novas e um par de cotovias arremetia e brincava nos galhos. No mesmo instante em que Robin falou, um veado apareceu entre as árvores à nossa frente. Sua cabeça era coroada com um enorme e largo par de chifres. Seus olhos líquidos nos examinaram sob cílios impossivelmente longos. Ficamos imóveis. Robin e eu estávamos sozinhos. Atrás de nós, fora de vista, os criados de caça ainda se esforçavam para subir a colina com nosso equipamento. Robin tinha um arco encordoado na mão e uma bolsa de linho cheia de flechas no cinto. Mas não se moveu. O grande animal vermelho olhou para nós e, maravilhados, olhamos de volta para ele. Era um espécime perfeito, no auge da vida: cabeça alerta montada em um pescoço longo e orgulhoso, quadril musculoso e brilhante e pernas longas e limpas que terminavam em belos cascos pretos. Com a postura firme, o veado balançou os chifres em nossa direção, em desafio — o rei da floresta em todos os aspectos. Olhei de lado para Robin, esperando que erguesse o arco. Mas ele não se moveu. Eventualmente, depois de um último e longo olhar de realeza em nossa direção, o grande veado trotou de volta para a floresta, sumindo de vista. Notei que eu estava prendendo a respiração.

— Aquela bela criatura não é um ótimo exemplo da presença de Deus? — Robin perguntou. — Deus criou aquele animal, e existe algo muito divino naquela besta esplêndida. Não preciso que nenhum padre ou bispo me diga isso.

Robin dizia a heresia mais vil — eu sabia que ninguém poderia alcançar a Salvação sem a Igreja. Mas uma parte de mim, um canto perverso de minha alma, não conseguia deixar de concordar com ele.

***

Havia um aspecto perturbador em minha vida nas cavernas de Robin. Era o soldado prisioneiro que Robin capturara logo antes de nos salvar dos lobos. Ele era mantido perto da caverna principal em uma pequena jaula de madeira, alta apenas o bastante para que ficasse de pé e suficientemente longa para que pudesse se deitar esticado. Certo dia, deparei-me com o prisioneiro quando saí para esticar as pernas. Ele estava imundo, pois encontrava-se confinado e exposto ao clima, e também quase morrendo de fome, pois era alimentado apenas com uma lavagem que até um porco recusaria. Todos no bando de Robin simplesmente o ignoravam, mas eu não conseguia parar de pensar nele. Chamava-se Piers, ele me disse. Sentindo pena do prisioneiro, eu roubava ocasionalmente comida das cozinhas e o alimentava. Nestas ocasiões, eu conversava com ele como um ser humano.

Piers não era um homem inteligente. Apenas um rapaz local de Nottingham, um órfão que fora obrigado a esmolar e a roubar para se alimentar na cidade, chegando a ser declarado fora da lei durante algum tempo, quando ficara escondido em Sherwood. Quando me contou sua história, senti um laço de identificação com ele. Mas, logo depois, uma percepção fria entrou sorrateiramente em meu estômago. Eu soube por que ele estava sendo mantido ali, como um prisioneiro sem valor de resgate. Certa vez, ele integrara o bando de Robin, mas depois fugira dos companheiros para se juntar novamente à sociedade dentro da lei. Chocado, percebi que estava olhando para um cadáver. Muito além do fato de ter participado do massacre no assentamento de Thangbrand, Piers tinha, para os olhos de Robin, traído o bando. Ele era, como Robin dissera, um fantasma; um morto que respirava.

Mantive a expressão serena quando Piers me contou como havia ingressado na guarda da cidade e como, depois de alguns anos, além de muito suor e várias pancadas duras, saltara para as fileiras da cavalaria de elite de Sir Ralph Murdac, feito do qual tinha muito orgulho. Ele era, como eu disse, um homem muito burro. Não tinha esposa ou filhos, e poucos assuntos além das reclamações constantes quanto à condição em que estava. Seu ferimento fora curado por Brigid, mas ele não tinha gratidão e a chamava de bruxa. Sem espaço para se exercitar e com pouca comida, seus músculos estavam definhando. Era um sujeito miserável. Mas meu coração estava repleto de pena por ele e eu rezava para que seu fim fosse rápido e indolor. Minha amizade com Robin seria gravemente desgastada, talvez rompida, se eu precisasse assistir a outra punição como a que fora imposta a Sir John Peveril.

A única outra pessoa que falava com Piers era Tuck. Uma vez, quando fui ver o pobre homem, encontrei Tuck conversando com ele. Noutra ocasião, quando me aproximei da jaula, ouvi Tuck rezando pela alma do pobre homem. Contudo, apesar de sentir pena do soldado enjaulado, uma parte de mim, uma parte vergonhosa, também começou a odiá-lo um pouco. Eu o odiava porque ele era fraco, burro e indefeso — e porque não era possível ajudá-lo. Mas, acima de tudo, eu odiava Piers porque ele foi o motivo de uma grande briga entre os dois homens de que eu mais gostava e que admirava.

Eu estava exercitando com alguns homens, na floresta fora da caverna, o braço com que empunhava a espada, o qual já estava totalmente curado, quando uma grande tempestade de trovões formou-se quase sem aviso e nos deixou ensopados. Quando retornamos para a caverna principal, pingando e amaldiçoando a tempestade, vi Tuck e Robin encarando-se quase a ponto de encostarem os narizes. A atmosfera na caverna crepitava como os relâmpagos. Tuck, ladeado por seus grandes cães caçadores de lobos, Gog e Magog, gritava:

— ...não me diga que irá realmente adiante com esta encenação sanguinária.

— Já lhe disse meus motivos — Robin respondeu em uma voz incrivelmente fria.

Os grandes cães, sentindo a hostilidade do dono em relação a Robin, começaram a rosnar no fundo da garganta, um rumor aterrorizante que era quase tão alto quanto os trovões fora da caverna.

— Você acha que esta... esta demonstração bárbara, blasfema e pagã lhe trará poder sobre estas pessoas, que você será visto como algum tipo de encarnação de um deus? Você está arriscando sua alma imortal com este absurdo, está colocando em risco...

Robin, impassível como uma pedra, interrompeu Tuck:

— Não fale sobre minha alma, padre!

O rosnado dos cães atingira um tom mais agudo, com os animais contraindo os lábios para exibirem seus enormes dentes brancos. Lembrei-me do que tinham feito com a matilha de lobos e tremi. Robin ignorava completamente os animais. Enquanto fiquei ali com o estômago revirando de ansiedade, ouvi um estalido atrás de mim e virei-me para ver Much, o filho do moleiro, com um arco em suas grandes mãos, com a corda totalmente esticada e uma flecha pronta para ser disparada. Ele estava mirando nos cachorros. Olhei ao redor do grande salão da caverna e vi mais meia dúzia de homens com as cordas de seus arcos esticadas, mirando em Tuck, ou segurando os cabos de suas espadas, prontos para brandir as lâminas e cortar o monge.

Os dois homens estavam se encarando, os rostos a centímetros um do outro, nenhum dos dois cedendo na discussão, até que Robin desviou o olhar fixo e olhou ao redor da caverna. Ele tinha uma expressão curiosa em seu belo rosto; durante apenas um segundo, pareceu um estudante culpado. Naquela comunhão privada e intensa com Tuck, ele parecia não ter percebido que a violência estava a apenas um segundo de ser deflagrada. Agora, ao se dar conta de que a caverna estava prestes a entrar em guerra, um lampejo de irritação fez seu rosto tremer.

— Oh, por piedade, Much, abaixe o arco — Robin ralhou. — E o resto de vocês, guardem as espadas. Agora! Somos todos amigos aqui.

Em seguida, olhou de volta para Tuck e deu um meio sorriso para ele. O monge abanou a cabeça, também quase sorrindo, e acariciou as cabeças de seus grandes guarda-costas animais, acalmando-os. A tensão diminuiu na caverna e os homens começaram a se movimentar, desafivelando os equipamentos de guerra, começando a limpar as espadas enlameadas e secando a chuva dos rostos com lençóis ásperos de lã. Tuck disse tranquilamente para Robin:

— Não posso ficar aqui, não posso participar disso...

Robin disse apenas:

— Eu sei.

Tuck pegou um fardo com seus pertences de um canto da caverna, assoviou para seus cães e, sem uma palavra de despedida, saiu da caverna, caminhando sob a chuva.

***

A Páscoa estava chegando e, com ela, o começo de um novo ano. Recebemos uma notícia maravilhosa: Marian viria de Winchester para visitar Robin nas cavernas. Eu sonhara com ela em muitas noites frias, seu lindo rosto de madona emoldurado em azul e branco, e, agora que estava vindo, mal podia conter a excitação. Cheguei até a banhar todo o meu corpo em uma corrente congelante e a limpá-lo esfregando-o com a areia fina do leito da corrente. Também lavei minhas roupas, apesar de terem se tornado uma coleção de trapos desfiados depois de tanto tempo na floresta. Havia roupas novas, fardos e mais fardos da lã verde-escura que os homens de Robin vestiam como símbolo de lealdade ao mestre. Um dia, implorei a Robin por um pouco de tecido para fazer uma nova veste, e ele levou-me até uma câmara nos fundos de uma das cavernas menores, onde as provisões eram armazenadas. Mostrou-me um rolo de lã verde fina e disse-me para pegar o quanto quisesse. Fiquei grato, mas Robin desconsiderou meu agradecimento e partiu, deixando-me para cortar o tecido.

Havia outros dois homens na câmara, envolvidos em uma tarefa curiosa. Usando o mesmo tecido verde-escuro, o qual, posteriormente, ouvi ser chamado de verde Lincoln, cortavam finas tiras do material, com pouco mais de um centímetro de largura, mas extraordinariamente longas — com cerca de 10 metros de comprimento. Quando perguntei o que estavam fazendo, responderam:

— São fitas de convocação.

Quando perguntei o que era aquilo, os homens apenas riram e disseram que eu descobriria no momento apropriado.

Marian chegou praticamente sem ostentação, com um pequeno contingente de uma dúzia de soldados de Gascony, homens da legião da rainha Eleanor, sua senhora. Sua chegada teve um efeito imediato sobre o acampamento. Ela beijou-me afetuosamente no rosto, admirou meu físico masculino obtido através do exercício, perguntou sobre meu canto — o qual, para ser honesto, eu negligenciara bastante desde quando chegara às cavernas de Robin — e deixou-me ainda mais apaixonado do que nunca. Marian foi apresentada a Goody, deu uma olhada em seu rosto sujo e em suas roupas maltrapilhas e ordenou que um grande caldeirão com água fosse aquecido e que uma área fosse isolada atrás de cortinas. Depois que Goody foi obrigada a se lavar — precisou ser arrastada aos berros até a água quente e esfregada à força —, Marian aliviou seu mau humor tomando providências para que um alfaiate fora da lei costurasse para ela um vestido novo de seda e amarrasse fitas em seu cabelo. Depois de um dia, de bom grado, Goody tornou-se sua escrava.

Robin parecia incomensuravelmente mais feliz agora que Marian estava finalmente a seu lado. Ver os dois juntos me trazia uma sensação estranha, desagradável. Descobri que sentia rancor em relação a Robin por ele ter seu amor. Meu mestre despertara muitas emoções em meu coração desde quando o conhecera, um ano antes: reverência, medo, nojo; mas também respeito, afeto, talvez até uma espécie de amor. Agora, sentia raiva dele por passar tanto tempo a sós com uma mulher por quem eu teria feito qualquer coisa. Certa noite, pouco depois da chegada de Marian, os dois pediram-me para cantar com eles, mas eu não conseguia suportar o pensamento de nós três juntos, então fingi que estava resfriado e que não estava com a voz boa. Pude ver que Marian ficou magoada com minha recusa grosseira; Robin também pareceu intrigado.

Eu sabia que estava sendo infantil e repreendi-me severamente por meu comportamento estúpido, mas não conseguia me conter. Quando via os dois juntos, podia perceber que realmente se amavam, e aquilo queimava minha alma como um fogo frio. No jantar, ela se sentava ao lado de Robin enquanto ele se envolvia em provocações grosseiras com os outros fora da lei e, muitas vezes, vi-o pegar a mão dela sob a mesa. A presença de Marian parecia ter mudado o comportamento de Robin; ao lado dela, ficava com o humor mais leve, quase como o de um garoto. Na verdade, todos pareciam mais alegres com Marian no acampamento; as gargalhadas nas cavernas eram mais altas, os homens realizavam suas tarefas com alegria e cantarolando. Eu era o único aborrecido.

Felizmente, havia muitas coisas para manter as mãos ocupadas enquanto refletia sobre a vida e o amor: Robin estava planejando um grande encontro para a Páscoa e todos os homens e mulheres de Sherwood que o serviam, ou que não o quisessem ofender, seriam convocados para um grande banquete no coração de Sherwood para marcar o começo do novo ano. João Pequeno designara a mim, junto com vários outros fora da lei, a tarefa de fazer uma grande mesa circular de tábuas, grande o bastante para acomodar quinhentas pessoas para a refeição de Páscoa. Além do grande banquete no encontro, haveria jogos e campeonatos, presentes, canto e dança, além de demonstrações de destreza marcial.

Hugh retornou às cavernas no dia seguinte à chegada de Marian, trazendo consigo um grande carro de bois repleto de cestas de palha. As cestas continham centenas de pombos e cada uma estava marcada com uma letra pintada rusticamente nas tampas de palha. Cumprimentei Hugh, que parecia muito satisfeito consigo mesmo, e perguntei para que eram as pombas:

— Vamos comê-las no banquete? — perguntei.

Ele pareceu chocado.

— Claro que não — ele disse. — Estes são pombos domésticos, muito especiais, e serão usados para a convocação.

Fiquei intrigado, e Hugh explicou:

— Estes pombos sabem onde ficam suas casas, onde ficam seus parceiros e seus ninhos, e conseguem encontrá-los mesmo quando estão a centenas de quilômetros de distância. Os califas de Bagdá usam tais pombos para enviar mensagens, amarrando pequenos bilhetes escritos à mão aos pés dos pássaros. Mas como poucas pessoas por aqui sabem ler, usamos os pombos para transmitir uma mensagem mais simples.

Eu não tinha ideia do que era um califa, e jamais ouvira falar em Bagdá, mas fiquei intrigado com a ideia de se comunicar através de pássaros.

Hugh continuou:

— Transportamos os pássaros para longe de suas casas e, depois, os soltamos com uma bandeira verde longa e fina amarrada a seus pés. Assim, podem ser vistos por quilômetros enquanto voam para suas casas, com as bandeiras tremulando sob eles. Um pássaro domesticado com uma bandeira verde é uma mensagem; significa simplesmente: "Robin de Sherwood está convocando você." Assim, todos que serviriam a Robin devem se armar e viajar exatamente na direção oposta à de onde os pássaros vieram.

Devo ter parecido confuso, pois Hugh franziu as sobrancelhas e disparou:

— É muito simples, garoto, apenas preste atenção. — Exatamente como quando fora meu professor.

Hugh puxou uma adaga do cinto e começou a desenhar na terra diante de meus pés. Espetou o solo seis vezes com a adaga, fazendo um círculo rudimentar com as marcas.

— Cada marca é uma fazenda com um pombal, usada por Robin para se proteger. Aqui, por exemplo — ele indicou uma das marcas no círculo —, está a de Thangbrand. Que ele descanse em paz. Aqui — acertando outra marca — fica a fazenda de Selwyn; aqui — mais uma punhalada na areia — fica o priorado de Kirklees.

Ele levantou os olhos para ver se eu tinha compreendido — e, realmente, eu começava a entender a elegância do sistema. Hugh acertou o centro do círculo com a ponta da adaga.

— Estamos aqui, nas cavernas de Robin, mas temos conosco pombos que moram em todos estes lugares. — Ele indicou as marcas no círculo feito na terra. — Quando libertamos os pombos, eles voam para casa levando as bandeiras verdes. — Ele desenhou linhas partindo do ponto central para todas as marcas que formavam o círculo, desenhando a forma de uma estrela. — Um homem leal que vê o pássaro voando sabe que deverá marchar na direção exatamente oposta ao voo do pombo e encontrará nossas patrulhas, as quais o guiarão, junto com dezenas de camaradas, até o acampamento. Simples, não é?

Era simples. Fiquei impressionado.

— Mas as bandeiras não se enroscam nos galhos das árvores, prendendo os pombos?

Hugh concordou.

— Algumas sim, e os pombos costumam ser pegos por fazendeiros, os quais, às vezes, comem os pássaros. Alguns homens trazem os pombos de volta para Robin, e ele toma cuidado para recompensar aqueles que fazem isso. Alguns pombos são atacados por gaviões. Não é perfeito, mas funciona.

Convocamos pessoas que servem a Robin por até 80 quilômetros de distância em todas as direções.

Alguns dias depois, vi o sistema em funcionamento. Hugh, eu e vários fora da lei levamos a carroça carregada de pombos para a grande clareira na floresta, onde o banquete seria realizado dentro de poucos dias. Depois de amarrar uma bandeira em cada pombo, o que levou um tempo surpreendentemente curto — os pássaros ficavam quietos em minhas mãos enquanto eu amarrava com um nó simples o tecido verde ao redor de seus pés rosados —, libertamos os pássaros e ficamos observando enquanto alçaram ao céu, circularam sobre a clareira até encontrarem a direção que deveriam seguir e partiram para o norte, o sul, o leste e o oeste, levando em seu rastro as finas bandeiras verdes.

— Dentro de alguns dias — Hugh disse — haverá uma multidão aqui.

E ele estava certo. Dois dias depois, as patrulhas começaram a trazer as pessoas de Sherwood. Era uma coleção heterogênea de humanos: a maioria era de fora da lei, párias e servos fugitivos, os quais obtinham o sustento em Sherwood mas não eram membros do bando de Robin. Muitos tinham ao redor do pescoço o mesmo amuleto em forma de Y usado por Brigid. Alguns queriam servir a Robin como homens de armas ou arqueiros; alguns outros queriam apenas uma refeição decente e bebida. Mas também havia outros: pequenos fazendeiros bem alimentados com varas em suas mãos carnudas, homens para os quais Robin fizera algum favor no passado; aldeões em busca de justiça ou de um pequeno empréstimo, ou então à procura de ajuda contra algum senhor opressor; aprendizes das cidades que haviam fugido dos mestres para um feriado ilícito; pequenos mercadores querendo vender seus produtos; além de, os mais estranhos de todos, dois irmãos que viviam nas profundezas de Sherwood e evitavam todos os assentamentos. O estranho par, vestido inteiramente em peles de animais, não era formado por fora da lei como nós, pois jamais tinha vivido dentro da lei. Ambos usavam o amuleto em forma de Y; eram pagãos que adoravam os antigos deuses da floresta: Cernunnos, o deus veado com chifres, e sua consorte, a Deusa Tripla, que era donzela, mãe e velha ao mesmo tempo, a divindade a quem Brigid, a sábia irlandesa, servia. Eles evitavam os assentamentos, com suas igrejas e tribunais, a menos que fosse absolutamente necessário. Fiquei intrigado e travei amizade com os dois: um velho caçador grisalho chamado Ket, o Ogro e seu irmão, conhecido como Hob da Colina, que era queimador de carvão e fedia com um cheiro pungente de fumaça. Nenhum dos dois era mais alto que meus ombros, e eu ainda não terminara de crescer. Mas eram mímicos incríveis, capazes de imitar todos os pássaros da floresta com grande precisão e de caçar e rastrear melhor do que qualquer outra pessoa em Sherwood. Eram devotos de Brigid, e Hob, especialmente, parecia impressionado com a pequena fileira de covinhas que era minha recordação da noite com os lobos.

— Uma mordida de lobo é muito perigosa — disse Ket, enquanto Hob concordava sabiamente a seu lado. — Nosso tio foi mordido por um lobo e morreu uma semana depois.

— Ele caiu de uma árvore enquanto colhia visco e bateu com a cabeça — disse Hob, olhando com reprovação para Ket.

— Sim — disse Ket. — Mas por que estava colhendo visco? Para curar a mordida de lobo, que havia piorado.

As cavernas de Robin foram transformadas pelas multidões que começaram a chegar na manhã do sábado de Páscoa e estavam claramente animadas para festejar, e aquela parte tranquila da floresta tornou-se tão movimentada, confusa, colorida e barulhenta quanto o mercado de Nottingham. Quem chegava com um pombo de convocação nas mãos era devidamente pago por Robin com uma moeda de prata, recebia seu agradecimento e entregava o pássaro para que fosse colocado de volta na cesta apropriada. Alguns dos visitantes trouxeram barracas; outros ergueram rapidamente barracos rústicos feitos de torrões de grama e galhos de árvores para se abrigarem à noite e, logo depois, seguiram às pressas para uma das cavernas maiores, onde João Pequeno servia gratuitamente grandes tonéis de cerveja a todos que lhe pediam. Bufarinheiros com bandejas cheias de bugigangas, fitas de cores brilhantes e apitos, amuletos da sorte e compotas circulavam gritando "Do que você precisa?", tentando vender seus produtos. Havia brigas de cachorro e disputas de luta livre, além de corridas e um cabo de guerra. Foi realizado um campeonato de arqueiros, vencido por Robin, o que não causou a menor surpresa. Ele até venceu Owain, o capitão escocês de seus arqueiros, que havia lhe ensinado a usar o arco de guerra. A cavalaria da rainha Eleanor Gascon fez uma demonstração de suas habilidades, galopando e acertando com lanças repolhos pregados a estacas na altura de suas cabeças. Bernard foi jurado de um campeonato infantil de canto, para depois se embebedar e cantar canções indecentes por horas para uma plateia de farristas igualmente bêbados. Um contador de histórias viajante, um velho sábio chamado Wygga, com uma barba cinzenta longa e pontiaguda e um sorriso malicioso, entreteve dezenas de pessoas com suas maravilhosas histórias de batalhas muito antigas. Passei horas sentado a seus pés, hipnotizado pelos feitos corajosos do rei Arthur e seus cavaleiros, e jurei que recordaria daquelas histórias fabulosas e que, um dia, faria minhas próprias canções sobre elas.

No domingo de Páscoa, ao meio-dia, foi servido um grande banquete. Todos se sentaram em bancos rústicos na gigantesca mesa circular e oca que eu ajudara a construir com tábuas serradas em uma clareira próxima às cavernas. No total, éramos cerca de quinhentas almas. Dezoito veados vermelhos e uma dúzia de javalis foram assados em espetos, e as hordas famintas comeram até que restassem apenas ossos. Cem galinhas e duzentos filões de pão foram trazidos para a grande mesa circular, acompanhados de tonéis com sopa de legumes. Vinho e cerveja fluíam como rios — tudo oferecido como presente por Robin. Todos comeram o quanto quiseram e ficaram bêbados e alegres. Foi maravilhoso; algumas das pessoas mais pobres aparentavam estar havia semanas sem comer uma refeição decente, e a grande mesa redonda foi coberta por um espírito de harmonia ruidosa, com pessoas de todas as partes do país misturando-se em paz. Havia somente uma coisa que me perturbava. Falei sobre meus temores a Hugh, que estava sentado a meu lado brincando com uma celada, comendo um prato fundo com legumes cozidos frios e ervas e bebendo grandes goles de vinho.

— Com todas essas pessoas aqui, estou certo de que este lugar deixou de ser secreto. Será que Sir Ralph Murdac não saberá onde nos encontrar?

Hugh abanou a cabeça.

— Somos fortes demais agora — ele disse, embaralhando muito levemente as palavras. — Neste instante, deve haver trezentos guerreiros aqui comendo a carne oferecida por Robin. Murdac precisaria esvaziar Nottingham para se igualar a nós em número. Não. Se ele desejasse nos atacar, precisaria reunir um exército de verdade, com mil homens ou mais, e seríamos informados a respeito muito antes de quando estivesse pronto para partir.

Fui confortado por aquele raciocínio e ataquei com entusiasmo meu prato de javali assado com molho de moráceas em conserva. Enquanto mastigava, outro pensamento me ocorreu e olhei de lado para o irmão de Robin.

— Hugh — eu disse, encorajado por seu rosto embebedado a fazer uma pergunta pessoal. — Por que você é um fora da lei? Certamente, um homem com suas habilidades não poderia encontrar um lugar em uma residência nobre? Talvez você pudesse até servir ao rei, mantendo-o protegido dos inimigos, assim como faz com Robin.

Hugh suspirou e pude sentir o aroma doce de vinho em seu hálito.

— Você não tem família, Alan, não é verdade? — ele perguntou. Abanei a cabeça. — A família é uma bênção e um fardo — ele disse com seu jeito de professor, como se estivesse iniciando uma palestra. — Uma família é como um grande castelo; fonte de muito poder e força... Mas também é uma prisão.

Servi-lhe outro cálice de vinho e ele agradeceu movendo a cabeça antes de prosseguir:

— Nosso pai morreu pouco depois de Robin ter sido declarado fora da lei. Alguns dizem que morreu por estar com o coração partido. Entre os três filhos, o velho barão amava mais a Robin, apesar de ele ser o mais novo. Ele nunca se importou muito com William ou comigo e, se o velho desgraçado não tivesse morrido, ele certamente teria persuadido o rei a conceder o perdão a Robin, acredito. Mas o arcebispo de York, o devoto Roger de Pont L'Eveque, insistiu para que Robin recebesse a maior punição permitida pela lei por ter assassinado perversamente um de seus criados. E, como Robin não deixou a floresta para ser julgado, o arcebispo declarou-o fora da lei. Pouco depois, o velho barão teve um derrame e morreu. William, nosso irmão mais velho, assumiu suas terras. Então, o arcebispo Roger morreu. Mas, àquela altura, Robin tinha uma lista gigante de crimes graves atribuídos a seu nome e Ralph Murdac estava atrás de seu sangue.

"Nem Robin nem eu somos próximos de William, apesar de ele ser apenas dois anos mais velho que eu. Ele é tudo que Robin não é: devoto, mesquinho, tímido, cauteloso e respeitador das autoridades. É uma espécie de lombriga, para ser sincero. — Fiquei um pouco chocado ao ouvir Hugh falar do irmão mais velho daquela maneira. E ele pareceu ter percebido, em meio a todo o vinho que bebera.

"Para crédito de William — Hugh continuou —, ele fez uma proposta a Robin, que ainda vale: caso Robin se renda a ele, William intercederá junto à lei e tentará obter lenidade. Robin não está interessado, obviamente; ele preferiria negociar estando em uma posição forte, e é por essa razão que faz tudo isso. — Movendo o braço, Hugh indicou as centenas de rostos felizes e ruborizados nas mesas à nossa direita e esquerda. — Robin preferiria ter um exército particular atrás dele, umas duas centenas de homens de armas leais e uma dúzia de barris de prata para gastar quando pedir o perdão real. E, na verdade, ele está certo. — Hugh bebeu um grande gole de vinho. — Ele sempre está certo, compreende? Sempre. Não é como eu. Estou sempre errado. Sempre do lado errado. — Sua bebedeira estava entrando no estágio da autocomiseração.

— Sendo assim, como você foi parar com Robin na floresta? — pressionei-o.

— Por causa de uma mulher, é claro — disse Hugh.

Ele gargalhou, a cabeça pendurada entre os ombros, rindo sem parar até os sons que fazia ficarem mais parecidos com soluços. Então, esbofeteando o rosto com a manga da camisa, virou-se para mim com os olhos turvos e perguntou:

— Você já esteve apaixonado, Alan? — Não esperou pela resposta. — Vocês, *trouvères*, parecem pensar que o amor é um jogo divertido, algo para matar o tempo. Mas não é. — Hugh levantou os olhos embaçados e fixou-os nos meus. — Amor é dor — ele disse com uma expressão perfeitamente vazia. — Amor é uma agonia que afugenta o sono e transforma o pão em cinzas dentro da sua boca. Já amei, e sei do que estou falando.

Ele fez uma pausa e me olhou, mas eu não disse nada. Eu queria que ele prosseguisse, mas senti a beligerância em sua voz, a truculência do bêbado que sente pena de si mesmo, e soube que seria melhor permanecer em silêncio.

— Eu estava apaixonado — ele disse, depois de alguns instantes — pela mulher mais linda do mundo. A garota mais linda do mundo. Chamava-se Jeanne e era filha de Richard de Brewister. Oh, Deus, ela era linda! — Hugh bebeu outro gole de vinho e endireitou os ombros, tentando ficar sóbrio. — Eu era tesoureiro do lorde de Brewister. Eu administrava sua residência, cuidava de suas contas... Oh, já faz cinco ou seis anos... E foi ali que me apaixonei por Jeanne. Ela também me amava. E quando Jeanne engravidou, eu quis me casar com ela, mas Sir Richard não queria saber da união. Ele visava algo mais elevado, um conde ou um duque, e não o segundo filho de um pequeno barão, um simples escrivão, e mandou-me embora, em desgraça; o maldito insensível mandou-me de volta para William e enviou a filha para um convento de freiras, onde gestaria a criança secretamente. Era um menino. Mas ouvi dizer... fui informado... que Deus levou os dois durante o parto.

Hugh ficou emocionado e começou a chorar abertamente, as lágrimas descendo por seu rosto comprido, e fiquei constrangido por ele. Quando era meu professor rigoroso na fazenda de Thangbrand, eu jamais o vira bêbado, jamais o vira tão vulnerável. Eu queria me afastar dele, fugir de sua humilhação. Em vez disso, coloquei desajeitadamente o braço ao redor de seu ombro, o que pareceu lhe trazer um pouco de consolo. Perguntei o que acontecera depois.

— Fiquei tão infeliz depois que ela morreu que não consegui sossegar. De volta em Edwinstowe, eu era apenas um cavaleiro sem posses, o irmão mais novo do senhor. Eu jamais herdaria coisa alguma. Jamais teria permissão para me casar, apenas levaria a vida sob a sombra de William, vivendo de sua generosidade, comendo os restos de sua mesa. Eu estava desesperado. Pensei em me ordenar... Sempre tentei amar a Deus com todo o coração, e também servi-LO, mas William não permitiu. Ele queria ter-me por perto, um dependente grato, vivendo à custa de sua generosidade, para sempre. Acho que, no fundo, ele me odeia. Mas fui chamado por Robin. Ele esticou a mão de dentro da floresta para me salvar.

Hugh esforçou-se para se recompor. Ele fungou e secou os olhos avermelhados com um guardanapo de linho. Depois, assoou o nariz com um som alto parecido com o de uma trombeta.

— Robin precisava de mim, veja bem. O bando tinha crescido muito; começando com somente ele e alguns amigos emboscando viajantes em Sherwood até se tornar este circo que você vê hoje: com abrigos, informantes e o tribunal viajante, aplicando sua justiça no povo. Ele é, na verdade, exatamente como um rei, decidindo o destino de centenas, talvez milhares de pessoas. Tem um tesouro decente e praticamente controla o próprio exército... E pediu a mim para ajudá-lo. Não foi uma decisão muito difícil, na verdade. Um pobre cavaleiro sem posses e dependente, um mendigo nobre, na verdade, ou principal ministro de um rei, ainda que um rei fora da lei.

O banquete estendeu-se pela tarde, até o começo da noite, com malabaristas, acrobatas e engolidores de fogo entretendo os presentes durante muito tempo depois de estarem quase explodindo de tanto comer. E, quando a lua começou a subir no céu noturno, deixei a mesa aos tropeços, com o estômago esticado como a pele de um tambor, e voltei para a caverna para encontrar minha cama quente de palha. Deixei Hugh roncando na mesa, com sua longa cabeça calva descansando sobre os braços.

Acordei poucas horas depois. Fora da caverna, a grande lua estava alta no céu, mas não foi o luar que me acordou. Alguns homens movimentavam-se na caverna, silenciosamente, quase furtivamente, vestindo roupas quentes e saindo sozinhos ou em pares pela entrada da caverna e embrenhando-se noite adentro. Tudo estava quieto, exceto pelo roçar delicado de capas de peles de animais e de casacos de lã enquanto os homens se vestiam e saíam na noite iluminada pelo luar brilhante. Fiquei curioso. Aonde estavam indo àquela hora? Muitos fora da lei permaneciam encolhidos e roncando, alheios a tudo, mas decidi seguir os homens e descobrir o que poderia ver. Fiquei de pé com um salto, coloquei sobre minha camisa uma grande capa com capuz e mangas largas e os segui.

Havia cerca de meia centena de homens e mulheres deixando a caverna e os barracos rústicos dos visitantes e seguindo para a floresta. Era uma visão assustadora depois daquele dia tumultuado, mas todos estavam em silêncio, quase reverentes enquanto se afastavam das lareiras e penetravam na floresta escura e selvagem. Tomado por uma sensação de excitação, cobri bem meu rosto com o capuz e segui a multidão silenciosa. Senti-me parte de algum segredo grande e solene enquanto caminhava atrás de dois fora da lei a quem conhecia um pouco, seguindo entre as árvores ao longo de uma trilha antiga coberta de vegetação rasteira e arbustos, indicada por pequenas velas colocadas nas forquilhas das árvores em intervalos regulares. Quando estávamos nas profundezas da floresta, alcancei os dois homens, que me cumprimentaram com a cabeça, mas sem dizer nada. De algum modo, soube instintivamente que não deveria macular a noite com minhas perguntas. Caminhamos em silêncio durante quase uma hora, seguindo a trilha iluminada pelas velas à nossa frente, até que, de repente, saímos da floresta na margem de um trecho de terreno pantanoso selvagem, e não consegui conter um suspiro de surpresa. Era o pântano do pesadelo febril que eu tivera na casa de Brigid, com a grande rocha cinzenta exatamente como eu a sonhara, a forma inclinada da antiga rocha apontando no mesmo ângulo para o céu. Mas ali estavam as formas de cerca de cinquenta figuras vestidas em robes escuros, encapuzadas e solenes, ao redor da antiga rocha, diante da qual havia uma grande fogueira. Amarrado à grande rocha de granito, nu, amordaçado, iluminado pelas chamas trêmulas e com os olhos imensos de terror, estava Piers, o prisioneiro.

Capítulo 12

Enquanto eu olhava para Piers, começaram a tocar um tambor; um som grave, lento e pesado, que soava como as batidas do coração de uma besta gigante. Eu estava feliz com o grande capuz da minha capa, e puxei-o ainda mais para a frente, pois não queria capturar o olhar do pobre desgraçado. Tampouco queria olhar diretamente no rosto de qualquer pessoa. Era vergonha, acredito. Agora, sei por que Robin preservara aquele soldado inimigo, o traidor que tinha sido um fora da lei, e meu sangue congelou à medida que me dei conta da crueldade blasfema que seria perpetrada naquela noite. Mas, por alguma razão, eu não conseguia me mover; não conseguia protestar. Não fiz nada além de observar com um horror crescente enquanto o ritual impiedoso se desenrolava. E, quando terminou, quando fui atormentado pela voz da minha consciência, desculpei-me com o pensamento de que não poderia ter feito nada para salvar a vida dele em meio a uma multidão de pagãos sedentos de sangue; que tentar perturbar aquela cerimônia satânica poderia ter resultado em minha própria morte e não serviria a propósito algum. Mas a verdade é mais sombria do que isto. Não fiz nada além de observar porque uma parte de mim, um canto podre e corrompido de minha alma, queria ver a execução do ritual. Disse a mim mesmo que se tratava de bruxaria, que eu fora imobilizado pela mágica naquela noite, mas a verdade é que, como todos os outros participantes, eu estava curioso, e uma parte de mim queria que o sangue de Piers fosse derramado para os deuses antigos.

O som grave do tambor foi acompanhado por outro pulso mais leve, mas igualmente latejante, e depois por outro tambor, meia batida antes dos outros dois. Juntos, aquele terrível ritmo combinado anunciava a morte daquele homem aterrorizado amarrado à pedra antiga: ba-buum-buum; ba-buum-buum; ba-buum-buum... Apesar de tudo, percebi que estava me movimentando no ritmo da batida dos tambores, balançando de um lado para o outro, com a consciência amortecida, embriagado pelo martelar ritmado. Quando olhei ao redor, vi que todos os outros homens e mulheres também estavam balançando. Em seguida, começaram a cantar: um hino grave com uma melodia perturbadora que eu jamais ouvira antes. Mas a música tinha uma beleza majestosa, era um hino para a Deusa da Terra, de quem brota toda a vida, fonte de toda a fertilidade. Eu não conhecia a letra, mas a canção era poderosa, irresistível, de modo que também fui tomado pela alegria da música e, quando o hino chegou ao fim, descobri-me cantando junto com a multidão: "Salve a Mãe... Salve a Mãe... Salve!"

Com o último grito de "salve!", uma figura destacou-se do círculo de adoradores e dirigiu-se para o espaço central próximo à fogueira. Era uma mulher vestida com um longo robe preto de lã bordado com estrelas, lebres e luas crescentes. Seu rosto, parcialmente oculto pelo capuz do robe, estava pintado de um branco puro. Ela carregava um pequeno vaso redondo de ferro em uma das mãos e um punhado de visco na outra. A mulher caminhou graciosamente até a fogueira diante da grande rocha, levantou o vaso e o visco e, parecendo olhar diretamente para mim, disse com uma voz alta e clara:

— Vocês estão prontos para ficarem na presença da Deusa, a Mãe do Mundo?

A multidão respondeu, gritando com uma voz terrível:

— Estamos prontos, Mãe, estamos prontos!

A sacerdotisa ajoelhou-se diante do fogo e, depois de murmurar uma oração, jogou um punhado de ervas no fogo, o qual se avivou com um luz verde e azulada. Então, com os olhos fechados, ela passou lentamente o vaso de ferro três vezes sobre as chamas. A mulher levantou-se, abriu os olhos e, caminhando lentamente ao redor do círculo de observadores, mergulhou o visco no vaso de ferro e espirrou água sobre os celebrantes, gritando:

— Pelo fogo e pela água, vocês são purificados.

Enquanto ela se movia ao longo do círculo, mergulhando o visco e respingando a congregação, temi que se aproximasse de mim. Era apenas Brigid, eu sabia, naquele robe estranhamente bordado e com o rosto terrivelmente embranquecido de giz. Era apenas a gentil mulher que havia curado meu braço. Mas um horror crescia dentro de mim; eu tinha certeza de que um mal inominado estava entre nós e, quando ela se aproximou com o vaso de água e o visco, mantive o rosto baixo, voltado para o solo, e um arrepio atravessou meu corpo quando senti a água fria respingar em minha capa.

Quando a sacerdotisa terminou a purificação da congregação, entrou no círculo de luz ao lado da fogueira e, com os olhos brilhando, disse com um grande grito: "Vejam a Mãe!" Despiu-se do robe com um movimento rápido e ficou ali de pé, nua, com os braços abertos. Seu corpo estava pintado com uma confusão de símbolos loucos, cujas imagens se sobrepunham: na parte inferior do ventre, havia luas crescentes que se cruzavam, tomando a forma branca e brilhante de uma estrela entrelaçada. Elas só podiam ser distinguidas levemente atrás das fitas e cachos azuis, vermelhos e brancos que pareciam crescer de seu corpo e subiam até seu peito. Seus seios fartos tinham sido pintados de vermelho, com linhas pretas em zigue-zague que pareciam brotar dos mamilos; seus braços abertos tinham sido pintados com serpentes verdes, salpicadas de pontos amarelos brilhantes: era como se as cobras estivessem enroladas ao redor dos braços e rastejassem na direção de seu coração. Onde havia espaço, o resto do corpo estava coberto de símbolos representando os animais de caça: veados e lebres, cães e falcões — nas coxas, um javali rosnava silenciosamente entre um grande par de presas. Brigid ficou imóvel, permitindo que admirássemos os desenhos sobre seu corpo nu. E, apesar da minha repulsa diante daquela exibição pagã, senti meu ventre se mover. Ela tinha um corpo lindo, no auge da feminilidade: seios redondos e perfeitos, ainda firmes e fartos, cintura estreita, alargando-se em coxas lisas e generosas, e o tufo escuro repousando entre as longas pernas esguias. Senti meu pau endurecer dentro das calças.

Desviei o olhar da nudez da sacerdotisa e, como que por punição pelo meu desejo, olhei para Piers, amarrado à rocha. Ele também parecia hipnotizado pela nudez; seus olhos estavam grandes e escuros, e deduzi que tinha sido drogado. Depois reparei, nos limites do círculo de luz feito pela fogueira, atrás da grande rocha, na forma de um veado selvagem. Um grande par de chifres e o focinho de uma nobre besta eram parcamente visíveis entre as sombras que se moviam. Não poderia ser real; nenhum veado chegaria tão perto de uma aglomeração como aquela. Membros da congregação suspiraram maravilhados quando viram a besta, e um murmúrio despertou como o sussurrar do vento através de um salgueiro: "Cernunnos, Cernunnos, Cernunnos..." E, por detrás da rocha cinzenta, surgiu uma criatura que eu jamais vira.

Ela caminhava sobre duas pernas, como um homem, mas o corpo era muito menor, curvado e coberto quase até o chão por um couro queimado de sol. Gigantescos chifres amplos brotavam de sua cabeça e, sobre o rosto, vestia uma máscara de veado feita de madeira. Movia-se inconfundivelmente como um veado, o movimento nervoso com a cabeça, os movimentos repentinos seguidos por aquela imobilidade incrível que toma conta de um animal quando está atento a algum perigo. À medida que a figura começou a caminhar ao longo do círculo de celebrantes, fiquei impressionado com o quanto parecia incrivelmente real; havia algo nos passos delicados, no ângulo da cabeça. Então, eu soube o que — ou melhor, quem — era. Era Hob da Colina — no dia anterior, eu o vira imitar veados e várias outras bestas para nos entreter. Agora, interpretava o papel de um antigo deus da floresta. Quando o homem-veado terminou de caminhar ao longo do círculo, com um salto, a criatura desapareceu atrás da rocha exatamente como um veado salta para a floresta quando vê o caçador.

Virei-me para observar a sacerdotisa e vi que, agora, estava armada com um minúsculo arco e uma flecha, parecidos com um brinquedo de criança. Enquanto eu observava, ela disparou a flecha para a escuridão atrás da rocha. Um grande uivo foi emitido pela congregação e o grito "Cernunnos, Cernunnos..." recomeçou, aumentando de um sussurro para um canto a plenos pulmões. Por detrás da rocha, surgiu um homem nu, exceto por uma saia de pele de veado ao redor de seu ventre. Seu rosto estava pintado de marrom, os olhos com um contorno branco, para que parecessem enormes, e sobre sua cabeça havia o mesmo grande par de chifres que Hob usara antes. Sua mão estava apertada sobre seu coração, do qual uma flecha despontava entre os dedos, e um fino filete de sangue, como que saindo de um arranhão, escorria por seu peito nu. Era Robin, percebi com um sentimento desalentador de inevitabilidade. Quando o grito "Cernunnos" atingiu um auge frenético, ele desabou graciosamente diante da pedra e ficou imóvel no chão, a flecha em seu coração apontando para o céu. Enquanto eu olhava para o corpo, em meio ao turbilhão de emoções conflitantes, reparei em algo estranho em seu rosto pintado de marrom; era sua boca. Ocasionalmente, ela parecia se contorcer levemente. Naquele momento solene, no ápice daquele ritual poderoso que era claramente uma ofensa a tudo que era cristão e decente, o cadáver de Robin parecia estar tentando conter o riso.

A congregação silenciou-se — ninguém, exceto eu, parecia ter reparado nas contorções faciais de Robin. Em seguida, em meio ao silêncio, diante do corpo morto de Robin, Brigid avançou para o círculo de luz da fogueira, novamente de robe, mas com o capuz para trás e uma expressão feroz e determinada no rosto. Ela segurava uma maça de ferro com a mão direita e um laço de forca com a esquerda, além do vaso de ferro; ao redor de seu pescoço, em uma fina fita de couro, havia uma faca preta de pederneira que reluzia com uma malícia ancestral sob a luz do fogo. Brigid caminhou até a grande rocha. Piers, amordaçado e amarrado, olhava para ela com olhos suplicantes. Os olhos dos dois se encontraram, tenho certeza, por um instante, mas não havia piedade em Brigid, que, levantando a maça, gritou "em nome da Mãe" e atingiu a bola de ferro em um lado da cabeça do pobre condenado.

Ele desabou imediatamente, a cabeça pendurada no pescoço, e não senti nada além de um grande alívio. "Morto ou inconsciente", pensei, "ele agora não sente nada." Foi quando me dei conta de que, em minha mente, eu já aceitara a inevitabilidade de sua morte — e minha culpa começou a fluir como o sangue que escorria pelo rosto de Piers.

Brigid colocou o laço ao redor da cabeça caída de Piers e, gritando "em nome da Mãe", novamente com uma voz estridente, puxou com força a ponta da corda, apertando o cânhamo até que ele cortasse profundamente a pele macia do pescoço. Piers não se moveu, exceto quando Brigid deu alguns puxões na corda, e pensei: "Graças a Deus, ele agora está em paz." Eu estava errado.

A sacerdotisa retirou o laço e, inclinando a cabeça para um lado e posicionando cuidadosamente o vaso de ferro abaixo dela, levantou a faca negra e gritou: "A vida dele para a Mãe", e cortou vigorosamente o pescoço flácido do condenado, partindo a garganta pálida de Piers até os ossos da espinha. Houve um enorme esguicho de sangue e um grande suspiro coletivo da congregação; o coração de Piers, que ainda batia, forçava o sangue para fora do corpo em esguichos furiosos, e depois em um fluxo pulsante que descia por seu ombro nu e escorria para dentro do vaso de ferro. Fechei os olhos e fiz uma oração ao nosso Senhor Jesus Cristo pela alma almadiçoada de Piers. E pela minha.

Mergulhando os dedos no sangue que escorria do pescoço da vítima, Brigid ajoelhou-se ao lado de Robin e, cuidadosamente, desenhou a forma da letra Y no peito de meu mestre enquanto ele jazia no chão em sua postura de morte. Depois, ela levantou as mãos ensanguentadas para o círculo de observadores e gritou:

— Erga-se, Cernunnos, erga-se, Senhor da Floresta...

A congregação ecoou os gritos, começando tranquilamente e gritando cada vez mais alto.

— Erga-se, Cernunnos, erga-se, Senhor da Floresta...

E Robin, como que despertando de um sono profundo, levantou-se desequilibradamente e ergueu os braços acima da cabeça, o formato de seu corpo reproduzindo o Y sangrento em seu peito e o grande par de chifres sobre sua cabeça.

O canto havia mudado para "salve, Cernunnos, salve, Cernunnos...", cada vez mais alto até atingir um volume quase ensurdecedor, e os tambores recomeçaram, acompanhando o ritmo do canto e ficando mais frenéticos a cada batida. Finalmente, de repente, Robin abaixou os braços nus e o barulho cessou imediatamente. Um silêncio assustador pousou sobre aquele pedaço de pântano amaldiçoado por Deus. O corpo de Piers, amarrado à rocha, pendia flácido, as últimas gotas de sangue pingando dentro do vaso de ferro. E Robin falou, sua voz espantosamente alta em meio ao silêncio:

— Aqueles que desejam receber a bênção de Cernunnos, avancem e ajoelhem-se diante dele.

Uma mulher da congregação deu um passo à frente e ajoelhou-se diante de Robin. Ele colocou um dedo dentro do vaso com o sangue de Pier e, curvando-se para a frente, desenhou na testa da mulher o símbolo sangrento do veado, o símbolo em forma de Y. Ela tremeu em êxtase quando os dedos de Robin tocaram sua testa. Depois, virou-se e agarrou um homem da congregação, arrastando-o para longe da luz da fogueira e rasgando as próprias roupas na pressa para começar a se acasalar. Outro fora da lei avançou, ajoelhou-se diante de Robin e foi marcado com o sangue sacrifical... mas eu já tinha visto minha cota de sangue, de teatro e de mortes desnecessárias, de modo que, à medida que mais pessoas avançavam para receber a bênção de Robin, dissolvi-me na escuridão e, com o coração pesado e culpado, comecei a caminhar de volta para a caverna. Atrás de mim, eu ouvia os uivos de homens e mulheres, estranhos entre si mas inflamados pela noite de sangue, envolvidos em excessos sexuais frenéticos. Eu sabia que não sentiriam minha falta.

Deixei as cavernas de Robin no dia seguinte. Devo dizer que não foi por ter encontrado a coragem de abandonar um grupo tão perverso de pagãos assassinos. Não, foi Robin quem me mandou embora. Fui chamado por ele na manhã seguinte ao sacrifício. Ele parecia cansado e ainda havia traços da tinta marrom em seu rosto. Não mencionei a cerimônia sangrenta que eu testemunhara na noite anterior, apesar de ter precisado morder a língua. Como eu estava bem coberto pelo capuz e partira sem receber a bênção sangrenta e pagã de Robin, acreditei que meu mestre não saberia que eu estivera presente em seu ritual impuro. Contudo, caso começasse a falar a respeito, a fazer perguntas, eu sabia que meu desgosto jorraria como o sangue de Piers.

— Estou enviando você para Winchester — Robin me disse; ele parecia sentir minha reprovação e sua voz estava fria. — Você canta bem, mas Bernard diz que não pratica o bastante. João diz que você usa bem a espada, mas não preciso de outro espadachim. Preciso de um *trouvère*, como seu pai, um homem que possa viajar de castelo em castelo, entregar mensagens para mim e pagar pelo ingresso em qualquer casa gentil na qual venha a entrar com boa música e bons modos. Portanto, acho que chegou a hora de você adquirir um pouco mais de polimento e de conhecimento sobre o mundo. E a corte da rainha Eleanor, em Winchester, pode fornecer tais coisas. A condessa de Locksley o levará até lá e irá lhe orientar com segurança pelos salões dos poderosos.

Com aquelas palavras, minha reprovação evaporou. Eu disse:

— Obrigado, senhor. — E estava realmente agradecido. Eu viajaria com Marian para visitar a rainha! E viveria na corte com as pessoas mais nobres do país. Eu, um cortador de bolsas órfão e imundo de Nottingham, ombro a ombro com lordes e damas, até mesmo com a realeza! Perdi-me em uma fantasia elaborada, na qual o rei me concedia o perdão, chamava-me de amigo bom e fiel e fazia de mim um criado particular ou outra coisa, quando percebi que Robin ainda estava falando:

— ...Godifa precisa crescer como uma dama, o que não acontecerá aqui. E Bernard... bem, Bernard está desmoronando neste lugar. — Robin fez uma pausa. — Está ouvindo, Alan? — Assenti. — Marian tem os próprios gascões, é claro, mas quero que fique especialmente de olho nela por mim. Promete que a manterá em segurança durante a longa viagem? — Robin fixou solenemente em mim seus grandes olhos prateados.

— Oh, sim, senhor — eu disse. — Será uma honra.

Eu poderia tê-lo abraçado. Todos os pensamentos sobre Cernunnos e sacrifícios humanos haviam sumido da minha mente. Robin tinha este efeito sobre muitas pessoas; não importava o que fizesse de errado, era impossível ficar com raiva dele por muito tempo. Aquele era seu poder verdadeiro, acredito, e não suas fileiras de arqueiros e sua cavalaria.

Partimos ao meio-dia. Antes da partida, Robin deu um presente a cada um de nós. Marian recebeu um belíssimo colar com cem pérolas grandes, com dois brincos de cachos de pérolas que combinavam com o colar. Para Bernard, Robin devolveu sua viela de madeira de macieira, recuperada do casebre na fazenda de Thangbrand. Nossa antiga e confortável casa não fora destruída pelos cavaleiros saqueadores do xerife, apesar de o lugar ter sido totalmente revirado. Milagrosamente, a preciosa viela não fora roubada — talvez os homens de Murdac não fossem musicais — e acabara sendo recuperada por uma das patrulhas de longo alcance de Robin, a qual enterrara os mortos e recolhera tudo que fosse de valor.

Para Goody, Robin deu de presente o rubi de Freya. Meu queixo caiu; eu jamais esperava rever aquela grande joia vermelha como sangue. Eu presumira que a pedra tivesse sido perdida no incêndio, mas os homens de Robin foram informados por Hugh sobre o local exato no qual deveriam procurar e tinham-na escavado do chão chamuscado. Quando Robin entregou a Goody o rubi, ele disse:

— Esta pedra pertencia a sua mãe, portanto a estou dando a você, para que se lembre dela. Mas tenha cuidado com a joia. Sinto nos ossos que não é uma joia que traz sorte. Guarde-a bem.

Robin havia colocado a joia em um broche preso a uma fina corrente de ouro, e fui obrigado a reconhecer que ficara magnífica. Mas Goody, fazendo uma reverência e agradecendo graciosamente a Robin, virou-se para Marian e ofereceu-lhe o colar.

— Não quer ficar com ela, Marian? — ela perguntou. — É uma joia boa demais para uma menina; posso perdê-la ou pode ser que a roubem de mim, mas acho que ficaria muito bem em você.

Marian aceitou.

— É linda — ela disse. — Eu a manterei em segurança para você até que esteja totalmente crescida e, talvez, em ocasiões especiais, você me daria permissão para usá-la?

Goody sorriu para ela, e as duas começaram a examinar a belíssima pedra vermelha.

Para mim, Robin deu de presente uma flauta, um belo instrumento de marfim, entalhada com ouro. Suspeitei de que, um dia, tivesse pertencido a um clérigo musical que tivera o azar de carregá-la consigo em suas viagens através de Sherwood, mas permaneci em silêncio. Levei-a à boca, segurando-a verticalmente enquanto soprava no bocal. As notas eram doces e ricas como manteiga, e agradeci a Robin outra vez por sua gentileza.

— Também encontramos isso na fazenda de Thangbrand — ele disse. — Enterrada nas ruínas do casarão.

Robin entregou-me um objeto longo envolto em um lençol velho. Era minha espada, minha velha amiga; o cabo de madeira estava um pouco chamuscado e havia marcas de queimadura na bainha desgastada, mas era minha espada. A espada com a qual eu matara um homem pela primeira vez. Minha própria Excalibur surrada. Meus olhos ficaram úmidos de emoção, então fiz uma mesura para esconder o rosto.

Logo antes de partirmos, Hugh chamou-me em um canto.

— Robin pediu-me para falar com você sobre este assunto — ele disse com gravidade. Hugh parecia bastante doente, sem dúvida, sofrendo por causa do vinho da noite anterior. — Enquanto estiver em Winchester, ele quer que você seja nossos olhos e ouvidos dentro do castelo. Apenas obtenha as informações que conseguir sobre as pessoas de lá, quem está falando com quem, quem não está falando com outra pessoa. Qualquer plano que o rei possa ter, qualquer notícia sobre a França, qualquer coisa a respeito de Robin ou sobre qualquer um de nós.

Concordei. Parecia excitante, Robin estava me atribuindo uma grande responsabilidade: eu seria um espião. Sorri para ele.

— Achei que isto pudesse agradar seu espírito de ladrão — disse Hugh, retribuindo o sorriso. — Veja se consegue furtar a correspondência privada da rainha, ou alguma outra coisa.

Ri diante daquela ideia absurda. Então, percebi que Hugh estava falando sério. Ele continuou:

— Existe um homem em Winchester chamado Thomas... Você poderá encontrá-lo em uma taberna, a Cabeça do Sarraceno. Ele tem apenas um olho e, provavelmente, é o homem mais feio em toda a cristandade, mas você deve se identificar para ele dizendo: "Sou amigo do povo da floresta." Ele dirá: "Prefiro o povo da cidade." Transmita-lhe qualquer mensagem que queira nos enviar. Entendeu? Thomas, Cabeça do Sarraceno, povo da floresta, povo da cidade. Entendeu?

Concordei novamente e ele disse:

— Bom garoto.

Em seguida, Hugh deu-me uma bolsa volumosa cheia de moedas de prata, mais dinheiro do que eu jamais tivera em toda a vida.

— Despesas — ele disse. Em seguida, franziu a testa e, com sua melhor voz de professor, acrescentou: — E não deve ser gasto em cerveja enquanto se diverte nas tabernas, tampouco com as prostitutas suculentas de Winchester.

Ele podia falar sobre bebida, e eu não estava pensando em prostitutas suculentas de Winchester. Eu cavalgaria para o sul com um espécime perfeito de feminilidade, o qual expulsava de minha mente todos os pensamentos sobre outras mulheres. Partimos em pares, montados a cavalo, seguidos por mulas que carregavam nossas posses. Quatro cavaleiros da Gasconha cavalgavam na frente da coluna, quatro seguiam atrás e outros quatro cavalgavam ao longo enquanto trotávamos. A estrada estava movimentada com os festejantes do grande banquete de Robin, que retornavam lentamente para suas vidas. Muitos pareciam bastante desgastados, havia uma atmosfera de festa enquanto seguíamos ao longo da estrada. Cavalguei ao lado de minha Marian, levando muito a sério o papel de guarda-costas; Bernard e Goody cavalgavam atrás de nós. Bernard parecia um queijo podre; com muita ressaca, olhos injetados, o rosto caído e cinzento. Goody, por outro lado, estava com um bom humor irrepreensível. Ela sentia que estávamos partindo em uma aventura excitante com um prêmio reluzente no final da jornada e ficava atormentando Bernard com perguntas sobre como era uma corte real e como deveríamos ser tratados quando chegássemos. Na maioria das vezes, ele respondia com apenas um grunhido.

No final da tarde, o clima esfriou e uma tempestade começou a despontar no sul. Os festejantes alegres pareciam ter desaparecido e eu não conseguia expulsar de meu estômago a sensação de que estávamos cavalgando encontro de problemas.

Enquanto seguíamos trotando, enrolados em nossas roupas mais quentes para nos protegermos do vento gelado, comecei a perguntar a minha donzela sobre sua vida quando estava longe do bando de Robin.

— Como você sabe — ela disse —, estou sob tutela real. Isso começou quando meu pai, o conde de Locksley, morreu, há muitos anos. Ranulfo de Glanville enviou alguns homens com uma carta para o rei, dizendo que eu deveria ficar sob sua tutela. As terras de Locksley são ricas e amplas, e o rei deseja ter controle sobre quem se casará comigo e irá se tornar o novo conde. Disseram que era para minha proteção, é claro, mas estavam mentindo. É para enriquecer o rei. Quem quer que deseje se casar comigo... e rezo com todo o coração para que seja meu Robin... deverá pagar ao rei um preço alto por tal honra. Às vezes, sinto-me como uma vaca premiada no mercado, leiloada para quem fizer o maior lance.

Ela riu, mas sua hilaridade tinha um toque de amargura.

— Ainda assim, Robin não pode me comprar em um leilão de vacas. O rei Henrique jamais permitiria que me casasse com um fora da lei. Ele sempre procura uma união vantajosa; ou posso muito bem me tornar uma forma de recompensar um empregado fiel. E isto certamente excluiria Robin.

Ela soava tão triste que senti uma pontada de culpa por causa de meu ciúme. Falei tranquilamente, apesar de as palavras ficarem engasgadas em minha garganta:

— Você deve amá-lo muito.

— Muito. E sei que ele me ama. Sempre o amei, desde quando nos conhecemos, há dez anos. Ele ficou hospedado na casa de meu pai quando eu era apenas uma menina... Mas amei-o desde o primeiro dia. Ele era gentil, divertido e belo. Ele parava para escutar minhas conversas infantis. Ele não me amava naquela época do jeito que me ama agora; como poderia? Eu era apenas uma criança, mal tinha deixado os cadarços do avental de minha mãe. Mas ele era gentil comigo. E esta é a qualidade que considero mais atraente em um homem.

"Conforme ficamos mais velhos, os sentimentos dele em relação a mim mudaram e Robin tornou-se mais ardente. Ele cavalgava de sua casa em Edwinstowe para me visitar, levando flores frescas e frutas maduras, e me contava histórias maravilhosas sobre nosso futuro juntos, sobre como teríamos um casamento muito feliz, viveríamos em um grande castelo e teríamos dúzias de filhos, rindo e nos amando todos os dias de nossas vidas até que, algum dia, morreríamos juntos, extremamente idosos, exatamente no mesmo instante, de mãos dadas.

Ela sorriu para mim, um sorriso triste e zombeteiro, como que para dizer "ah, a tolice da juventude". Então, após uma pausa enquanto conduzíamos os cavalos ao redor de um buraco enlameado na estrada, ela continuou:

— Mas quando Robin foi declarado fora da lei, tudo mudou. Meu pai, que estava doente na época, não permitia que ele entrasse no castelo. Quando contei a meu pai que amava Robin, ele ameaçou levantar seus inquilinos, armá-los e caçar Robin. Não que teria conseguido, aquele velho bêbado e tolo. Minha mãe era inútil; apenas me disse para dar ouvidos a meu pai.

"Mas Robin ainda vinha me visitar, mesmo correndo o risco de ser capturado e morto sempre que nos encontrávamos. Juntos, cavalgávamos secretamente em Sherwood: certa vez, no meu 17º aniversário, Robin organizou um banquete à meia-noite nas profundezas da floresta, ao qual até alguns de meus amigos compareceram. Em uma clareira no meio do nada, havia uma grande mesa com comidas exóticas e saborosas, decorada com flores silvestres; havia músicos, malabaristas e criados servindo vinho e trazendo travessas e mais travessas com carnes assadas. Só Deus sabe onde cozinharam. E, naquela noite, Robin pediu-me em casamento.

"Eu disse sim, é claro, mas ambos sabíamos que aquilo jamais seria possível enquanto Robin fosse um fora da lei. Ficamos noivos em segredo. Robin queria que dormíssemos juntos, para selar o acordo com nossos corpos. Mas eu não quis. Eu jurara à minha mãe que preservaria a virgindade até o casamento. Robin ficou decepcionado, muito decepcionado, mas respeitou meus desejos. E mantive minha promessa, a despeito do que alguns membros do bando de Robin possam pensar.

Marian olhou-me de lado, e ruborizei. Como quase todos os outros fora da lei, eu presumira que ela e Robin fossem tão íntimos quanto qualquer outro casal, casado ou não. Percebi que Marian também enrubesceu, de modo que lhe pedi para continuar a história.

— Meu pai morreu pouco depois — Marian disse. — Ele emagreceu cada vez mais, até que não restasse quase nada dele. No final, eu poderia tê-lo levantado com apenas uma das mãos. Não demorou muito até que minha mãe o seguisse. Acho que ela morreu de solidão; quero dizer, acredito que tenha desejado a morte, estar com ele. Ela sempre disse que não suportava estar separada de meu pai. Rezo para que, agora, estejam juntos no Paraíso.

Murmurei algo sobre o quanto eu estava certo daquilo. Um coelho disparou debaixo dos cascos dos cavalos e sumiu na floresta, obrigando-nos a passar um ou dois minutos controlando as montarias assustadas. Marian continuou a história:

— No dia seguinte ao da morte de meu pai, enquanto toda a residência estava de luto, um cavaleiro local chamado Roger de Bakewell veio oferecer suas condolências. Depois que meu pai foi colocado para descansar no cemitério da igreja, Sir Roger levou-me para um canto e tentou me beijar; seu hálito cheirava a cebolas. Quando me recusei, ele disse que iria se casar comigo, que fizera um acordo com meu pai e pagara-lhe um quarto de quilo de prata para selar a barganha para minha mão. Fiquei chocada, mas acreditei que estivesse falando a verdade. Era bem possível que meu pai tivesse feito aquilo. Ele teria considerado tal ato a coisa certa a ser feita, visando assegurar que eu tivesse um marido forte para me proteger e salvaguardar o condado.

"Mas, você sabe, Alan, depois daquele dia, jamais voltei a falar com Sir Roger. Na verdade, desde o ocorrido, ele sempre fez o máximo para me evitar. Certa vez, em Nottingham, depois de ter me tornado protegida real, deparei-me com ele no mercado. Ele estava a cavalo, e eu a pé. No instante em que me viu, ele virou o cavalo e galopou... literalmente, galopou... através da turba do mercado para fugir de mim. O breve vislumbre que tive de seu rosto mostrou-me que estava aterrorizado. Aterrorizado comigo.

"Descobri posteriormente que Robin o visitara. E que levara o grande João Nailor consigo. Diz a história que os dois invadiram o castelo de Roger à noite, entraram em seu quarto e, enquanto João Pequeno ficava com seu grande machado sobre o homem, Robin obrigou-o a comer um quarto de quilo de prata, 120 moedas de prata, uma moeda de cada vez. Robin explicou muito tranquila e racionalmente a Sir Roger que ele havia recebido de volta o dinheiro que lhe era devido por minha mão e que, se alguma vez voltasse a se insinuar para mim, haveria consequências muito desagradáveis.

"'Ela está sob minha proteção', disse ele a Sir Roger. 'E qualquer um que a perturbe sentirá meu desprazer.'"

Eu ainda estava rindo da imagem de um cavaleiro orgulhoso sendo obrigado a comer uma grande bolsa cheia de metal quando Marian disse:

— No entanto, estar sob a proteção de Robin pode resultar em uma existência solitária. Homens temem até mesmo falar comigo. E é por isso que estou gostando tanto de conversar com você, meu belo guarda-costas.

Ela sorriu para mim. Parei de rir e imaginei sentir um vento frio batendo em meu pescoço. Perguntei-me o que Robin faria comigo se soubesse alguns dos pensamentos que eu tinha a respeito de Marian.

Ela parecia estar lendo minha mente.

— Estou prometida a Robin — ela disse —, e meu coração sempre pertencerá a ele. Mas isso não significa que você e eu não possamos ser bons amigos.

Sorri debilmente para Marian. Hugh estivera certo no dia do grande banquete, quando chorara sobre o vinho. O amor podia, muitas vezes, significar dor para alguém.

Capítulo 13

Apesar de observar a cidade do alto como um grande punho de pedra, achei o castelo de Winchester maravilhoso. Nunca, em toda a vida, eu ficara tão satisfeito ao ver um símbolo do poder normando. Eu crescera na cidade de Nottingham e em seus arredores, mas jamais estivera dentro de seu castelo — na verdade, caso tivesse entrado, eu teria ficado aterrorizado, pois, para um ladrão como eu, estar dentro daquela fortaleza significava encarar torturas e a morte. Mas quando nossa comitiva enlameada e com os narizes congelando aproximou-se de Winchester pela estrada de Andover, percebi o quanto eu mudara no ano que passara com o bando de Robin. Vislumbrei o castelo pela primeira vez quando chegamos ao topo de um pequeno aclive, e apenas pensei: "Deus seja louvado: comida quente, água quente para me banhar e a oportunidade de vestir roupas secas."

Então meu olhar foi atraído pela majestade imponente da grande catedral da cidade, famosa por abrigar o altar sagrado de são Swithin, o santo que traz a chuva, e franzi a testa. Foi preciso mais de uma semana para viajar os cerca de 300 quilômetros entre as cavernas de Robin e Winchester, e a chuva mal parara de cair desde quando partimos. As estradas haviam se transformado em charcos, meros canais de lama através dos quais os cavalos avançaram enquanto seus cascos eram sugados pela lama a cada passo que davam. Onde era possível, viajávamos fora da estrada, nas margens mais altas e menos enlameadas, ou em campos abertos. Mas era fácil se perder e os homens da Gasconha ficavam incomodados quando deixávamos a estrada. Atravessamos a lama por quase todo o caminho, parando à noite em solares e fazendas mantidas por amigos de Robin e Marian ou em casas religiosas onde os monges nos ofereciam uma refeição modesta, um olhar duvidoso e um catre no dormitório. Todas as manhãs, acordávamos sob um amanhecer cinzento e partíamos novamente sob a chuva que nunca parava de cair.

Marian, que Deus a abençoe, permanecera bem-humorada durante toda a viagem e, enquanto eu ficava enrolado em minha capa, amaldiçoando a chuva que descia por meu pescoço e tremendo com o vento que soprava contra minhas calças encharcadas, contava histórias para Goody e descrevia o quanto nos divertiríamos em Winchester; as festas, os jogos, as "cortes de amor" de brincadeira, trazidas pela rainha Eleanor de sua terra natal, a Aquitânia, nas quais poetas e trovadores competiam apresentando poemas de amor. As canções eram julgadas por Eleanor e as damas de companhia, e o vencedor recebia um beijo. Bernard eriçou as orelhas ao ouvir aquilo. Ele estivera desanimado e quieto durante quase toda a viagem, enrolado, como eu, em uma miséria úmida de lã, mas quando Marian mencionou as "cortes de amor", ele pareceu transformado e fez inúmeras perguntas. De que tipos de canções a rainha gostava? Até que ponto um músico poderia ir, politicamente, nas sirventes satíricas? As damas de companhia eram bonitas? Quando finalmente terminou de atormentar Marian, Bernard era outro homem.

— Parece que estamos indo para um lugar bastante civilizado — disse ele para mim, quase otimista. — E agora teremos música de verdade. É melhor levantar as calças e começar a tocar aquela bela flauta, Alan. Em algum momento, esperarão que você se apresente e não quero que me desgrace diante da rainha.

Ele sorriu maliciosamente para mim e começou a cantar; a canção, um de seus cansos favoritos em francês, foi abafada por seu capuz ensopado e quase totalmente afogada pelo barulho da chuva que caía na lama ao nosso redor.

Entramos na cidade de Winchester pelo portão norte, onde fomos confrontados brevemente por um guarda. Mas quando o capitão gritou "condessa de Lock-ess-ly", a grande barreira de madeira foi aberta e, trotando, adentramos as ruas movimentadas. A cidade parecia mais populosa do que Nottingham; as casas mais espremidas, as ruas mais estreitas e ameaçadoras. O cheiro foi o outro detalhe que me atingiu mais intensamente depois de uma semana viajando no campo. A cidade fedia com mil odores pútridos: cheiro de merda, de carne estragada, de lixo em decomposição e de suor humano. Cobri o nariz e a boca com uma manga úmida; naquele instante, bem à minha frente, uma moradora esvaziou um penico cheio de mijo no meio da rua, quase molhando o traseiro do cavalo de Bernard. Ele virou-se e ralhou em francês com a mulher, que se desculpou apressadamente e fechou a janela. O conteúdo do penico juntou-se ao fluxo de líquido pútrido que corria pelo meio da rua e guiamos os cavalos para as laterais da via para evitarmos aquela corrente fétida, desviando de pilhas de dejetos apodrecidos, de cachorros mortos e de mendigos imundos e maltrapilhos agachados nas portas das casas, implorando por esmolas. Ratos corriam para se desviar dos cascos dos cavalos e pensei saudosamente em Sherwood e na floresta selvagem e limpa.

Tropeliamos sobre a ponte levadiça do castelo em torno do meio-dia e entramos em um grande pátio, onde fomos recebidos por criados que pegaram os cavalos e nos conduziram até a ala do castelo na qual a rainha Eleanor morava com sua comitiva. Fiquei chocado com a enormidade do lugar; apenas o pátio era três vezes o tamanho do casarão de Thangbrand, e dele se abriam muitas portas para um labirinto de quartos, corredores, salões secundários e o grande salão no qual a rainha Eleanor jantaria com o condestável do palácio, que também era seu captor nominal, Sir Ralph FitzStephen. Na verdade, Eleanor não era confinada de modo tão estrito quanto nos anos anteriores, quando fora totalmente isolada do mundo exterior e proibida de ter qualquer companhia, exceto pela criada, Amaria. Na verdade, durante certo tempo, os aposentos de Eleanor foram tão espartanos que ela e Amaria precisavam compartilhar uma cama. Agora, apesar de o rei ter continuado a mantê-la fortemente guardada por medo de que Eleanor pudesse estimular apoio ao filho do casal, o duque Ricardo, com quem estava em guerra na França, a rainha tinha acesso a todos os confortos que lhe cabiam pela posição que ocupava, incluindo uma renda considerável.

Contudo, o rei estava velho e doente, além de desgastado pelos anos de guerra constante contra os filhos por causa de suas heranças. Quando morresse, o que alguns diziam que poderia acontecer em breve, Richard iria se tornar rei e sua amada mãe, Eleanor, seria uma mulher ainda mais poderosa. Por isso, Sir Ralph FitzStephen era delicado com sua prisioneira real e, apesar de a rainha não ter recebido permissão para deixar o castelo, ele fazia vista grossa para os mensageiros que ela despachava e recebia com frequência da França e da Aquitânia.

Obviamente, eu não sabia nada disso quando chegamos. Estava impressionado com a grande casa de pedra na qual acabávamos de entrar e maravilhado com a quantidade de quartos que constituíam o apartamento real. A maioria das pessoas na Inglaterra vivia em um único cômodo: mãe, pai, filhos e animais de criação, todos em um pequeno espaço enfumaçado com poucos metros de extensão; em Winchester, havia mais quartos do que eu jamais vira sob um único telhado, com tetos altos e paredes decoradas com tapeçarias ou pintadas com cenas dramáticas de caça, imagens da Bíblia ou retratos da Virgem Maria. Fomos informados pelos criados que a rainha estava descansando, mas que a sala de banho estaria preparada em pouco tempo e que havia roupas limpas e comida em um quarto reservado para Bernard e eu. Goody fora levada pelas mulheres da residência e Marian desaparecera nos próprios aposentos, mas todos deveríamos nos encontrar no crepúsculo. Bernard e eu tiramos as roupas de viagem encharcadas e fomos para a sala de banho. Ali, em grandes banheiras revestidas de madeira cheias de água, das quais emanava vapor, ao lado de uma enorme lareira, deixamos que as dores da viagem se dissolvessem. Foi maravilhoso· criados revezavam-se trazendo jarras com água fervente e aqueciam o banho, enquanto outro criado esfregava minhas costas, que descongelaram rapidamente. Bernard parecia ferver de excitação, apesar do cansaço; cantava para si mesmo quase constantemente, claramente compondo algo, uma canção de amor, acredito, e murmurando: "Não, não, não... Ah, e que tal..." Tentei escutar a nova música, mas logo adormeci na água quente.

Fomos convocados à presença real naquela noite. De banho tomado, com os cabelos escovados e vestindo túnicas e calças limpas feitas de uma seda de um verde vivo, cortesia de Marian, fomos conduzidos ao salão secundário usado por Eleanor como local privado para reuniões. Era uma sala grande, com paredes de madeira decoradas, pintadas vividamente com o que imaginei que fossem retratos de paisagens famosas da Aquitânia, e um teto arqueado de madeira. Apesar de estarmos na primavera, dois grandes braseiros ardiam no centro da sala, deixando-a agradavelmente aquecida, e cerca de vinte homens e mulheres, elegantemente vestidos, estavam espalhados pelo salão, bebendo vinho, rindo e conversando. Entramos na sala, com Marian levando pela mão uma Goody limpa e bem penteada, seguida por Bernard e eu. Bernard parecia um príncipe real; enquanto eu dormira toda a tarde, ele encontrara um barbeiro no castelo. Seu cabelo, agora brilhante e limpo, fora cortado cuidadosamente em forma de cuia. Bernard estava de barba feita e cerzira fitas coloridas vermelhas e amarelas nas costuras de sua túnica verde de seda, o que lhe deu um ar alegre e festivo. Ele cheirava a óleo de rosas e algum outro tempero inebriante. Bernard voltara a ser um frangote, brilhante, reluzente e feliz. Estava mais ereto e parecia totalmente à vontade naquele castelo enorme e intimidador; suspeito até de que estivesse sóbrio. Em comparação, eu me sentia desalinhado, provinciano e nervoso, e fiquei feliz por Bernard ter me pedido para carregar sua viela, a qual fora polida até que brilhasse como um espelho; eu poderia me esconder atrás dela.

Quando entramos, as pessoas abriram caminho para revelar uma grande cadeira na extremidade oposta do salão, na qual estava sentada uma senhora idosa em um esplêndido vestido de cetim dourado adornado com joias e pérolas. Aparentava ter sessenta e poucos anos, idade muito mais avançada do que a maioria das pessoas atingiria — quase dez anos mais velha do que sou hoje —, mas seu rosto era magro, alerta e praticamente sem rugas, e seus olhos eram tão brilhantes quanto os de um pardal sob o ornato branco com chifres que, amarrado por um fio de ouro, cobria seu cabelo. Era Eleanor, a rainha, e percebi com um choque que, apesar da idade avançada, ainda era bela.

Ela sorriu quando viu Marian, levantou-se e pediu-lhe para se aproximar.

— Bem-vinda ao lar, minha criança — disse ela em francês.

A voz da rainha era quente, com uma rouquidão fumegante que lhe atribuía uma qualidade sensual. Marian fez uma bela mesura e, em seguida, avançou para abraçar a rainha. Eleanor pegou o queixo de Marian com a mão esquerda e olhou profundamente em seus olhos.

— Então, você retornou intacta daquele covil de ladrões? — perguntou.

Marian pareceu enrubescer, e respondeu:

— Sim, majestade, como pode ver, não tenho nenhum ferimento.

— Humm. E como está aquele horripilante garoto Odo?

— Ele está bem, majestade — Marian respondeu —, e envia-lhe seus cumprimentos respeitosos e este presente.

Marian lhe entregou um pesado anel de ouro adornado com uma grande esmeralda do tamanho de um ovo de codorniz. Eleanor pegou o anel com uma das mãos já bastante adornada e segurou-o contra a luz de uma tocha que queimava em uma talha presa à parede. Depois, gargalhou: um riso obscuro e íntimo.

— Ele é um camarada terrível; dei pessoalmente este anel ao bispo de Hereford como presente de despedida no ano retrasado. — A rainha soltou outra gargalhada rouca. — Ele é realmente perverso... mas divertido, muito divertido! Não é de surpreender que você esteja tão apaixonada por aquele traquinas.

A rainha virou-se para nos olhar.

— E você trouxe alguns amigos, que maravilhoso...

— Este é Bernard de Sezanne, o famoso *trouvère*, infelizmente exilado de sua terra natal — disse Marian. Bernard curvou-se acentuadamente e, olhando para Eleanor, começou a falar um monte de baboseiras. Parecia francês, mas era outra língua; era como quando uma pessoa fala em um sonho e você não consegue entender precisamente o que está dizendo. Eleanor, por outro lado, pareceu encantada com as palavras de Bernard. Olhou-o radiantemente e respondeu no mesmo dialeto, claramente fazendo uma pergunta. Bernard respondeu negativamente, mas acrescentou algo e fez outra mesura. Percebi então que tinham conversado na *langue d'oc*, ou *plena lenga romana*, a língua falada na Aquitânia e em muitas terras no sul da Europa. Eu ouvira os gascões conversarem naquela língua, apesar de sempre terem se dirigido a mim em um francês ruim. Descobri que, se me concentrasse, quase conseguia compreender o sentido das palavras; a língua era parecida com o francês, mas boa parte do sentido me escapava. Era a língua nativa de Eleanor, a língua dos trovadores.

Então Marian falou novamente, em francês:

— Permita-me apresentar Godifa, uma órfã de uma boa família do condado de Nottingham, que está sob minha proteção, e Alan Dale, um inglês honesto e menestrel particular de Bernard de Sezanne.

Aquilo era novidade para mim. Nem mesmo em mil anos eu teria me descrito como honesto, mas fiquei orgulhoso ao ser chamado de menestrel, um artista profissional, um homem que costumava combinar o canto de composições musicais de outras pessoas com danças, malabarismos e histórias interessantes. Ficava abaixo do *trouvère*, que, obviamente, "encontrava" ou compunha as próprias músicas. Mas ser o menestrel particular de Bernard soava muito melhor que o carregador de sacas e servidor de garrafas que eu realmente era. Fiquei um pouco mais ereto e curvei-me diante de Eleanor, que me olhou com um leve sorriso.

— Agora, criança — a rainha disse a Marian —, venha e me conte sobre suas aventuras na floresta selvagem. E, em breve, o Monsieur de Sezanne vai nos entreter com um pouco de sua famosa música.

Ela sorriu para Bernard, que fez outra mesura. Depois, a rainha sentou-se, Marian puxou um banquinho e as duas mulheres logo estavam mergulhadas em uma conversa; o resto de nós, aparentemente, fora dispensado.

Olhei ao redor para o grupo de cavaleiros e damas elegantes, conversando alegremente, flertando e nos ignorando. Bernard pegou a viela de minhas mãos, murmurando algo sobre conferir a afinação. Caminhou para um canto e começou a mexer nas cravelhas que ficavam no braço do instrumento. Goody, de modo totalmente casual, sentou-se no chão ao lado do joelho de Marian para escutar a conversa entre a rainha e sua protegida. Fiquei sozinho. Não tinha a menor ideia do que fazer. Um criado passou com uma bandeja de vinho quente com mel, peguei uma xícara e escondi o rosto naquele líquido vermelho e doce, bebericando enquanto observava minha companhia.

Os homens estavam vestidos em uma variedade impressionante de estilos, dos escuros robes de lã dos clérigos às sedas brilhantes dos cortesãos, além de um cavaleiro em cota de malha de ferro aqui e ali. Mesmo em minha elegante túnica nova de seda verde, sentia-me deslocado. Em alguma parte da mente, eu sentia um temor incômodo de que algum daqueles cavaleiros e damas elegantes me visse pelo que eu realmente era: um ladrão imundo de Nottingham, ao que todos apontariam e gargalhariam antes que eu fosse arrastado para a forca como um impostor.

Um dos soldados que integravam o grupo, um homem grande com uma espessa barba preta, estava vestido de modo particularmente grave, com uma cota de malha de ferro da cabeça aos pés, sobre a qual usava uma veste totalmente branca com uma grande cruz vermelha no peito. Ele estava conversando com outros dois homens, ambos cavaleiros, os quais usavam as mesmas belíssimas vestes douradas e escarlate. O cavaleiro de branco deve ter sentido meu olhar, pois virou-se para os dois homens e olhou diretamente para mim. Para minha surpresa, seu rosto coberto pela barba negra abriu-se em um enorme sorriso branco, e ele gritou:

— Alan! Pela cruz, é Alan Dale! — caminhou em minha direção com os braços estendidos em boas-vindas. Era Sir Richard de Lea, a quem eu vira pela última vez no assentamento de Thangbrand. E, naquela multidão de estranhos elegantes, fiquei tão feliz quanto surpreso ao vê-lo.

— De onde você apareceu? — ele perguntou, abraçando-me. — Não me diga que foi perdoado?

Ruborizei.

— Vim com a condessa de Locksley — falei timidamente.

Sir Richard olhou para Marian, que estava mergulhada em uma conversa com a rainha, assentiu e disse:

— Entendo, então ainda está com Robin?

Enquanto eu concordava com um murmúrio, ele disse:

— Deixe-me olhar para você. — E sorriu para mim. — Acredito que nunca o vi em roupas limpas.

Massageando meus ombros e braços, continuou:

— E você ganhou um pouco de músculo; ainda pratica com a espada?

Assenti outra vez.

— Bom rapaz, você tem talento; permita-me apresentar-lhe alguns amigos, ambos bons guerreiros.

Sir Richard levou-me até os dois homens com vestes douradas e escarlate.

— Este é Sir Robert de Thurnham, e este é seu irmão, Sir Stephen; estou tentando convencê-los a pegar a cruz e seguir a Grande Peregrinação com o rei, ano que vem. Precisaremos de muitos guerreiros cristãos para reconquistar Jerusalém das mãos dos infiéis, como ordena sua santidade, o papa. Talvez você também possa ser persuadido. Ofereço salvação assegurada para sua alma imortal.

Ele encarou meu rosto, a sinceridade emanando de seus brilhantes olhos castanhos.

Abanei a cabeça e disse:

— Fiz um juramento a Robin. — Mas me senti um pouco envergonhado. Seria maravilhoso ser um guerreiro de Cristo, limpar minha alma de seus muitos pecados na batalha contra os demônios muçulmanos. Sir Richard virou-se para os dois homens, que pareciam um pouco surpresos com a oferta que me fizera.

— O jovem Alan é um espadachim bastante razoável; ele seria um ótimo companheiro para nós. Eu sei... pois treinei-o pessoalmente.

Os irmãos pareciam impressionados; claramente, conheciam a enorme habilidade de Sir Richard no campo de batalha. Meu amigo de barba longa olhou para o punhal pendurado em meu cinto.

— Já aprendeu a usá-lo? — perguntou, apontando para a lâmina.

— Na verdade, não — respondi —, mas ele já salvou minha vida duas vezes.

Não mencionei que, em ambas as ocasiões, o punhal fora usado por uma menina.

— Eu lhe disse! Que tal praticar um pouco? Mostrarei alguns movimentos. Posso convencê-lo a ir para o Oriente. Amanhã de manhã, no pátio?

— Eu ficaria honrado — falei sorrindo. — Mas, sem dúvida, não ficarei de pé por muito tempo.

Sir Richard apenas bufou.

— Besteira. Provavelmente, você me fará rolar na terra. Isto é, caso ainda se lembre de como deve mover os pés.

Ficamos ali de pé, encarando-nos como idiotas, até que Sir Robert de Thurnham tossiu e disse:

— Se posso ser objetivo, senhor, a quem disse que servia?

Aquilo era perigoso. Eu nunca fora oficialmente declarado fora da lei; não havia uma recompensa por minha cabeça, pois eu estava aquém da percepção da lei. Mas Robin era certamente inaceitável e, por associação, todos que lhe serviam também o eram. No entanto, naquela parte no sul do país, sob a proteção da condessa de Locksley, protegida da rainha Eleanor, eu certamente estava seguro. Ergui o queixo, olhei Thurnham nos olhos e disse com orgulho:

— Sirvo a Robert Odo de Edwinstowe.

Stephen, o irmão, engasgou de surpresa:

— Está falando de Robin Odo, o famoso fora da lei?

Sir Richard começou a rir.

— Guarde isto para você, Stephen, se não se incomodar. E você, jovem Alan, provavelmente deveria fazer o mesmo.

Ele sorriu para os irmãos:

— Alan é um bom amigo. Nós nos conhecemos quando Robin me capturou, ano passado; aquele sapo gosmento, Murdac de Nottingham, recusou-se a pagar meu resgate, mas Robin foi um cavalheiro em relação a tudo. Como vai aquele velho patife Thangbrand? — perguntou, olhando-me com excitação.

— Ele está morto, senhor.

Sir Richard franziu a testa e olhei para o chão, repentinamente acometido por imagens do casarão em chamas e da neve coberta de sangue.

Robert de Thurnham deu um passo em minha direção.

— Muitos cavaleiros passaram algum tempo fora da lei mas, ainda assim, eram homens de coração honesto — ele disse. — Conte-me, dizem que Robin Hood está treinando um exército em Sherwood; como você o classificaria como força efetiva de combate?

Fiquei satisfeito que a conversa tivesse se desviado de Thangbrand e senti-me lisonjeado por aquele cavaleiro ter pedido minha opinião sobre uma questão militar, mas não me sentia à vontade para discutir com um estranho os assuntos de Robin.

Sir Richard respondeu por mim:

— É muito bom, se é que o combate que testemunhei possa servir de referência: Robin sabe usar os arqueiros e a cavalaria em combinação, o que poucos comandantes são capazes de fazer. Devo dizer que era um exército muito eficiente, vários servos e fora da lei contra cada homem, é claro, mas muito bom.

Stephen fungou e começou a falar:

— Certamente, simples bandidos...

Mas foi interrompido pelo som da trombeta de um arauto. Todos nos viramos e vimos Bernard caminhando para o centro do salão, segurando a viela em uma das mãos.

Jamais ouvi Bernard tocar tão bem quanto naquela noite, diante da rainha. Lembrei-me de sua apresentação na primeira vez em que o vi na fazenda de Thangbrand; a simplicidade das notas e a pureza de sua voz. Ele começou com um canso, uma canção de amor, na *langue d'oc*, a qual, é claro, eu não compreendia totalmente. Ainda assim, era linda: o dedilhado de Bernard na viela era absolutamente preciso, e suas frases, primorosas. Senti um aperto na garganta e jurei naquele instante que, algum dia, tentaria produzir músicas com tamanho esplendor. A rainha Eleanor ficou com lágrimas nos olhos.

Bernard interpretou várias outras músicas, algumas em francês, que receberam aplausos das fileiras de cavaleiros e damas reunidos, e uma em inglês, que foi aplaudida de modo mais contido, pois a língua ainda era vista como deselegante, não sendo a mais apropriada para uma companhia refinada. Sir Richard aplaudiu vigorosamente, inglês até os ossos. Quando Bernard terminou, a rainha presenteou-o com uma bolsa de ouro, classificou sua música como sublime e convidou-o a juntar-se a ela e a suas damas no jardim, no dia seguinte.

Meu professor de música estava nas nuvens. Depois, com um sorriso enorme em seu rosto iluminado, disse:

— Estou feito, Alan... Chega de cavernas esquálidas, chega de fora da lei estúpidos.

Bernard executou alguns passos de dança ao redor do quarto que compartilhávamos.

— A rainha, que viva mil anos, ama minha música, e estou feito. Jamais retornarei àquela floresta úmida, viverei como um príncipe, um *trouvère* da realeza.

Bernard seguiu no mesmo tom. Mas o estranho era que, apesar de ter bebido uma ou duas canecas de vinho, não estava bêbado. Brilhando de felicidade, apenas se sentou ereto em nossa enorme cama compartilhada — a qual, diga-se de passagem, era de longe a melhor cama na qual eu jamais dormira, com lençóis finos de linho e travesseiros de penas de ganso. Eu estava exausto e, enquanto Bernard recordava cada uma das notas em voz alta, chamando minha atenção para os momentos de genialidade musical particular, mergulhei em um sono delicioso e sem sonhos.

Acomodamo-nos confortavelmente na vida no castelo ao longo das semanas seguintes. Todas as manhãs, ao amanhecer, enquanto a primavera dava lugar ao começo do verão, pratiquei com espada e adaga ao lado de Sir Richard no pátio do castelo. Mesmo que não tenha me tornado o guerreiro mais bem-sucedido da cristandade, ao menos fiquei proficiente no uso das armas. Em uma ocasião memorável, consegui derrubar Sir Richard na terra, colocando minhas pernas atrás das dele quando estávamos peito a peito, espadas e adagas atracadas. Para minha alegria, e rezo a Deus para que me perdoe do pecado do orgulho, Robert de Thurnham estava observando quando realizei o feito. Ele parabenizou-me e disse-me que se algum dia precisasse de um emprego como homem de armas, seria bem-vindo para servi-lo.

Gostei de Sir Robert, ainda que tenha ficado um pouco receoso a seu respeito; apesar de ter vindo de Kent, nossas conversas pareciam se voltar com uma frequência um pouco exagerada para o exército de Robin no condado de Nottingham: quantos homens ele tinha? Qual proporção do exército era formada pela cavalaria? Quantos arqueiros? E daí por diante. Alegando ignorância, eu me esquivava da melhor maneira possível daquelas perguntas e, para crédito de Sir Robert, depois de algum tempo, ele pareceu perceber o quanto aquilo me incomodava. Um dia, ele me disse:

— Alan, não quero que traia a confiança de ninguém; mas, acredite, não tenho nenhum rancor em relação a seu mestre. Como talvez saiba, acabo de assumir a Cruz, e uma boa companhia de arqueiros, como os comandados por Robert Odo, poderia ser indispensável na Terra Santa contra os ferozes arqueiros montados de Saladino. Mas imploro a você que me diga para cuidar de minha vida caso se sinta desconfortável ao falar sobre estes assuntos.

Bernard estava mais feliz do que eu jamais o vira. Visitava a rainha quase diariamente, apresentando-se no jardim de aroma doce nos fundos do castelo para suas damas, incluindo Marian. Ali, faziam música e realizavam brincadeiras de crianças, como cabra-cega, com as damas vendadas correndo e tentando agarrar jovens cavalheiros pelo som de suas vozes. Em pouco tempo, Bernard embarcou em diversos casos amorosos com as acompanhantes da rainha e, com frequência, eu acordava à noite e via que ele partira da cama que compartilhávamos. No dia seguinte, ele estaria cansado, mas satisfeito. Compareci muitas vezes aos divertimentos no jardim, a convite de Bernard, acompanhando-o ocasionalmente e tocando minha flauta de marfim folheada a ouro para os aplausos femininos. Achei a companhia de damas perfumadas, dia após dia, um pouco sufocante, de modo que costumava escapar para conversar sobre assuntos militares e masculinos com os guardas gascões, que me ensinavam a falar a *langue d'oc*. Anos depois, quando apresentei minha própria música naquela língua sulista adorável e ondulante, conquistei a reputação de usar uma linguagem madura e terrena em minhas canções de amor, utilizando palavras que havia aprendido com os gascões para referir-me a galanteios e paixões. Estranhamente, as frases dos soldados brutos que eu utilizava eram aplaudidas por soarem novas e originais em um estilo musical que costumava ser infestado por floreios e clichês.

Marian iniciara o processo de "domar" Goody, como ela própria disse, com uma determinação autêntica. Minha pequena amiga foi ensinada a tecer fios de lã, uma tarefa interminável que parecia ocupar todo o seu tempo quando não estava usando as mãos para outra coisa. Goody também aprendeu a bordar e a cantar (Bernard tinha lhe dado um ótimo fundamento na fazenda de Thangbrand); a agir afetadamente; a caminhar graciosamente; a servir vinho com elegância e mil outras habilidades que uma dama necessitava dominar para atrair um marido do nível de um cavaleiro. Ocasionalmente, ela se rebelava, fugindo do castelo para vagar pela cidade com um grupo de garotos imundos de Winchester, fazendo confusão e até mesmo brigando com outras crianças da rua, retornando com o vestido rasgado e o rosto sujo e machucado para ouvir um sermão dos responsáveis por ela. Vi-a pouco naquele período, mas sentia que ela estava feliz; e eu, percebi certo dia, também estava.

Havia apenas uma nuvem escura no horizonte: minha promessa de obter informações e transmiti-las a Robin. O problema era que eu não tinha nada em particular para relatar. Na primeira vez em que fui à Cabeça do Sarraceno, que não ficava longe do castelo, na rua São Peter, era uma noite fria e chuvosa. Encontrei Thomas lá e, depois do ritual da pergunta e da resposta sobre o povo da floresta e o povo da cidade, ele me pediu para contar o que aprendera nas semanas anteriores, desde quando havíamos chegado. Então, contei-lhe sobre o triunfo de Bernard e as aventuras de Goody e ofereci os melhores e mais recentes boatos da corte: como fulano estava dormindo com fulana; que tal cortesão caíra nas graças da rainha e outro estava em desgraça.

Thomas era um homem realmente feio. Além de ter somente um olho — o outro era apenas uma massa de tecido cicatrizado rosado e vermelho —, tinha uma cabeça grande e redonda adornada com diversos calombos lisos do tamanho de bolotas de carvalho na testa e na parte superior, um nariz chato e abrutalhado e uma cabeleira rala e sebenta com cachos negros. Era parecido com um ogro ou algum outro monstro fantástico determinado a destruir a humanidade. Na verdade, era um homem decente, apesar de um pouco sarcástico — e dedicado a Robin. Quando acabei de lhe contar uma história especialmente suculenta sobre dois criados jovens de Eleanor que tinham sido pegos nus, um nos braços do outro, e foram banidos em desonra de volta para a França, ele inclinou sua cabeça grande e deformada para um lado e, olhando-me com seu olho escuro, disse:

— Tudo muito interessante, sem dúvida. Mas o garçom aqui poderia me contar histórias sobre as travessuras imundas de jovens criados. O que mais tem para mim? Quais notícias sobre o rei? Ou sobre o duque Ricardo?

Meu rosto caiu. Eu sabia que ambos estavam na França com adagas nas mãos, e nada mais. Thomas percebeu que havia me magoado e acrescentou rapidamente:

— Mas você é novo neste jogo; nada tema, em pouco tempo faremos de você um espião tão bom quanto Josué.

Depois, bateu nas minhas costas e pediu outra caneca de cerveja para mim.

Quando me recuperei do constrangimento, Thomas inclinou-se para a frente e disse:

— O que você precisa fazer, Josué, é aproximar-se de Fulcold, o camareiro. Já o conheceu? Bom. Agora, você precisa conquistar sua confiança. E, eventualmente, através dele, deve conseguir dar uma olhada nas cartas pessoais da rainha. Hugh disse-me que você sabe ler e escrever, que é *litteratus*?

Concordei, e ele prosseguiu:

— Isto será muito útil. Procure Fulcold e ofereça-se para ajudá-lo com suas obrigações. Agora que tem dois criados a menos, ele estará sobrecarregado; lisonjeie-o, diga que deseja aprender como um homem inteligente organiza os negócios da maior dama da cristandade.

Thomas bebeu um pequeno gole de cerveja.

— Não faça pressão — ele disse. — Não faça perguntas demais. Seja solícito e trabalhador. Jamais reclame caso ele lhe peça para fazer uma tarefa difícil ou entediante. E fique de olho na sorte.

Ele estava se levantando, preparando-se para partir.

— Robin quer saber o que Eleanor está dizendo para Ricardo nas cartas que escreve para ele, e como ele tem respondido. Mas não faça nada perigoso demais, jovem Josué, não corra o risco de ser pego. Robin diz que você é muito valioso para ele e que gosta bastante de você. Recebi instruções estritas para não permitir que nada lhe aconteça.

Ele abriu um sorriso e socou levemente meu ombro. Depois, continuou:

— Encontrarei você aqui no mesmo horário, no mesmo dia do próximo mês, e você poderá me dizer como estará se saindo. Caso precise me ver antes, deixe uma mensagem para mim aqui. E diga que seu nome é Greenwood. Entendeu?

Concordei, cumprimentamo-nos apertando os antebraços e Thomas desapareceu rapidamente da taberna, embrenhando-se na noite escura e molhada.

Capítulo 14

Apresentei-me a Fulcold no dia seguinte, fiz elogios a ele e dei-lhe de presente um pequeno canário amarelo em uma gaiola de palha que eu comprara na cidade. Mestre Fulcold gostou muito do presente e disse-me que eu poderia auxiliar a equipe de escrivães que controlavam os papéis das contas da rainha e aprender como uma grande residência era gerenciada.

Fulcold era um homem estranho e pequeno, imensamente gordo, tímido e sentimental. Adorava música e amava a ideia de que um *trouvère* tão reconhecido como Bernard de Sezanne estivesse trabalhando sob seu auspício. Quando não havia muito trabalho para mim, o que acontecia com frequência, ele me pedia para tocar a flauta folheada para entreter os escrivães.

Além de registrarem as contas da rainha em grandes rolos de pergaminho, os escrivães da residência real ocupavam-se principalmente com a correspondência de Eleanor — e ela escrevia e recebia cartas constantemente. Todas as manhãs, a rainha despertava ao nascer do sol, banhava-se, fazia o desjejum e ia à missa matutina na catedral. Depois, cuidava da correspondência. Ela escrevia para todos, do amado filho Ricardo, duque da Aquitânia, e Filipe Augusto, rei da França, a humildes cavaleiros em Poitou ou na Alemanha. E eles escreviam para ela. As conversas precisavam ser discretas, pois a rainha era, teoricamente, uma prisioneira, e o rei dera ordens para que permanecesse incomunicável. Mas o rei estava doente; provavelmente, morreria, era o que muitos diziam — e, caso morresse, Ricardo herdaria o trono da Inglaterra.

Portanto, todas as manhãs, a rainha caminhava em seu quarto ditando cartas para Fulcold, que rabiscava anotações em um pergaminho que seria levado para ser transformado pelos escrivães em uma cópia apropriada. Sendo novato, eu não tinha permissão para fazer tal trabalho, não porque Fulcold não confiasse em mim, mas porque o pergaminho, ou velino — a pele finamente esticada de um bezerro ou filhote de ovelha sobre a qual escrevíamos —, era muito valioso e eu poderia cometer erros ou deixar marcas de tinta e arruinar uma bela peça de material para escrever.

Era frustrante: Thomas adoraria saber tudo que a rainha escrevia, mas não ousei pressionar demais os escrivães e, quando os questionava casualmente sobre as cartas da rainha, eles pareciam cegos em relação ao conteúdo da correspondência, quase como se estivessem apenas copiando as palavras sem absorver realmente os significados. Ali estava eu, fisicamente capaz de ver as cartas que a rainha enviava, mas impossibilitado de ler suas mensagens. Eu temia o próximo encontro com o homem de um olho só.

Então, ocorreram dois eventos que mudariam meu humor — e o curso da minha vida. Minhas obrigações com Fulcold eram leves e, nas tardes ensolaradas, eu ainda me apresentava ocasionalmente com Bernard para as damas nos jardins do castelo. Um dia, depois de tocarmos juntos e de recebermos grandes elogios, Bernard sugeriu que eu fizesse minha estreia como *trouvère* solo diante da corte. As damas acharam a ideia maravilhosa e a rainha sugeriu que eu me apresentasse em um banquete que seria realizado dentro de aproximadamente uma semana, no começo de julho, em homenagem a alguns visitantes importantes que viriam ao castelo. Eu iria me apresentar diante de Sir Ralph FitzStephen, o condestável, pela primeira vez, e estava determinado a causar uma boa impressão. O segundo evento ocorreu quando um dos escrivães adoeceu e Fulcold pediu-me ajuda para fazer palimpsestos. Como já disse, o pergaminho era muito caro, mesmo para uma rainha, e muitas das cartas enviadas para Eleanor eram raspadas e reutilizadas. Fulcold atribuiu-me esta tarefa, e foi assim que finalmente descobri um segredo digno de Thomas.

Era um processo árduo: o pergaminho usado era preso a uma tábua de madeira, na qual era lavado delicadamente com leite de vaca e depois esfregado com farelo de aveia, o que removia boa parte da tinta seca usada anteriormente. Se o escrivão tivesse pressionado com força sobre a pele do animal, um pouco da tinta ficava gravada mais profundamente no pergaminho e só podia ser removida raspando o material com pedra-pomes, uma pedra cinzenta e friável, tão leve que flutuava na água. Era uma tarefa delicada: o pergaminho era muito fino e raspar forte demais com a pedra-pomes poderia fazer buracos no material. Caso se esfregasse o pergaminho muito delicadamente, o palimpsesto resultante continuaria coberto com a escrita original.

— Você será cuidadoso, meu garoto, não será? — disse um preocupado Fulcold ao me dar uma pilha de pergaminhos, alguns dos quais já tinham sido parcialmente limpos.

Tomei um cuidado especial com os pergaminhos que Fulcold me deu naquele dia e o camareiro ficou satisfeito com meu trabalho. Obviamente, eu também lera integralmente cada documento antes de fazer a limpeza. Saí-me tão bem que o trabalho se tornou meu emprego regular no estabelecimento de Fulcold e fiquei satisfeito comigo: apesar de ainda não poder ler a correspondência enviada pela rainha, eu poderia ao menos ler o que as pessoas escreviam para ela. Algumas cartas eram muito íntimas. Eleanor, aparentemente, tinha uma curiosidade insaciável sobre uma nobre chamada Alice, filha do rei da França, que suspeitavam de que fosse amante do rei Henrique. Vi que ela recebia muitas cartas escritas com a mesma caligrafia ilegível e pequena que descreviam, em detalhes extraordinários, a vida da infeliz princesa, que estava noiva de Ricardo: o que ela comia, o que vestia em cada dia e até o número de vezes que ia ao banheiro.

Na maioria, as cartas continham assuntos tediosos, informações que considerei de nenhum interesse para Robin. Uma carta revelava que o conde de alguma coisa tinha uma filha linda e o escritor perguntava se Eleanor o ajudaria a providenciar um casamento adequado. O abade de Quelquepart convidava Eleanor a tornar-se sua patrona, a igreja precisava de um novo telhado e talvez a rainha quisesse contribuir...

Então, no começo de julho, deparei-me com uma carta que apagou toda a trivialidade da minha mente. Para minha irritação, era um pergaminho que já fora parcialmente limpo, mas consegui compreender partes da mensagem. Era uma carta datada de 11 de fevereiro do mesmo ano, escrita por Sir Ralph Murdac.

Ele estava a caminho de Winchester; na verdade, era o convidado especial para quem eu me apresentaria no dia seguinte. Meu coração parou, mas controlei-me quase imediatamente. Não seria possível que Murdac me reconhecesse:

havíamos nos encontrado cara a cara uma única vez, havia mais de um ano, em Nottingham, quando eu era um ladrão repulsivo que fora detido por roubar uma torta. Ele poderia ter me visto de novo brevemente, ou pelo menos em minhas costas, quando eu fugia de seus cavaleiros pela neve, mas com certeza não se lembraria de mim, não conseguiria relacionar aquela criança suja, aquela "imundície" camponesa, com o polido *trouvère* tocando (eu ousava esperar) maravilhosamente em uma corte real. Era impossível, concluí, e comecei a apreciar a ideia de me apresentar diante de Murdac, inspirado pelo ódio que tinha dele.

Outras partes do pergaminho de Murdac eram muito mais perturbadoras. Depois de um trecho ilegível, a carta prosseguia: "...Seria uma união muito apropriada, acredito; a condessa de Locksley tem muitas propriedades mas precisa de um homem forte para administrar tanto ela quanto suas terras. Sou tal homem e pretendo cortejá-la vigorosamente durante minha estada no castelo; quem sabe qual mágica uma palavra doce e um presente generoso podem exercer sobre uma jovem garota? Confio que terei seu apoio nesta empreitada, apesar de observar que tenha mencionado em sua última carta que ela estabeleceu algum tipo de ligação com Robert Odo de Edwinstowe. Devo avisá-la, e certamente informarei à condessa, que Robert Odo é um vigarista, um criminoso, e que, no instante em que as forças leais ao rei colocarem as mãos nele, será enforcado com um criminoso comum. Ele passou a ser um grande incômodo condado de Nottingham e, na verdade, em todo o norte da Inglaterra, mas sua onda de sorte está praticamente no fim. Sei todos os seus movimentos antes que sejam executados e, em breve, tê-lo-ei em minhas mãos. Juro pelo Deus Todo-Poderoso que o punirei por seus delitos dentro de toda a extensão fatal da lei."

Li a carta duas vezes e, depois, pensando furiosamente, lavei-a e comecei a esfregar o pergaminho com a pedra-pomes. Aquele minúsculo janota francês, aquele porco com perfume de lavanda, queria minha bela Marian. O pensamento de suas pequenas patas suadas sobre o corpo de Marian no leito nupcial, sobre seu pescoço, sobre seus seios. Jamais. Eu o veria morto antes. Eu caminharia diretamente até o maldito no banquete e quebraria a viela em sua cabeça. Enfiaria meu punhal em seu coração enegrecido. Para o inferno com as consequências. Esfreguei com tanta força que rasguei o pergaminho, e Fulcold aproximou-se em reprovação. Vendo o rasgo, liberou-me de minhas obrigações e enviou-me de volta para meu quarto para recobrar o humor.

Avisei Marian naquela noite, mas, para minha surpresa, ela não pareceu preocupada.

— Existem muitos homens que se casariam comigo por causa de minhas terras — ela disse. — Alguns até tentariam me obrigar a casar com eles. Mas estou segura aqui sob a proteção da rainha. Não se preocupe, Alan, estarei segura enquanto permanecer em Winchester.

Eu me lembraria bem daquelas palavras alguns dias depois.

Passei boa parte do dia seguinte preparando-me para a apresentação que faria no banquete. Eu usaria a viela de Bernard e temia que minha técnica estivesse um pouco enferrujada, então meu mestre me ajudou nos preparos para a noite, fazendo-me executar as escalas e sugerindo pequenos refinamentos no manejo do arco. Eu tocaria apenas quatro peças — a menos que a plateia pedisse mais: primeiro, uma canção simples que eu escrevera elogiando a beleza da rainha, comparando-a a uma águia, como tinha sido em uma profecia famosa, e admirando sua aparência altiva e personalidade imponente. Eu estava certo de que a música seria bem recebida. Depois, um canso sobre um escudeiro apaixonado por uma dama a quem jamais sequer vira; ele estava apaixonado pelo que diziam a respeito de sua beleza e pelas histórias que ouvira sobre sua bondade. Em seguida, eu interpretaria uma sirvente, uma cantiga satírica sobre clérigos corruptos e seus criados pouco inteligentes, a qual eu escrevera em Sherwood e fizera os homens rolarem no chão quando a apresentei nas cavernas de Robin. Então, finalmente, Bernard e eu tocaríamos uma tense, um debate musical em duas partes, no qual eu sugeriria com meus versos que um homem só poderia amar uma única mulher, enquanto Bernard argumentaria, em versos alternados, que seria possível para um homem amar duas mulheres, ou até mais, se todas fossem de beleza e virtude comparáveis. No final da tense, pediríamos à rainha Eleanor que julgasse qual de nós dois teria provado sua opinião de modo mais convincente e quem deveria ser declarado o vencedor do debate musical.

Praticamos durante quase toda a manhã, depois me banhei, vesti minhas melhores roupas e aguardamos em uma antessala ao lado do grande salão no qual os convidados jantavam ruidosamente. Bernard estava sóbrio e irrequieto, puxando constantemente as fitas amarradas da sua túnica verde de seda. Eu estava nervoso, mas pensava em Sir Ralph Murdac e tentava usar o ódio que sentia por ele para expulsar meu nervosismo. Então, Fulcold apareceu por trás dos meus ombros; havia chegado a hora de entrar.

Entramos no grande salão do castelo de Winchester sob o som de trombetas. Bernard caminhou até a parede lateral do grande salão — afinal de contas, a apresentação seria minha, ele apenas me acompanharia na tense. Então, com uma voz artificialmente alta, completamente diferente de seu tom gentil costumeiro, Fulcold anunciou:

— Meus lordes, damas e cavalheiros, para seu prazer, apresento-lhes o renomado e talentoso *trouvère* Alan Dale.

Fiz uma mesura, levantei a viela e examinei a plateia.

Os convidados estavam sentados em uma longa mesa em forma de T no centro do grande salão do castelo. Na mesa mais alta, onde as linhas do T se cruzavam, estava sentada a rainha Eleanor, esplêndida em um vestido de tecido dourado coberto de joias, Sir Ralph FitzStephen, severo, vestido de preto, Marian, com o rubi cor de sangue brilhando em seu pescoço, e Sir Ralph Murdac: belo, reluzente, mas sentado em uma grande almofada para disfarçar sua baixa estatura. Todos os cortesãos estavam sentados nos dois lados da longa mesa que formava a perna do T. Fiquei na extremidade da mesa baixa, concentrando meu olhar nos convidados mais importantes na mesa superior. Toquei o primeiro acorde na viela e iniciei a apresentação. Cantei o primeiro verso e minha voz começou a tremer, pois na metade da mesa baixa, enquanto eu trinava sobre a águia real e sua feliz terceira ninhada, havia um rosto engordurado e estufado de carneiro assado, o qual eu jamais esperava rever. Era Guy. Ele parecia quase tão surpreso quanto eu.

De algum modo, consegui terminar a canção, apesar de não ter conseguido interpretá-la com muita elegância. Houve uma série educada e abafada de aplausos e, depois, como em um sonho no qual tudo se move de modo exageradamente lento, Guy levantou-se, esplêndido em uma veste verde e amarela, esticou um dedo acusatório e gritou, como se estivesse muito longe:

— Este homem é um impostor! Prendam-no!

Tudo acelerou novamente e o ouvi gritando, agora mais alto:

— Ele é um fora da lei, um ladrão, um seguidor de Robin Hood.

E, justamente como Guy fizera no dia em que fora acusado de roubar o rubi, entrei em pânico. Larguei a viela e o arco e corri para a porta.

Capítulo 15

O pânico é um grande inimigo. Foi o que descobri naquele dia em Winchester. Disseram-me que tal palavra vem de um antigo deus grego chamado Pã, um terrível demônio flautista com as pernas traseiras e os chifres de um bode e o corpo de um homem nu. Mas, até hoje, quando pondero sobre o terror irracional inspirado por aquele espírito grego morto há tanto tempo, não consigo evitar pensar em Robin vestido como Cernunnos para aquele sacrifício terrível, com o peito nu banhado de sangue e o par de chifres.

Um terror envolvente e sufocante cresceu em meu coração nesta primavera, não exatamente pânico, mas algo muito próximo, à medida que a febre subia no jovem Alan, meu neto. Ele é o último da minha linhagem, o que resta de mim neste mundo. Com o passar dos dias, ele ficou mais magro, esquelético, incapaz de manter comida ou água no estômago, silencioso e quieto, cada vez mais próximo da morte. Admito que eu estava à beira da loucura enquanto galopava pela floresta em minha égua, meus velhos ossos estalando, procurando um velho casebre de madeira nas profundezas de Sherwood, o qual não visitava há quase meio século.

Brigid reconheceu-me imediatamente, apesar do passar dos anos, de meu rosto desgastado e do cabelo grisalho. Deu-me as boas-vindas e pediu para ver meu braço direito. Coloquei em seu peito um carneiro vivo recém-nascido e, deixando de lado a polidez, implorei de joelhos para que fizesse um encantamento para ajudar meu garoto. Ela colocou uma das mãos sobre minha cabeça e imediatamente acalmei-me, tranquilizado pelos dedos que corriam por meus cachos escassos.

— É claro que o ajudarei, Alan — disse ela. — E a mãe não sofrerá a morte do garoto.

Ela parecia tão confiante, tão certa de seus poderes, que senti um grande peso sendo removido de meus ombros. Dei um longo suspiro e meus músculos tensos relaxaram um pouco enquanto ela se ocupava em uma velha mesa de carvalho, cortando a garganta do cordeiro e recolhendo o sangue em um pote, amassando raízes secas, misturando pós finos e murmurando encantamentos para si mesma. Olhei ao redor do casebre. Ele praticamente não havia mudado em mais de quarenta anos: os mesmos molhos de ervas secas pendurados no teto, as teias de aranha nos cantos escuros ainda mais espessas, o esqueleto pendurado na parede oposta. Mas, ainda assim, apesar de toda a bruxaria, o lugar era aconchegante. Um lugar de bondade e cura. Comecei a relaxar enquanto Brigid trabalhava. O poder do antigo demônio grego começou a desaparecer.

Contudo, no castelo de Winchester, eu estava firmemente nas garras da entidade grega. Larguei a viela, o que deixou Bernard bastante irritado por muito tempo, e corri para a porta do salão. Eu não havia corrido 5 metros quando meia dúzia de homens de armas me agarraram. Para eles, correr provava minha culpa. Se tivesse ficado parado, não dissesse nada e pensasse, eu poderia ter conseguido me desvencilhar. Mas o instinto de correr, depois de anos roubando em Nottingham, era forte demais.

Os homens de armas arrastaram-me de volta ao local onde eu me apresentará e, apesar de meus gritos que alegavam inocência, dos apelos à rainha e de me debater desesperadamente, amarraram-me com uma corda e me amordaçaram. O salão estava em polvorosa. A rainha estava de pé, exigindo saber o nome do homem que interrompera seu entretenimento. Guy gritava que me conhecera na fazenda de Thangbrand e que eu era um dos piores daquele bando de cortadores de gargantas. Os outros convidados exigiam saber quem eu era, quem era Guy e qual era o motivo de tamanha confusão.

Marian ficou sentada, imóvel, olhando para mim, o rosto pálido, o rubi vermelho destacando-se sobre seu pescoço branco. Foi Sir Ralph Murdac que restaurou a ordem no salão gritando "silêncio!" repetidamente, até que todos ficassem quietos.

— Quem é você, senhor? — perguntou a rainha a Guy, sua voz estranhamente alta no silêncio repentino.

— Sou Guy de Gisborne, majestade, um humilde soldado a serviço de Sir Ralph Murdac.

Oh, sim, pensei, apesar de proclamar "humildade", você obteve um título territorial em suas viagens, seu bosta. Eu ouvira a respeito do solar de Gisborne, uma fazenda moderadamente rica não muito longe de Nottingham, cujo senhor morrera poucos anos antes. Presumivelmente, Sir Ralph dera a propriedade a Guy pelos serviços prestados. Eu apenas podia imaginar quais serviços teriam sido, mas tenho certeza que estavam relacionados à transmissão de informações sobre Robin.

— Então, você assegura o caráter deste homem? — perguntou a rainha, voltando-se para Ralph Murdac. O pequeno homem sorriu e abaixou sua cabeça negra.

— Ele tem sido muito útil para mim — disse Murdac com sua voz ceceosa. — E, antes de me servir, foi realmente membro do bando de criminosos de Robert Odo.

— Então, continue — disse a rainha a Guy, que, inflado de autoimportância, relatou ao grupo como crescera na fazenda do pai em Sherwood e como seu pai fora ludibriado para abrigar fora da lei do bando de Robin. Contou à platcia que Alan Dale era um deles, um ladrão particularmente perverso de Nottingham, bastante inclinado a assassinatos e blasfêmias.

— Bernard de Sezanne também é fora da lei — ele prosseguiu —, e... e... a condessa de Locksley está noiva de Robin Odo.

— Impossível — interveio Sir Ralph Murdac friamente, franzindo as sobrancelhas para Guy. — Você está enganado. A dama Marian é uma jovem da mais alta nobreza, e minha amiga pessoal... Não é possível que tenha relações com bandidos. Você está enganado.

— E Bernard de Sezanne é um cavalheiro nobre de Champagne — concordou a rainha. — Ele é meu criado, meu *trouvère* pessoal. Você também está claramente enganado quanto a ele.

— Mas... mas... — gaguejou Guy.

Ele foi interrompido por nosso anfitrião, Ralph FitzStephen, que permanecera em silêncio até aquele momento, mas agora queria reiterar a autoridade sobre os acontecimentos extraordinários que se desenrolavam no salão.

— As acusações contra a condessa de Locksley e... Bernard de Sezanne são, obviamente, ridículas, e serão ignoradas. Mas as alegações contra o rapaz Dale são sérias — disse ele — e devem ser investigadas. Levem-no para o calabouço e guardem-no com segurança até que a verdade possa ser confirmada.

Fui arrastado do salão e forçado a marchar pelo castelo, descendo até o nível inferior, onde fui jogado pela porta de uma cela e caí sobre um monte de palha malcheirosa. A porta fechou atrás de mim com um barulho metálico.

Fiquei deitado na escuridão da cela fétida com paredes úmidas de pedra e chão gelado, escutando a movimentação dos ratos. Minha mordaça afrouxara, graças a Deus, mas meus braços ainda estavam firmemente amarrados atrás das minhas costas e causaram um desconforto considerável ao longo das horas seguintes, apesar de aquilo não ter sido nada em comparação com o que aconteceria posteriormente. Para tirar meu desconforto da cabeça, avaliei a situação: para minha sorte, eu tinha amigos poderosos em Winchester. Eleanor sabia da visita de Marian a Robin, e provavelmente a perdoara. A rainha também sabia que nós — Bernard e eu — tínhamos sido membros do bando de Robin, e aquilo não a perturbara quando aceitara os serviços de Bernard. Marian, obviamente, estava bastante segura em relação às acusações feitas por um soldado e eu sabia que tentaria me ajudar. O lado ruim era que Eleanor era uma prisioneira, mesmo que privilegiada, e poderia não ser capaz de ajudar. Sir Ralph FitzStephen tinha autoridade sobre o castelo e, não faria vista grossa para as acusações de que fora da lei circulavam livremente por seus salões. Mas o pior de tudo era que Murdac, sem dúvida, iria querer me testar para obter informações sobre Robin, o que significaria dor, muita dor.

Para controlar meus temores crescentes, revi muitas vezes em minha mente a cena no salão: o rosto rancoroso de Guy e seu dedo esticado quando me denunciou; o olhar de medo e choque de Marian; a raiva da rainha; a proteção ostensivamente galante de Marian por parte de Murdac; a confusão de Guy diante da rejeição de suas acusações por seu mestre.

Nas cavernas de Robin, todos tínhamos presumido que Guy teria sido o responsável pelo ataque dos homens de Murdac à fazenda de Thangbrand; que Guy era o traidor que, aparentemente, fora recompensado com o solar de Gisborne. Mas, enquanto estava deitado na palha úmida, na meia-noite eterna da cela, pensando sobre a traição de Guy e imaginando minha vingança sangrenta, percebi que algo estava errado. Havia alguma coisa escondida no fundo da minha mente; algo sobre a carta que Murdac escrevera para a rainha. Lembrei-me com clareza: ... a onda de sorte dele está quase no fim. Sei de todos os seus movimentos antes que sejam executados e, em pouco tempo, terei-o em minhas mãos...

"Sei de todos os seus movimentos antes que sejam executados"; aquilo implicava que Murdac teria alguém no acampamento que seria um traidor, que o informava dos planos de Robin. Seria Guy? Parecia que sim. Mas por quê, qual seria a motivação de Guy? Até o dia em que eu armara contra ele com o rubi, Guy era um jovem feliz, ainda que odioso. Assim, como o estalido de um trinco abrindo uma porta, eu soube que Guy não poderia ser o traidor. A carta era datada de 11 de fevereiro, dois meses depois de Guy deixar a fazenda de Thangbrand. Consequentemente, se Guy não era o traidor no acampamento, só poderia ser outra pessoa.

Tal pensamento fez-me arrepiar de terror; alguém, um de meus queridos amigos, estava nos traindo, revelando nossos movimentos a Murdac. Poderia ser qualquer um: Much, o filho do moleiro, Owain, o arqueiro, Will Escarlate, Hugh, João Pequeno, até mesmo o querido frei Tuck. Qualquer um.

Ainda assim fiquei satisfeito com minha conclusão; eu teria algo importante para confidenciar a Thomas quando o visse novamente. Caso voltasse a vê-lo. Então voltei a ficar desanimado. Será que me enforcariam como fora da lei antes que eu tivesse a oportunidade de falar com o bruto de um olho só? Onde estavam meus amigos? Eu estava deitado havia horas naquele buraco negro e ninguém fora me visitar. Minha bexiga estava cheia e doía. Eu estava determinado a não me molhar, mas a ideia de um alívio agradável, mesmo que significasse um par de calças molhadas, era quase tentadora demais. Mordi o lábio e segurei firme.

Cochilei um pouco e, quando dei por mim, a porta da cela estava se abrindo, cegando-me com a luz amarelada das tochas, e ali estava Murdac e seu lacaio esquecido por Deus, Guy. Vi suas silhuetas paradas por um instante na porta, Guy muito mais alto que Sir Ralph, até que os dois entraram na cela malcheirosa, seguidos por dois homens de armas. Espirrei com violência; mesmo no fedor do calabouço, reconheci o revoltante perfume de lavanda de Murdac. Ele aproximou-se de mim e baixou os olhos para minha figura encolhida no chão imundo. Espirrei novamente. Sob a supervisão de Guy, os homens de armas acenderam tochas e colocaram-nas nas paredes. Ominosamente, um dos homens de armas pegou um braseiro, encheu-o de lenha e de lã encharcada com óleo e acendeu-o com uma pederneira e um pedaço de aço. Eu sabia que o braseiro não serviria para me manter aquecido durante a noite longa e fria. Com uma corda, o outro homem de armas prendeu meus braços amarrados a um gancho no teto, ajustando o comprimento para que eu ficasse parcialmente suspenso pelos pulsos, que continuavam amarrados atrás das minhas costas. A força exercida em meus braços era enorme, mas inclinando-me muito para a frente e ficando nas pontas dos pés, consegui torná-la quase suportável. Depois, o soldado cortou com uma adaga as roupas novas que eu usava, deixando-me tão nu quanto no dia em que nasci. Fui tomado pela vergonha de minha nudez e mantive os olhos fixos na palha sob meus pés. Mas o medo era ainda pior que a vergonha. Subindo como um rio em uma enchente, era um terror puro e arrepiante. Em algum canto, nas sombras fétidas da cela escura, o demônio grego Pã tomava forma. E ria em silêncio. Enquanto tentava controlar o terror, tive consciência de que Murdac estava me observando, estudando-me com seus extraordinários olhos azuis pálidos.

O braseiro queimava e Guy colocou três atiçadores pesados de ferro na brasa. Ele capturou meu olhar e sorriu de modo desagradável.

— Está com medo, Alan? Acho que sim. Você sempre foi um covarde! — zombou.

Em seguida, Guy vestiu um par de luvas grossas de couro. Desviei os olhos dos atiçadores que estavam sendo aquecidos e voltei a olhar para baixo, para o chão coberto de palha. Eu sabia o que iria acontecer, sabia que seria pior do que eu podia imaginar e descobri que estava tremendo de medo. Mordi a língua e decidi resistir à dor, transportando-me mentalmente para um lugar melhor, recusando-me a dizer qualquer coisa a Murdac. Nada, particularmente nada sobre minhas suspeitas quanto à existência de um traidor no acampamento. Aquilo era algo que eu deveria enterrar profundamente em meu cérebro; tão profundamente que nem conseguisse me lembrar do assunto. Então, Ralph Murdac falou, seu lamento sibilante em francês preenchendo a cela úmida de pedra, profanando de algum modo até mesmo aquele lugar repugnante.

— Lembro-me de você. Sim, sim, eu lembro. — Ele soava satisfeito, excitado por ter me localizado em sua memória. — Você é o ladrão insolente do mercado de Nottingham. Você espirrou em mim, sua criatura imunda. E escapou, não é verdade? Acho que me recordo de ter sido informado por alguém. Você fugiu para a floresta para se juntar a Robert Odo e àquela escória. Bem, bem, agora, tenho você novamente. Que gratificante, muito gratificante mesmo.

Ele gargalhou, um riso seco e magro, e Guy juntou-se imediatamente a Murdac, com uma gargalhada que soava falsa, alta demais. Murdac perfurou-o com os olhos e ralhou:

— Pare de fazer barulho! — E Guy interrompeu a gargalhada enquanto respirava.

As juntas dos meus ombros estavam pegando fogo, mas trinquei os dentes e não abri a boca.

— Então, você passou o último ano com os fora da lei do bando de Robert Odo? — perguntou Murdac, como se estivesse conversando.

Eu não disse nada. Murdac acenou com a cabeça para Guy, que caminhou até mim e socou-me com toda a força, acertando com um gancho meu estômago nu e desprotegido. O golpe deixou-me sem fôlego. Mas o pior foi que Guy me socara com mais força do que minha bexiga aguentaria e, involuntariamente, liberei uma corrente quente de urina por minhas pernas. O líquido escorreu e pingou até formar uma poça sob meus pés. Guy riu e socou-me outra vez, um golpe forte e intenso, impulsionado pelo ombro, mas depois deu um passo para trás, enojado ao perceber que pisara na poça feita pelo meu mijo.

— Você irá responder às minhas perguntas, nojento — prosseguiu Murdac na mesma voz fria, como se estivesse meramente declarando um fato.

Permaneci em silêncio, mas minha mente estava girando. O maldito estava certo. Com o tempo, eu falaria, eu sabia — quando os atiçadores quentes tornassem a dor insuportável, eu falaria. Mas eu precisava determinar como ordenaria meu conhecimento para que revelasse primeiro as informações menos importantes. Eles poderiam se cansar de me interrogar — se eu conseguisse resistir o bastante, talvez o condestável ou a rainha interviessem. Qualquer coisa poderia acontecer, eu apenas precisava resistir e permanecer em silêncio.

Guy afastou-se do meu corpo nu e arqueado e andou até o braseiro, enquanto eu o acompanhava com os olhos. As pontas dos atiçadores brilhavam em um denso tom vermelho alaranjado. Ele enfiou um atiçador mais profundamente no fogo e retirou outro, fazendo pequenos círculos no ar com a ponta incandescente.

Murdac repetiu lentamente:

— Você se juntou ao bando de assassinos de Robert Odo?

Mais uma vez, mantive a boca fechada e Guy avançou com o ferro em brasa na mão direita.

— Isto fará você cantar, pequeno *trouvère* — debochou Guy.

Ele colocou o metal em brasa contra a pele nua que cobria minhas costelas do lado esquerdo. Um chicote branco de dor atravessou todo meu ser. Afastei meu corpo de Guy e gritei — um longo uivo de agonia e medo que ecoou pelo quarto de pedra durante muito tempo depois que me controlei e fechei a boca.

— Você entrou para o bando de Robert Odo? — perguntou Murdac novamente. — É uma pergunta muito simples.

Balancei a cabeça, os dentes mordendo forte meus lábios para impedir-me de falar. Guy tocou o ferro novamente em minhas costelas, gerando uma nova descarga de dor. Gritei outra vez, até quase estourar os tendões do meu maxilar.

Guy recolocou o primeiro atiçador nas chamas e pegou outro das brasas crepitantes. A ponta do atiçador brilhava com a cor de cerejas maduras. Guy aproximou-se e ficou perto de mim; eu sentia no peito o calor do metal. Ele sussurrou no meu ouvido:

— Permaneça em silêncio, Alan. Podemos fazer isso a noite toda, se você continuar assim. Espero realmente que permaneça em silêncio, por mim.

Guy riu. Então Murdac falou novamente, sua voz sibilante cortando a dor nas minhas costelas.

— Você entrou para o bando de Robert Odo?

Não falei nada; tencionei o corpo e afastei-me de Guy, que permanecia ao meu lado, segurando 1 metro de ferro em brasa com a mão enluvada. Ele parou por alguns segundos e prendi a respiração. Depois, deliberadamente, esfregou o ferro levemente para cima e para baixo no lado direito do meu tronco, ferindo a pele como um homem que passa manteiga em um pedaço de pão. Uivei como um louco enquanto a pele queimava, formando bolhas, e a nuvem de fumaça e o cheiro fétido de carne queimada atacavam minhas narinas. Ele pressionou o metal com mais força contra meu corpo nu e gritei:

— Foda-se! Foda-se! Fodam-se vocês dois...

Guy recuou e colocou o ferro de volta no fogo. Ele olhou inquisitivamente para Murdac, que concordou com a cabeça. Guy pegou então um tufo do meu cabelo, levantou meu rosto e aproximou o dele até nossos narizes ficarem a centímetros um do outro.

— Não, não, não, Alan — disse ele, olhando-me com maldade. — Não somos nós, e sim você, quem irá se foder.

Guy fez um gesto de comando para os homens de armas.

Os dois soldados me seguraram e torceram minhas pernas, afastando-as e mantendo-as imóveis enquanto as seguravam com força. Guy pegou outro atiçador, que brilhava de tão quente, e posicionou-se atrás de mim. Murdac disse:

— Pela última vez, Alan, você entrou para o bando de Robert Odo? Responda minhas perguntas e a dor terminará, prometo. Depende inteiramente de você. Apenas responda minha pergunta; quem será prejudicado se você falar um pouco? Eu já sei as respostas. Apenas responda às minhas perguntas e a dor cessará.

Mordi o lábio e abanei a cabeça. Logo depois, minha bunda foi aberta com brutalidade pelos soldados e senti o calor imenso do ferro em meu saco encolhido e na pele sensível entre o saco e a bunda, sem que fosse tocada pelo ferro em brasa, graças a Deus, mas esquentando minhas partes mais íntimas com uma intensidade enorme e malévola. Então, a ponta fundida do atiçador apenas encostou na pele delicada no interior da nádega direita e, apesar de a dor ter sido menor do que as queimaduras nas costelas, gritei por tempo suficiente e em um volume tão alto que poderia ter despertado os mortos:

— Sim, sim, por Deus, entrei para o bando. Sim, entrei.

Eu estava balbuciando, gritando de terror e dor, todo o autocontrole perdido repentinamente.

— Pare, por favor, pare. Não faça isso. Não me queime aí, estou implorando.

Murdac sorriu, Guy gargalhou e senti um alívio imenso e jubiloso quando o calor do atiçador se afastou de minhas partes privadas. Minhas nádegas foram libertadas das mãos que as seguravam e as contraí com força, apertando os músculos com a mesma intensidade com a qual cerraria um punho, como se aquilo pudesse me proteger. De repente, fui engolido por uma onda negra de vergonha, uma tristeza fria e deprimente por minha falta de coragem. Eu queria morrer, ser engolido pela terra. Eu fora despido muito facilmente de meus últimos resquícios de dignidade por aquela ameaça obscena. Eu era um covarde; era o traidor no acampamento de Robin, caso realmente existisse um traidor. Então, tão rapidamente quanto tal pensamento nasceu, expulsei-o de minha mente. Aquele era um segredo e eu jamais revelaria, mesmo que sofresse naquela noite todos os tormentos da danação.

Murdac fez outra pergunta:

— Onde Robert Odo está agora?

Não falei nada. Rangi os dentes. O pequeno homem suspirou; parecia genuinamente decepcionado. Então, Murdac sorriu para Guy, que pegou um novo atiçador do braseiro e avançou em minha direção. Quando os soldados pegaram novamente meu traseiro e afastaram as nádegas, comecei a balbuciar:

— Ele está nas cavernas, nas cavernas, meu bom Deus, por favor...

Então, totalmente surpreso, parei quando a porta se abriu com um forte estrondo e, através de minhas lágrimas de dor e humilhação, vi uma figura imponente na porta. Avançando sob a luz, surgiu Robert de Thurnham, vestido em uma cota cinza, com sua espada longa presa na cintura.

— Cavalheiros — disse ele. — Por favor, perdoem minha intromissão. Mas os gritos deste camarada estão perturbando o repouso da rainha. Ela ordena que o interrogatório cesse agora e seja reiniciado amanhã em um horário mais apropriado.

Ele avançou, desembainhando a espada, e cortou a corda que mantinha meus braços esticados atrás de mim. Caí com força, tremendo sobre a palha suja no chão da cela, minhas pobres costelas queimadas e a queimadura em meu glúteo cantando uma melodia de agonia. Mas, por enquanto, havia terminado. Olhei de relance para Sir Ralph e vi em seus olhos claros uma raiva monstruosa, a qual tentava ocultar. Guy parecia meramente irritado pelo desenrolar dos acontecimentos. Murdac olhou para mim, encolhido como um bebê no chão, e disse:

— Até amanhã, então.

De repente, Sir Robert estava conduzindo Murdac, Guy e os homens de armas para fora da cela.

— Não fique confortável demais, Alan, voltaremos logo — Guy cantarolou enquanto deixava a cela.

O cavaleiro parou na porta para olhar-me uma última vez e, sob a luz trêmula do braseiro, enquanto eu tremia no chão imundo, afogado em um ódio de mim mesmo, moveu a boca em silêncio, dirigindo a mim uma única palavra:

— Coragem!

***

Devo ter desmaiado, ou talvez minha mente tenha apenas se recolhido à escuridão por causa do horror daquela noite, pois, quando recobrei os sentidos, Marian estava ao meu lado. Inicialmente, pensei que estava sonhando. Lágrimas desciam pelo rosto de Marian, que, enquanto cortava as cordas em meus pulsos com uma pequena faca, murmurava:

— Oh, Alan, Alan, o que fizeram com você?

Ela trouxera um velho robe de monge para cobrir minha nudez, havia me vestido e começara a esfregar meus pulsos inchados antes que eu realmente recobrasse a consciência. Eu perdera toda a sensibilidade nas mãos, e as dores lancinantes enquanto ela as massageava de volta à vida eram quase tão ruins quanto os ferros em brasa. Quase.

Quando Marian viu que eu recobrara um pouco de sensibilidade nos membros, disse:

— Venha, Alan, precisamos partir rapidamente. Antes que os guardas retornem. Subornei-os para que me deixassem ficar alguns minutos com o prisioneiro. Acho que acreditam que eu tenha uma *tendresse* por você. — E Marian realmente ruborizou. — Venha, por aqui — disse ela e, puxando meu braço, tropeçamos juntos para fora daquela cela fétida, mergulhando na luz fraca do corredor externo.

Marian conduziu-me por uma parte do castelo que eu não sabia que existia. Seguimos por corredores, subimos e descemos escadarias, atravessamos passagens repletas de teias de aranham até que, finalmente, paramos no abrigo de um pequeno anexo no começo de uma passagem estreita que seguia em um declive. Olhei para a curva e vi que, no final da passagem, havia uma pequena porta de madeira.

— Thomas está aguardando lá fora, atrás daquela porta — Marian sussurrou.

Aquela era a boa notícia, mas eu podia ver que, no nosso lado da porta, havia um problema muito grande. Dois problemas, para ser preciso.

Sentados em dois banquinhos de madeira, jogando dados sob a luz de uma vela gotejante, havia dois homens de armas robustos com espadas na cintura. Reconheci um deles como o homem que levara o braseiro até minha cela de torturas e afastara minhas nádegas enquanto extirpavam minha dignidade. Eu não conhecia o outro, mas havia grandes chances de que ele, depois da confusão do dia anterior, me reconhecesse. Marian sussurrou:

— Talvez, se eu conseguir distraí-los...

Abanei a cabeça. Eu sentia uma onda púrpura de ira subir de meus intestinos para meu peito. Eu fora amarrado, despido, queimado e humilhado; torturado e obrigado a falar contra minha vontade. Mas agora minhas mãos estavam livres. Minha cabeça girava com o que eu sabia que iria fazer, mas uma grande alegria selvagem crescia dentro de mim.

— Obrigado, Marian — sussurrei. — Agradeço-lhe com todo o coração pelo que fez, mas preciso fazer isso sozinho.

Cobrindo o rosto com o grande capuz do robe de monge, desci confiantemente o corredor na direção dos soldados, as mãos unidas diante de mim em uma postura de oração.

Meus passos eram leves, mas meu coração parecia enorme em meu peito, e eu estava consciente de cada centímetro do meu corpo, das minhas pobres costelas queimadas e do interior de minhas nádegas, cheio de bolhas, do suor na pele das pontas dos dedos. Senti como se estivesse zunindo como um enxame de abelhas, tomado por uma fúria sombria e prazerosa.

Quando me aproximei dos dois homens, eles se levantaram; um dos soldados pegou os dados e guardou-os rapidamente em sua algibeira para que um homem de Deus, o que presumiam que eu fosse, não soubesse que estavam jogando por dinheiro.

— Podemos ajudá-lo, irmão? — perguntou o homem da esquerda, o mais alto dos dois, o que estivera na cela. Caminhei diretamente até ele e inclinei a cabeça para trás como que para enxergar seu rosto com olhos míopes. Depois, rápido como uma serpente, coloquei-me nas pontas dos pés, movi rapidamente a cabeça para a frente e acertei-a na ponta do nariz do soldado com um movimento curto e forte. Foi um golpe colossal, pois continha toda a raiva da minha recente humilhação e, tendo vindo de quem parecia um monge, foi totalmente inesperado. Senti o osso e a cartilagem quebrarem quando minha testa acertou o rosto do homem de armas, que caiu como uma pedra a meus pés. Virei-me, o sangue urrando em minhas veias, e avancei para o segundo homem, agarrando-o pelos ombros e tentando dar uma segunda cabeçada poderosa, tão eficaz quanto a primeira. Sua boca estava aberta em surpresa, mas ele virou a cabeça logo antes que eu a atingisse e tudo que consegui foi um golpe de raspão quando minha testa resvalou em sua bochecha. Logo depois, estávamos no chão de pedra, agarrados como lunáticos. Minha ira encontrou um escape e percebi que estava gritando incoerentemente enquanto socava várias vezes a cabeça do soldado, um punho de cada vez. Mas ele era mais forte e, como eu, estava acostumado com brigas de rua. Enquanto rolávamos no chão duro, o soldado pegou meus antebraços e apertou-os com suas mãos carnudas, pondo fim à chuva de golpes que deixara seu rosto ensanguentado e ferido. Levantei o joelho e acertei-o entre as pernas, minha rótula atingindo com força o osso da pélvis e, pegando-o de surpresa, esmaguei suas bolas com aquele pilão de osso. Ele gritou em agonia, dobrou-se e tentou proteger com as mãos as partes íntimas partidas, o que significava que precisaria soltar meus braços. Com isso, agarrei um tufo de seu cabelo comprido e sebento e bati sua cabeça contra o chão de pedra com toda a força. Ele ficou apenas um pouco atordoado, mas era o bastante. Com as duas mãos, peguei sua cabeça pelas orelhas e atingi-a mais duas vezes contra as pedras do chão. Os olhos do soldado reviraram-se nas órbitas e, de repente, eu estava de quatro, resfolegando, minhas costelas queimadas doendo, olhando para dois homens feridos e inconscientes no chão. Nenhum dos dois sequer tivera tempo de desembainhar a espada. Levantei-me com dificuldade, acenei um adeus para Marian, que me encarava com sua bela boca aberta, abri o trinco e puxei a porta, abrindo-a e saindo para o ar frio da noite — e caí diretamente nos braços de Thomas.

Ele olhou com um ar de descrença para os corpos imóveis dos homens de armas, fechou com firmeza a porta de madeira atrás de mim e perguntou:

— Consegue andar?

E, ajudando-me a ficar de pé, conduziu-me pelo caminho íngreme que descia do castelo para as ruas escuras e estreitas da cidade de Winchester.

Durante dois dias, fiquei escondido em um quarto nos fundos da Cabeça do Sarraceno, cuidando de meus ferimentos com uma mistura de gordura de ganso e ervas, aguardando o retorno do homem de um olho só. Thomas pegara minha espada e meu punhal no castelo e os devolvera a mim antes de desaparecer para obter informações com seus contatos. Eu carregava as armas noite e dia — até quando dormia. Alguma coisa mudara em mim depois daquela noite terrível de fogo e dor. Eu estava mais endurecido; alguma parte do garoto fora queimada e perdida. Mas também me conhecia melhor. Sabia que teria contado qualquer coisa a eles se Robert de Thurnham não tivesse intervindo naquele momento. Jurei que jamais seria pego novamente com vida para sofrer novamente aquele tratamento. Eu morreria antes. Na manhã do terceiro dia, Thomas chegou com novidades.

Estávamos sentados na mesa rústica no salão comum da taberna, comendo pão e queijo. Thomas ficou em silêncio por alguns instantes, depois suspirou e disse:

— Primeiro o mais importante: o rei está morto. Que Deus guarde sua alma. Ele morreu há dez dias em Chinon e seu corpo está sendo levado para repousar na abadia de Fontevraud. O duque Ricardo assumirá o trono, quando decidir retornar para a Inglaterra. Mas isso pode levar meses para acontecer.

Fiquei chocado. Eu sabia que o rei estava doente, mas durante toda minha vida, Henrique, o governante untado por Deus, fora uma parte fixa do meu mundo. Eu mal conseguia compreender que ele deixara de existir.

— O castelo está como um formigueiro que levou um chute — disse Thomas —, com mensageiros indo e vindo. Eleanor foi libertada formalmente por FitzStephen, mas ficará em Winchester por mais alguns dias.

Thomas fez uma pausa, suspirou e disse:

— Tenho noticias piores que a morte do rei — ele suspirou pesadamente outra vez. — A dama Marian foi capturada. Sir Ralph Murdac e seus homens a detiveram enquanto ela conversava com as outras damas, ontem de manhã. Acreditamos que aquele verme de cabelo negro esteja, neste instante, correndo para Nottingham com a dama de nosso mestre. E, quando chegar lá, se casará com ela.

— Mas ela jamais consentiria — falei.

Thomas gargalhou, um riso completamente sem alegria.

— Consentir? Ela não terá escolha. Murdac tem uma quantidade suficiente de padres para que os casem, quer ela consinta ou não. Ele deseja as terras de Locksley e, com o rei morto, bem, não há poder que o impeça. Se estiverem casados quando Ricardo for coroado, ele não os separará. Murdac será um homem poderoso e Ricardo pode vir a desejar seu apoio. Caso ela persista em se recusar a casar, ele a obrigará, talvez até fará com que seus homens a estuprem. A honra dela seria destruída e ninguém mais a aceitaria. Até Robin poderia se sentir de outra forma se soubesse que ela esteve na cama de Sir Ralph e de meia dúzia de seus soldados vagabundos, não importa se por vontade própria ou não.

— Vou matar o desgraçado. — Senti as crostas do meu torso queimado se partirem. — Cortarei sua maldita cabeça.

Eu ofegava pesadamente, impondo-me de algum modo sobre Thomas, com a espada em punho, e disse:

— Devo encontrar Robin agora, precisamos partir imediatamente para Nottingham!

Thomas estava irritantemente calmo:

— Sim, devemos ir até Robin. Mas, antes, precisamos pensar um pouco. Murdac preferiria uma noiva disposta a se casar com ele a uma noiva violentada. Provavelmente, temos um pouco de tempo. Sente-se antes que se machuque. Precisamos pensar sobre o traidor. Meus amigos estão trazendo cavalos e provisões para a viagem. até que eles cheguem, acalme-se e diga-me quem pode ser o traidor. Pense! Quem é ele, Alan? Comece pelo começo.

Forcei-me a sentar e a respirar tranquilamente por alguns instantes; eu sentia correntes quentes de sangue fresco correndo pelas laterais do meu corpo. Comecei a pensar.

— Depois do massacre na fazenda de Thangbrand, pensamos que o traidor fosse Guy. Mas a carta de Murdac para a rainha, na qual gabava-se de ter um informante, é datada de fevereiro, de modo que não é possível que seja ele. Guy deixou a fazenda de Thangbrand em dezembro. Creio que o massacre tenha sido organizado para matar ou capturar Robin, que deveria estar lá no Natal mas sofrera um atraso, de modo que o informante deve ter sido alguém que acreditasse que Robin estaria lá naquele dia. Quem sabia tanto a respeito dos movimentos de Robin?

— Alguém próximo a ele — disse Thomas.

— Acredito que seja uma entre quatro pessoas — continuei —, seus tenentes, seu círculo íntimo: João Pequeno, Hugh, Will Escarlate ou... Tuck. Quem gostaria de ver Robin destruído? João Pequeno... foi por culpa de Robin que ele foi declarado fora da lei. João tinha uma posição confortável em Edwinstowe como mestre de armas e Robin arruinou tudo quando matou o padre. Robin obrigou-o a se tornar fora da lei.

— Não consigo ver isso — interrompeu Thomas. — João Pequeno morreria por Robin. Ele o ama como a um irmão.

— O que nos leva a Hugh. Não acredito que trairia o próprio irmão. Robin salvou-o de uma vida desonrada como um cavaleiro sem posses e sem um centavo. Agora, Hugh tem poder e dinheiro, e também idolatra Robin. Basta observar os dois juntos. Portanto, tampouco acredito que seja ele.

— Will Escarlate, então? — arriscou Thomas.

Pensei por um instante.

— Ele era muito amigo de Guy, além de seu primo — falei. — E Guy poderia ter entrado em contato com ele depois de se juntar a Murdac. Ele poderia estar transmitindo mensagens, talvez por dinheiro, ou, quem sabe, na esperança de que fosse perdoado. Mas não consigo acreditar. Will simplesmente não é... bem, não é inteligente o bastante para ser um agente do inimigo, para vasculhar os segredos de Robin, para preparar uma armadilha.

— Então, resta Tuck — disse Thomas, com uma formalidade pesada.

Fiz uma careta.

— Não quero que seja Tuck — falei. — Amo aquele homem; ele tem sido muito bom para mim. Mas, para ser honesto, posso pensar facilmente em uma razão pela qual ele possa desejar mal a Robin.

Eu não sabia exatamente como me expressar. Então, disse a Thomas:

— Você é um bom cristão?

O homem feio sorriu.

— Cristão, sim, mas não muito bom. Ah, agora vejo aonde quer chegar. Robin e suas traquinagens na floresta à meia-noite: "Desperte, Cernunnos!" e toda aquela baboseira pagã. Sei que Robin faz experimentos com a antiga religião. Feitiçaria, é o que alguns dizem. Ouvi dizer que ele até sacrificou um pobre coitado, quase decepando-lhe a cabeça. Mas não acho que acredite realmente em nada desta besteira. Ele só faz isso para aumentar a mística a seu respeito entre o povo do campo. Para obter uma aura de poder sobrenatural. Você acha que seria motivo para que Tuck o traísse?

— Ouvi-os discutindo sobre o assunto. Quase resultou em derramamento de sangue.

Ficamos em silêncio por um momento, até que nossas reflexões foram interrompidas por uma batida forte na porta. Levantei-me com um sobressalto e comecei a desembainhar a espada.

— Calma, Josué... É apenas Simon com os cavalos — disse Thomas.

Simon levara quatro cavalos para Thomas e eu, todos plenamente providos com grãos para os animais, além de comida e bebida para nós. O plano era cavalgar sem parar até as cavernas de Robin mas, naquele instante, o clima estava muito ruim, com chuva constante e ventos fortes. Nosso progresso pela lama foi tão lento que, por pura exaustão, fomos obrigados a parar em uma abadia perto de Lichfield, aproximadamente na metade do caminho. A viagem daquele dia fora um pesadelo. As laterais feridas de meu corpo e a queimadura em minha bunda causaram-me muitos problemas enquanto quicava nas costas do cavalo no ritmo vagaroso e constante de Thomas. No final, apesar do desejo de alcançar Robin o quanto antes, senti o mais puro alívio quando trotamos pelos portões da abadia, doloridos, famintos e ensopados. Os monges não perguntaram nada a nosso respeito. Alimentaram-nos com um prato fundo de guisado de feijão quente, nossos cavalos foram massageados e, depois da breve missa noturna, que contou com poucos presentes, realizada na escuridão da igreja da abadia, mergulhei em um sono exausto sobre um catre estreito no dormitório dos viajantes. Na manhã seguinte, ainda úmido mas bastante recuperado, apesar das laterais queimadas de meu corpo continuarem a doer como o pecado, partimos em cavalos descansados, determinados a estar com Robin ao anoitecer. No final da tarde, com os cavalos exauridos quase até a morte, fomos parados por uma das patrulhas de Robin 16 quilômetros ao sul das cavernas, que nos levou ao seu encontro.

Robin, com a aparência quase tão desgastada quanto a de Thomas e eu, estava sentado em uma mesa ao lado de um homem muito magro que vestia um robe escuro — um judeu, percebi com um choque igual ao de um balde de água gelada no rosto. Era o homem que eu vira no A Viagem a Jerusalém, o homem que identificara David, o armeiro, para que Robin e eu o roubássemos. Os judeus de Nottingham, apesar de poucos, eram muito desprezados. Nós os chamávamos de assassinos de Cristo e os acusávamos de sequestrarem bebês secretamente e de os usarem em rituais imundos. Por um segundo, perguntei-me se Robin estaria envolvido em algum negócio satânico com aquele homem; eu acreditaria em qualquer coisa a respeito dele depois de testemunhar aquele ritual profano e sangrento na Páscoa. Mas logo percebi que a reunião tinha uma natureza bem mais comercial. Quando nos aproximamos da mesa, Robin empurrou duas sacas pesadas de dinheiro para o judeu magro e fez uma anotação em um pergaminho. Tudo ficou claro. Tratava-se de uma parte dos negócios de Robin que eu não vira antes: a usura. Ele emprestava dinheiro, ganhos obtidos de modo vil com roubos, para os judeus de Nottingham, os quais faziam empréstimos para os cristãos cobrando juros altíssimos. Robin fornecia os fundos iniciais, eu ouvira, mas também oferecia proteção aos judeus. Quando alguém não pagava, Robin enviava alguns de seus homens mais durões para visitá-lo, para que deixassem claro, à força, que uma dívida, mesmo com um judeu, deveria ser honrada.

Robin levantou os olhos e nos viu vez. Sorriu, abatido. Parecia estar há dias sem dormir.

— Thomas, Alan — disse ele. — Saudações. Vocês conhecem Reuben?

Ambos nos curvamos rigidamente para o judeu, que nos retribuiu com um sorriso. Ele tinha um rosto escuro, enrugado, de pele espessa, mas imensamente agradável; seu cabelo era negro e usava uma barba curta e bem aparada. Seus olhos castanhos brilhantes emanavam bondade e, só Deus sabe por quê, confiei nele imediatamente.

— Estou correto ao pensar que falo com Alan Dale, o famoso *trouvère*? — disse Reuben, levantando-se e fazendo uma mesura em resposta a nosso cumprimento. Ruborizei; eu sabia que estava me provocando, mas o fez com tão bom humor que não me importei.

— Famoso, ainda não — falei —, mas espero que, algum dia, seja ao menos competente.

— Quanta modéstia — disse Reuben com outro sorriso. — Uma qualidade rara e valiosa nos jovens hoje em dia.

Ele se curvou para Thomas, que grunhiu algo ininteligível.

— Infelizmente, amigos, preciso deixá-los agora — disse Reuben.

O judeu pegou as pesadas sacas de dinheiro da mesa como se estivessem cheias de ar. Percebi que devia ser um homem muito forte, apesar de tão magro. Reuben curvou-se acentuadamente para Robin, que se levantou e retribuiu o cumprimento, como que para um igual. Em seguida, o judeu caminhou para fora da caverna, colocou a prata em seus alforjes, montou em seu cavalo com um movimento ágil e partiu a trotes largos na noite chuvosa.

Convidados por Robin, sentamo-nos à mesa. Ele olhou para nossos rostos exaustos e enlameados e disse:

— Vocês vieram me contar sobre Marian.

A voz dele parecia desgastada, todo seu corpo estava curvado em sofrimento. Concordamos.

— Sei o que aconteceu — disse ele. — Reuben me contou. Partiremos para Nottingham ao amanhecer. Mas... há algo mais, não é verdade?

Concordei outra vez e, pausadamente, expliquei minha teoria sobre o traidor no acampamento. Robin escutou em silêncio. Quando finalmente parei de falar, ele suspirou, uma exalação longa, profunda e estremecedora.

— Entendo. Bem, obrigado por me informar a respeito disso, Alan. É algo de que tenho suspeitado há algum tempo, desde a fazenda de Thangbrand, na verdade. E acho que eu talvez saiba quem é nosso homem.

Ele suspirou outra vez.

— Devo pedir que vocês dois jurem pela própria honra que não falarão a ninguém sobre isso.

Robin olhou para Thomas e depois para mim, seus olhos brilhantes penetrando em minha cabeça.

— Não digam nada sobre isso a ninguém — ele repetiu.

Ambos assentimos, e Robin continuou:

— Mas, antes, precisamos resgatar Marian; portanto, peguem comida, durmam um pouco e estejam prontos para partir ao amanhecer. É bom tê-lo de volta, Alan.

Robin sorriu para mim, seus olhos prateados brilhando sob à luz das velas. Foi um breve vislumbre daquele sorriso dourado e despreocupado de outrora, brilhando como uma luz-guia em meio ao sofrimento. Imediatamente, senti o antigo calor de afeto por ele.

— É bom estar de volta — falei, e retribuí o sorriso.

Então Robin me olhou com um pouco mais de atenção.

— Você está ferido — disse ele, com uma preocupação marcante na voz.

Olhei para ele. Como sabia? Eu achava que tinha ocultado perfeitamente o desconforto causado pelos ferimentos da tortura.

— Mandarei alguém buscar Brigid — disse ele. — E não se preocupe demais com o assunto sobre o traidor, Alan. Tudo ficará bem.

Cerca de uma hora depois, Brigid levou-me para uma pequena caverna afastada do acampamento principal e, sob a luz de uma única vela, pediu-me para tirar as roupas para que pudesse examinar meus ferimentos. Depois de untá-los com tinturas escuras com um cheiro bolorento e de cobrir a queimadura mais grave sobre minhas costelas direitas com um cataplasma de musgo frio, Brigid pediu que me curvasse enquanto examinava a queimadura na parte interior de minhas nádegas. Eu não queria, mas ela me disse para não agir como uma criança e, relutantemente, obedeci. Quando me inclinei para a frente, com as mãos apoiadas nos joelhos, e senti seu hálito quente atrás das minhas pernas, uma imagem de seu corpo nu e pintado no sacrifício pagão saltaram em minha mente. Oh, Deus, e como se eu já não tivesse sofrido humilhações suficientes, senti um movimento incontrolável nas minhas partes privadas enquanto seus dedos espalhavam delicadamente algo frio sobre a pequena queimadura entre minhas nádegas.

— Tudo pronto — disse ela bruscamente, levantando-se.

Endireitei-me e tateei apressadamente em busca de minhas calças, na tentativa de esconder meu membro totalmente ereto. Agora, eu ficaria orgulhoso, muito satisfeito até, de ostentar um órgão tão intumescido; contudo, nos anos de juventude, eu parecia ter um inchaço nas calças por pelo menos metade do tempo e considerava aquilo um motivo para sentir vergonha. Brigid apenas sorriu e, olhando diretamente para meu órgão caprichoso enquanto eu tentava desesperadamente me cobrir, disse:

— Você deveria ter ficado mais tempo na cerimônia de primavera para a Deusa, em vez de escapulir como um ladrão naquela noite. Em vez de desperdiçar sua seiva ruminando sobre Marian, você poderia ter deixado alguma jovem garota muito feliz.

Fiquei mudo de constrangimento. Eu achava que praticamente ninguém soubesse que eu estivera presente no festival pagão sangrento, pois estava coberto pelo capuz e evitara ser exposto pela luz da fogueira. Mas, evidentemente, minha participação era de conhecimento geral. Senti-me humilhado; duas vezes em pouco dias, eu fora facilmente despido de minha dignidade delicada do mesmo modo que se remove a pele de um coelho. Magoado, ralhei:

— Eu já tinha visto minha cota de assassinatos de inocentes e não estava disposto a observar mais nenhuma blasfêmia sanguinária.

— Inocentes assassinados, você diz — Brigid estava tranquila. — Blasfêmia, também. — Ela me olhou, mas agora seus gentis olhos castanhos pareciam mais duros que madeira de carvalho. — Aquele homem que foi sacrificado...

— O nome dele era Piers — interrompi, irritado.

— O sacrificado — disse ela enfaticamente, recusando-se a reconhecer sua humanidade dando-lhe um nome — não teria permissão de nosso mestre para viver. Robert de Sherwood teria ordenado que morresse por sua deslealdade. Em vez disso, deu-o a mim. E agora ele está com a Mãe Terra, sendo cuidado por Ela com o mesmo amor com que Ela cuida de todos os seus filhos, vivos e mortos.

— Robin jamais participaria daquela bruxaria imunda, daquela adoração ao diabo, se não fosse por você — eu estava quase gritando. — Ele teria proporcionado ao homem uma morte limpa e um enterro cristão.

Mesmo enquanto falava tais palavras, eu sabia que eram apenas parcialmente verdadeiras.

— O Senhor da Floresta não é seguidor de seu Deus apregoado, Alan. Ele não é cristão — disse Brigid. — Ele tem o espírito de Cernunnos dentro de si, acredite ele ou não.

Fiquei chocado com aquelas palavras, por ouvi-las ditas em voz alta. Mas Brigid falava com honestidade: Robin não era cristão.

— Ele tampouco é um pagão amaldiçoado — gritei.

Brigid estava fria como um amanhecer de janeiro e eu sabia que estava me comportando como uma criança furiosa e impotente. Abaixei os olhos, desviando-os de seu olhar castanho, e respirei fundo.

Brigid colocou uma das mãos em meu braço nu, voltei a levantar os olhos e ela sorriu para mim. Senti meu nervosismo diminuir.

— Acho que nenhum de nós pode saber em que o outro realmente acredita — disse ela. — E Robin é ainda mais complicado que a maioria das pessoas nesse aspecto. Acredito que ele esteja constantemente à procura de Deus, seja lá em qual forma ele... ou ela... — Brigid sorriu outra vez para mim, e retribuí o sorriso com pesar — possa assumir. E espero que, algum dia, tenha sucesso em sua busca e encontre a verdadeira felicidade.

— Amém — eu disse.

Dormi mal, sonhando que Marian era violentada por uma longa fila de soldados que gargalhavam. A fila estendia-se até contornar as muralhas de Nottingham, como uma cobra. Depois, a fila realmente se transformou em uma cobra de verdade, um réptil grande e musculoso, vermelho e preto, que se enrolava com uma força cada vez maior ao redor do castelo, apertando e apertando até que a fortaleza de pedra entrasse em erupção, como um pênis explodindo de prazer, ejaculando no céu uma nuvem de homens e mulheres, como um grande jato quente...

Thomas despertou-me uma hora antes do amanhecer. Abri os olhos e encarei seu rosto horripilante com um só olho e não consegui conter um sobressalto de medo. A dor em minhas costelas tinha praticamente desaparecido, apenas um leve incômodo me lembrava da humilhação que eu sofrera.

— É melhor se aprontar — disse Thomas. — Hoje temos uma longa cavalgada pela frente.

Movimentei-me aos tropeços na semiescuridão, mastigando uma casca de pão velho enquanto tirava meu *aketon*. Eu sabia que mais tarde, naquele dia de julho, o forro espesso do casaco ficaria quente demais, mas estava disposto a suportar o desconforto do calor em prol de mais proteção. Sobre o *aketon*, prendi minha espada e o punhal. Coloquei um capuz sobre a cabeça e, sobre ele, um elmo de aço em forma de cuia, o qual afivelei sob o queixo. Depois, fui conferir os cavalos.

As tempestades dos dias anteriores tinham varrido as nuvens do céu, e o sol esforçava-se para nascer por cima das copas das árvores quando partimos a cavalo das cavernas de Robin e seguimos para o sul, rumo a Nottingham. Éramos cerca de cinquenta homens a cavalo, bem montados. A maioria, a qual não me incluía, estava armada com lanças de 4 metros feitas de madeira de freixo com a bandeira de cabeça de lobo de Robin tremulando logo atrás das pontas afiadas como navalhas. Robin cavalgava à nossa frente, com Hugh logo atrás. João Pequeno cavalgava no final da coluna, usando um elmo com chifres antigo e desgastado na cabeça cor de palha, o gigantesco machado de guerra amarrado às suas costas, conduzindo uma fileira de mulas carregadas de bagagem: comida, barris de cerveja, mais armas e algumas cestas com pombos domesticados. Capturei o olhar de Will Escarlate enquanto ele cavalgava no centro do grupo de homens montados. Ele sorriu com nervosismo para mim. Será que eu via em seus olhos a culpa da traição? Ou estaria imaginando? Será que eu queria que ele fosse o traidor? Tuck não era visto há muitas semanas, Thomas contou-me naquela manhã quando se despediu; desde quando discutira com Robin, na Páscoa. Rezei para que o responsável pela traição não fosse o grande monge. Não, não poderia ser Tuck. Enquanto cavalgávamos pela floresta, o sol quente e amarelo nascendo à esquerda, atrás de nossas costas, perguntei-me novamente se o traidor estaria cavalgando entre nós. E se estaríamos todos galopando cegamente rumo a uma armadilha.

Capítulo 16

Graças a Deus, não atacamos diretamente o covil de Sir Ralph Murdac. Em vez disso, Robin conduziu-nos para o sul, até o solar fortificado em Linden Lea, a alguns quilômetros de Nottingham. O solar ficava em um vale extenso, com uma floresta ao leste e declives íngremes ao oeste. Ao norte havia um vasto campo de milho em amadurecimento. Ao sul, um pântano, com uma corrente de água de tamanho considerável correndo no começo do vale, acompanhava a estrada principal que seguia para Nottingham. A corrente preenchia o fosso profundo que contornava o solar, e o assentamento contava com a proteção adicional de uma paliçada de 5 metros de altura atrás do fosso, feita com robustos troncos de árvores com pontas afiadas que contornava o solar e a meia dúzia de construções que formavam o assentamento. De pé com as pernas afastadas, à porta do solar, enquanto nossa cavalgada fazia barulho sobre a ponte levadiça de madeira sob a luz dourada de uma tarde perfeita de verão, estava o senhor do assentamento, Sir Richard de Lea.

Fomos recebidos como membros da realeza por Sir Richard, que, evidentemente, estava preparado para nossa chegada: carne quente, pão, muito vinho e cerveja estavam servidos no pátio em mesas feitas com cavaletes. Mas antes que eu tivesse a chance de lavar a poeira da garganta ou de pegar um pouco de comida, Robin chamou-me em um canto para uma conversa particular. Ele disse que havia certas coisas que ele queria que eu fizesse enquanto ainda fosse dia; obrigações, pode-se dizer. Eu deveria ser muito discreto em relação ao que iria fazer e não contar nada a ninguém, nem mesmo a meus companheiros mais próximos. Eu não deveria fazer nenhuma pergunta; apenas fazer o que me mandasse. Concordei e comecei a executar as tarefas, só ficando livre para sair em busca de algo para comer e beber depois do anoitecer.

Com todos alimentados e com a sede saciada, Robin reuniu os cinquenta homens de nosso grupo, além de Sir Richard e seus criados, para uma conferência de guerra no salão do solar. Eu vira Robin conversando com um dos mensageiros sombrios de Hugh antes da reunião e sabia que ele recebera informações atualizadas sobre Marian. Quando todos estavam no salão, absolutamente todos, inclusive os sentinelas, os quais estariam normalmente patrulhando a estrada atrás da paliçada de madeira, escapei por uma porta de fundos para realizar a última tarefa que Robin me pedira. Quando entrei novamente no salão, Robin estava falando:

— ... e parece que Murdac contratou um exército de mercenários flamengos, cerca de duzentos besteiros e aproximadamente o mesmo número de soldados a cavalo, acreditamos, para ajudá-lo a erradicar o flagelo vil do banditismo da Floresta de Sherwood.

Os fora da lei emitiram uma aclamação longa e irônica.

— Misericordiosamente, eles ainda não estão em Nottingham. Nossos informantes dizem que estão vindo de Dover e sua chegada está prevista para dentro de, no mínimo, uma semana ou dez dias. Quando chegarem, já teremos partido há muito tempo e estaremos seguros e confortáveis na floresta. Jamais teremos o prazer da companhia deles porque... iremos para Nottingham amanhã à noite.

Os olhos de Robin brilhavam com selvageria sob a luz de uma dúzia de velas de cera de abelha.

— Resgataremos minha dama e traremos de volta para cá; mataremos qualquer um que tente nos impedir. Qualquer um. Entenderam?

Houve um rugido de aprovação.

— Certo — continuou Robin. — Todos devem descansar até lá. Vocês já estão acomodados; durmam um pouco, cuidem de suas armas. Partimos amanhã à noite, ao nascer da lua. Hugh, João, Sir Richard, posso incomodá-los por um minuto para cobrirmos os detalhes? Você também, Alan — disse ele, convocando-me do fundo do salão.

Reunimo-nos em torno de Robin enquanto ele desdobrava um rascunho grosseiro da planta do castelo sobre uma antiga urna de dinheiro feita de carvalho.

— Ela está sendo mantida nesta torre, que faz parte das defesas da muralha, na extremidade noroeste do castelo. Não fica longe deste portão aqui — ele bateu com a ponta do dedo no pergaminho. — Aparentemente, Murdac quer manter o aprisionamento em segredo, de modo que ela não está presa no calabouço, e sim em outro lugar, discretamente, em uma torre da muralha, guardada apenas pelos homens nos quais Murdac mais confia. E isto é uma notícia muito boa para nós. Amanhã à noite, cavalgaremos até a portaria vestidos com as cores de Murdac... você obteve uma quantidade suficiente de sobretudos, Hugh?

Hugh disse que sim e Robin prosseguiu:

— Estaremos vestidos com as cores dele e diremos que somos homens de Murdac que passaram muitos anos na França a serviço de Henrique e que, agora, depois da morte do rei, estamos voltando para nosso senhor. Entendido?

Sir Richard, Hugh e João concordaram. Mas reparei que João parecia um pouco preocupado.

— Então, eles nos deixam entrar... e depois? — perguntou o homem grande, franzindo a testa.

Robin olhou-o com severidade.

— Mataremos todos os filhos da mãe na portaria do modo mais rápido e silencioso possível. Em seguida, pegamos Marian e saímos antes que qualquer pessoa perceba. Caso soem o alarme, podemos defender a portaria durante horas contra todos que se aproximem, e precisamos de apenas, no máximo, um quarto de hora para encontrarmos Marian e a tirarmos de lá em segurança. Depois, quando ela tiver partido, estaremos todos em nossas selas, seguindo para tantas direções quanto conseguirmos imaginar. Devemos nos encontrar nas cavernas.

— Este é seu plano! — disse João Pequeno, com a voz cheia de escárnio. — Você chama isso de plano? Pelos dedos pustulentos de Cristo, é a pior ideia que ouvi em todo o ano. Para começar...

— Calma, John, calma — disse Robin. — Funcionará, prometo. Você só precisa confiar em mim.

João não parecia convencido. Abanou a cabeça e continuou, mais tranquilamente:

— Mas é pura loucura...

— Apenas confie em mim, por favor — disse Robin com apenas um leve toque metálico na voz. — Você confia em mim, não é, João?

O grandalhão deu de ombros, mas ficou quieto.

— Bem — disse Sir Richard —, como não me juntarei a vocês nesta... aventura... não sinto que seja direito que eu faça qualquer comentário, exceto para dizer que lhes desejo boa sorte. E, agora, desejo-lhes boa-noite.

Com um sorriso incerto, Sir Richard dirigiu-se a seus aposentos privados.

— Deixarei os detalhes a seus cuidados, Hugh. Armas, cavalos, esse tipo de coisa — disse Robin. — E, agora, acho que todos deveríamos descansar um pouco.

John afastou-se balançando sua grande cabeça amarela e Hugh seguiu para os estábulos para falar com um de seus mensageiros, deixando Robin e eu olhando para a planta do castelo.

Robin virou-se para mim:

— Quer saber o que realmente vamos fazer? — Ele falou muito tranquilamente, mas com um sorriso de pura diabrura. — Eu e você, Alan, vamos resgatar nossa adorável garota sozinhos. E iremos hoje, quando a lua surgir. Os cavalos estão prontos?

— Estão escondidos na floresta, como você pediu. — Eu não conseguia evitar de sorrir de volta. Lembrei-me da última vez em que eu e Robin tínhamos ido a Nottingham, da jornada hilariante para roubar a chave do armeiro.

— E os pombos? — perguntou Robin, os olhos prateados brilhando.

— Está tudo feito — respondi alegremente. — Está tudo feito.

***

Em torno da meia-noite, quando todos dormiam, conduzi Robin através do portão posterior do solar e para o sudeste, na direção da floresta espessa na qual eu escondera os cavalos à tarde. Estávamos vestidos para viajar rapidamente — sem armadura, apenas com espadas, adagas e uma capa contra o frio da noite. Levamos conosco um cavalo selado a mais — se conseguíssemos retornar, não estaríamos sozinhos. Apesar do perigo, eu estava explodindo de orgulho e excitação por estar cavalgando com Robin naquela missão: éramos dois cavaleiros errantes, vindos diretamente das lendas sobre o rei Arthur, cavalgando através da noite para resgatar uma donzela em perigo.

Duas horas depois, estávamos agachados em uma vala úmida, mergulhados até os joelhos em dejetos gosmentos, olhando para o alto e vendo o volume imponente da muralha do castelo de Nottingham, tentando não respirar. Muito mais forte que a vontade de não fazer barulho, o fedor de cem anos de excrementos e de lixo doméstico despejados na vala era sufocante. A mais de 30 metros acima de nós, eu conseguia distinguir vagamente as ameias no alto da muralha. Robin deu um assovio baixo. Nada aconteceu. Esperamos algumas batidas de coração. Robin assoviou de novo e, de repente, vi a silhueta de uma cabeça contra o céu enluarado. Pendurada no topo da muralha, apareceu uma corda com nós espaçados em intervalos de 30 centímetros. Robin disse:

— Suba.

Comecei a escalar a muralha como um macaco. Era preciso exercer uma força tremenda nos braços, e minhas costelas queimadas, apesar de quase curadas, doíam bastante, mas não havia possibilidade de admitir minha fraqueza para Robin. Finalmente, alcancei o topo. Com um forte puxão, coloquei a barriga sobre a muralha, depois uma perna, e desabei na larga passarela de pedra, resfolegando por causa do esforço. Ouvi uma voz gritar "ei!" e, para meu horror, vi um homem de armas vestido com o uniforme preto e vermelho de Murdac caminhando diretamente em minha direção, com uma espada em punho. Levantei-me com dificuldade e tentei pegar o cabo de minha espada. Contudo, antes que pudesse desembainhá-la, uma sombra escura ergueu-se por detrás da muralha, sob as proteções contra vento sobre as ameias. Por detrás do soldado, uma mão tapou com firmeza sua boca. Vi um leve brilho de aço quando a figura encapuzada enfiou vigorosamente uma lâmina fina na base do crânio do soldado desafortunado. O homem de armas contorceu-se uma vez nos braços da figura sombria e caiu no chão sem emitir nenhum som. O homem retirou o capuz e disse:

— Você está bem, Alan?

Vi que era Reuben, o judeu. Assenti, olhei para os dois lados do corredor vazio e abaixei os olhos para mirar a escuridão do grande pátio do castelo. Tudo estava deserto. À minha direita, estava a grande massa do calabouço do castelo, com um ou dois pontos de luz aparecendo em janelas pequenas, talvez onde algum escrivão estivesse sentado sobre seus pergaminhos, mas não havia movimento algum. Tudo estava calmo como uma sepultura.

Momentos depois, a cabeça de Robin surgiu sobre o parapeito, seguida com agilidade pelo resto do corpo. Reuben limpou o sangue da adaga no casaco do soldado e nós três jogamos o homem morto sobre a muralha, o corpo mergulhando na escuridão. Robin agarrou o braço de Reuben e murmurou:

— Vá na frente, velho amigo.

Seguimos apressadamente pela passarela e descemos alguns degraus que davam na entrada de uma pequena torre de guarda, uma das dúzias construídas nas muralhas internas do castelo. Robin desembainhara sua espada, a lâmina nua reluzindo sob o luar, e vi que Reuben segurava sua adaga, de modo que, prontamente, também puxei minha espada. Mergulhamos por uma escadaria em espiral até o coração da torre de guarda, meu coração batendo como o martelo de um ferreiro, a pulsação latejando em meus ouvidos.

Descemos cada vez mais na escuridão total. De repente, choquei-me contra as costas de Reuben, que parara diante de uma porta de madeira. Pela luz de velas que vazava através rachaduras na porta, percebi que a sala estava ocupada. Ficamos parados por alguns instantes na escuridão. Eu tentava controlar meu coração disparado e minha respiração irregular; Robin e Reuben pareciam tão calmos quanto se estivessem em um piquenique de verão em Sherwood. Reuben levantou dois dedos, indicando que havia dois homens atrás da porta. Robin assentiu e balançou a mão para a frente. Antes que eu soubesse o que estava acontecendo, Reuben puxou o barbante que levantava o trinco da porta de madeira e, junto com Robin, entrou rapidamente na sala. Segui o mais rápido que pude, mas apenas a tempo de ver Reuben arremessar sua pesada faca com força e precisão extraordinárias através do quarto para atingir um homem de armas que, aparentemente, dormia em um banquinho. A faca espessa perfurou o peito do homem e atingiu seu coração. O soldado tossiu uma vez, depois outra, e caiu no chão. Robin foi quase tão rápido quanto a adaga voadora de Reuben. Ele deu dois passos à frente e tirou a vida do segundo soldado cortando sua garganta com um gesto parecido com uma chicotada. Houve um jato de sangue e o homem, que estava aquecendo as mãos ao lado de um braseiro, balançou levemente por um ou dois instantes, o sangue transbordando de seu pescoço cortado, e desabou de joelhos, o rosto caindo nos carvões incandescentes com um ruído terrível e um silvo. Estava evidentemente morto, pois não moveu nenhum músculo enquanto seu sangue borbulhava, sibilava e fervia ao redor de seu rosto chamuscado.

Tudo terminou em menos tempo do que se leva para encordoar um arco. E nenhuma palavra fora dita, nenhum grito emitido. Robin retirou a vítima das chamas e arrastou-a até o segundo cadáver. Abaixou-se, desatou um molho de chaves do cinto do morto e caminhou até uma porta trancada no canto da sala. Em um par de batidas do coração, a porta foi aberta e Marian estava nos braços de Robin. Depois de um longo abraço, Robin recuou e olhou para o rosto dela.

— Ele a machucou? — perguntou ele.

Percebi que ela parecia pálida e magra e que seu belo vestido de caça estava rasgado e coberto de lama e sujeira, além do que parecia sangue. Marian abraçou-o outra vez com força e ouvi-a falar com a voz abafada pela capa de Robin:

— Agora que você está aqui, está tudo bem.

Enquanto via Marian envolta nos braços de Robin e o amor tão evidente que havia entre os dois, e como parecia tão certo que eles estivesses juntos, senti algo mudar dentro de mim. O ressentimento que eu sentira em relação a eles nas cavernas havia desaparecido completamente. Ela ainda era minha linda Marian, eu podia ver sua beleza de modo desapaixonado, mesmo estando com o rosto tão magro e suja, mas ela mudara sutilmente.

Algo indefinível a seu respeito estava diferente. Eu ainda a amava, mas, talvez pela primeira vez, vi Marian como uma mulher verdadeira, uma mulher com temores e alegrias, dores e prazeres, e não como uma deusa a ser adorada em um sonho. Ela não era minha, eu soube naquele momento, e jamais seria.

Perdemos pouco tempo: às pressas, Robin resgatou Marian da prisão e logo subimos a estreita escadaria em espiral. No topo, paramos para checar se a muralha estava livre de sentinelas; em seguida, corremos ao longo da passarela e, em instantes, Robin e Reuben estavam baixando Marian até o chão em um laço na corda. Desci depois dela, com Robin a apenas poucos metros acima de mim, descendo pela corda agarrando-a com as mãos. Voltei a ver a silhueta da cabeça de Reuben contra o céu, que ficava cinzento. A corda foi recolhida e nós três nos arrastamos até o outro lado da vala, de volta para onde havíamos deixado os cavalos.

Hoje em dia, o orgulho é o pior dos meus pecados, mas não consigo evitar de sentir um calor interior de satisfação por ter participado do trabalho daquela noite. Foi uma façanha característica de Robin: precisa e bem planejada, sem detalhes desimportantes, baseada em velocidade, inteligência e audácia. Mas, acima de tudo, o que a tornou típica da maneira como Robin agia foi o fato de ter sido bem-sucedida. Enquanto trotávamos de volta pela trilha em direção a Linden Lea sob a luz dourada do amanhecer, fomos recebidos pelos vigias surpresos nas fortificações com o soar de trombetas. O som despertou o resto do bando de fora da lei, os quais, saindo aos tropeços do solar e dos anexos, viram que Marian havia retornado e começaram a nos aplaudir até a paliçada ao redor do solar parecer tremer com o tumulto. Ninguém parecia se importar que Robin os tivesse enganado ao fingir que o ataque aconteceria naquele dia. João Pequeno ajudou-me a desmontar do cavalo e disse:

— Eu sabia que aquele porco diabólico estava tramando algo. — E quase me esmagou até a morte em um abraço de urso muito bem-vindo.

Muitas pessoas, amigos e estranhos, juntaram-se ao meu redor para ouvir a história do resgate, a qual não fui modesto o bastante para não relatar, se bem que posso ter exagerado um pouco o papel que eu desempenhara nela.

Quando o café da manhã foi trazido e servido nas mesas de cavaletes no pátio, Linden Lea adquiriu uma atmosfera de feriado, com homens gritando zombarias e insultos para os amigos e erguendo canecas de cerveja comemorando que Marian fora resgatada em segurança. Sir Richard apertou vigorosamente minha mão e disse que estava orgulhoso de mim. Eu me sentia mais leve que o ar, um herói genuíno, e sorria tanto que meu rosto começou a doer.

Por um momento, a alegria foi interrompida por outra fanfarra de trombetas e, olhando para o vale, vi uma grande coluna de homens, cavalos e bagagens aproximando-se pela trilha ao sul, a qual corria paralelamente ao córrego. Inicialmente, fiquei preocupado, mas logo vi o rosto velho e feio de Thomas na frente da coluna, com Much Millerson a seu lado, seguidos por uma horda de rostos familiares, todos vestidos com trajes verde-escuros e armados até os dentes com arcos de guerra e espadas, lanças e machados: eu estava olhando para toda a força do exército particular de Robin, quase trezentos homens de armas e arqueiros, todos armados, treinados e disciplinados por Robin e seus oficiais — e loucos por uma briga.

Nós os recebemos no pátio de Linden Lea; mais comida foi trazida, alguém abriu um barril de vinho e, em todas as partes daquele espaço, os recém-chegados ouviram a história de como Robin resgatara Marian das mandíbulas da besta de Nottingham. Como de costume, a história ficava mais grandiosa a cada vez que era contada. E continuou a crescer nos anos seguintes. Robin matara sozinho uma centena de homens, segundo uma versão que ouvi há alguns anos. Ele havia se escondido na barriga de um grande veado para conseguir entrar no salão de banquetes de Murdac, segundo outra história. Mas eu acreditava que a verdade já era suficientemente impressionante.

Depois de uma ou duas horas de celebração, Robin ordenou que uma prancha de madeira fosse colocada sobre dois grandes tonéis e, saltando sobre ela, gritou por silêncio no pátio barulhento. Os homens não estavam completamente sóbrios àquela altura e Robin precisou pedir três vezes por silêncio até conquistar a atenção de todos.

— Amigos, estamos aqui em boa companhia e, em primeiro lugar, deveríamos agradecer ao nosso anfitrião, o generoso provedor deste abrigo e desta boa comida e bebida: Sir Richard de Lea.

O cavalheiro, que estava de pé a meu lado, fez uma mesura modesta e foi aplaudido calorosamente pelos fora da lei.

— Eu também gostaria de agradecer a todos vocês por terem se juntado a mim aqui neste belo vale, e direi o que queremos conquistar. Existem recompensas pelas cabeças de muitos aqui presentes, inclusive pela minha — houve outra salva ruidosa de aplausos, e Robin fez uma mesura irônica —, e existem muitos aqui que foram obrigados a abandonar suas famílias, seus lares e suas casas por supostos homens da lei, por valentões que clamam deter o poder de vida ou morte sobre vocês em nome do rei. — Agora, a atmosfera no pátio estava mais grave e um ou dois rugidos raivosos foram ouvidos. — E existem muitos presentes que foram feridos ou humilhados, cujos direitos naturais de cidadãos ingleses foram-lhes negados.

— E galeses livres — alguém gritou.

— Correto — prosseguiu Robin. — Todos aqui somos homens livres. E, como homens livres, nos unimos; nos reunimos em locais selvagens, longe de cidades, de padres e dos lordes normandos, e nos reunimos porque temos uma coisa em comum. Todos escolhemos dizer não! Não, não serei subjugado por suas leis injustas; não, não me sujeitarei à sua Igreja corrupta; não, não me curvarei diante de nenhum tirano mesquinho que tira a comida da boca de bebês. Não! Somos homens livres; e estamos dispostos a provar a verdade de nossa liberdade com nossas espadas, nossos arcos e nossos braços direitos fortes. E jamais abriremos mão de nossa liberdade. Jamais!

Robin bradou a última palavra e a multidão começou a aplaudir como homens possuídos. O barulho avançou na direção de Robin em grandes ondas de emoção. Nosso líder deixou que o alvoroço durasse algum tempo e, então levantou as mãos para pedir silêncio outra vez.

— Amanhã, amigos, amanhã, teremos a oportunidade de demonstrar nossa determinação. Sir Ralph Murdac, xerife supremo de condado de Nottingham, de condado de Derby e das florestas reais virá aqui; aquele patife francês virá a este lindo vale com homens armados e seus grandes cavalos. Ele trará sua lei até nós, aqui, neste local. E como somos fora da lei, ele pretende matar a todos nós. Portanto, o que devemos fazer? Devemos fugir e nos esconder? Devemos nos arrastar de volta para nossos buracos na floresta e esperar, tremendo de medo, até que recebamos a justiça dele? — Robin disse a penúltima palavra com um toque de ironia. — Não, irmãos; olhem ao seu redor, e vejam nossa força. Não fugiremos. Nós lutaremos. E mataremos. E venceremos.

"Um novo rei assumirá o trono; um rei justo; um rei nobre; um homem correto e um guerreiro vigoroso; e, se vencermos esta batalha hoje, se conseguirmos esmagar Murdac, derrubar este suposto xerife supremo, asseguro-lhes que o rei nos concederá o perdão absoluto por quaisquer crimes que tenham sido cometidos. Perdão real total para todos que lutam comigo. Portanto, peço-lhes agora que removam seus capuzes e levantem a voz para o bom rei Ricardo: Deus salve o rei! Deus salve o rei! Deus salve o rei!"

E como eles gritaram. Alguns homens até tinham lágrimas nos olhos. Olhei para Sir Richard: sua boca estava aberta em maravilhamento.

— Nunca vi uma coisas dessas — ele disse.

— Ele fala como um padre extravagante, mas vocifera sobre as coisas ímpias mais extraordinárias e artificiais: liberdade da Igreja? Liberdade daqueles que são nossos senhores por direito, que foram colocados acima de nós por Deus? Que absurdo, que loucura perigosa e herética. Mas eles adoraram. Realmente adoraram.

Sir Richard olhava para o pátio repleto de homens que aplaudiam, abraçavam-se e gritavam repetidamente "Deus salve o rei!".

Robin chamou os capitães para que se reunissem com ele no solar: João Pequeno, Hugh, Owain, o arqueiro, Thomas e eu. Sir Richard participou da reunião como conselheiro militar. O primeiro comando de Robin foi:

— Não deixem os homens beberem demais, preciso que estejam com a cabeça limpa.

Em seguida, mergulhou nos planos para a batalha.

O vale de Linden Lea, uma extensão gramada que poderia ter sido projetada por Deus como campo de batalha, corria aproximadamente de norte a sul, com o solar na extremidade norte e a estrada para Nottingham acompanhando um córrego pelo centro do vale. Ao leste do vale, havia uma floresta fechada. A oeste, erguiam-se colinas descampadas e íngremes, com uma antiga trilha correndo pelo topo. O plano de Robin era simples: nossa infantaria, cerca de duzentos homens de armas, e talvez um terço de nossos arqueiros, digamos, 25 homens, formariam uma fileira na estrada ao redor do centro do vale. Eles fariam uma barreira que impediria a passagem. Seriam a isca. Robin queria que Murdac atacasse a infantaria de fora da lei com sua cavalaria e, quando o fizesse, os homens de Robin adotariam uma formação de porco-espinho invencível, um círculo de lanças afiadas e escudos que nenhum cavalo poderia atacar.

— Achamos que ele pode reunir, no total, cerca de apenas 250 cavaleiros e soldados montados e cerca de quatrocentos soldados a pé — disse Robin.

— Ainda estamos em um número muito menor — resmungou João Pequeno. — Temos quantos? Oitenta arqueiros, duzentos homens de armas e apenas cinquenta homens na cavalaria: 330 homens contra 650. Pelas unhas sagradas de Deus, a desvantagem é de dois para um.

— A infantaria dele não é boa — Robin falou com segurança —, e nós temos, como você destacou, João, cerca de oitenta arqueiros excelentes que podem acertar o olho de um pardal a cem passos de distância. Nós venceremos; será uma batalha dura, mas tenho certeza de que venceremos.

Robin prosseguiu com as instruções.

A maior parte dos arqueiros ficaria escondida na floresta ao leste. Quando a cavalaria atacasse o porco-espinho, os arqueiros sairiam da floresta e dispararíam contra ela por trás, pela direita, comprometendo o ataque e matando muitos homens e cavalos.

— Você comandará os arqueiros na floresta, Thomas — disse Robin.

O homem de um olho só concordou. Se a cavalaria atacasse os arqueiros, eles poderiam recuar para a segurança da floresta. Mesmo que a cavalaria atingisse o porco-espinho essencialmente ilesa, ainda assim não conseguiria quebrar a formação, caso ela estivesse bem formada e bem comandada.

— Este é seu trabalho, João — disse Robin, recebendo um sarcástico "muito obrigado".

Enquanto a cavalaria de Murdac estivesse tentando em vão penetrar no círculo de escudos e lanças, nossa própria força montada, escondida logo atrás do cume das colinas ao oeste, desceria e destruiria os cavaleiros inimigos por trás.

— Isto cabe a você, Hugh, não desça com os cavalos até que eles comecem a tentar quebrar o porco-espinho. É neste ponto que você deve descer para os destruir. Entendido?

Hugh não disse nada.

Com a fuga dos homens de Murdac, Robin prosseguiu, nossos homens se juntariam e marchariam rumo à infantaria inimiga. Quando vissem sua cavalaria derrotada recuando para as fileiras com nossas tropas vitoriosas em seu encalço, era provável que fugissem e, caso não o fizessem, seriam amaciados pelos arqueiros que surgiriam da floresta à sua esquerda antes de serem atacados pela infantaria e a cavalaria de fora da lei.

Achei o plano brilhante. Pude ver tudo em minha mente. O campo ensanguentado, cavaleiros inimigos fugindo para salvarem suas vidas, os gritos débeis de inimigos feridos, eu mesmo, vitorioso depois da batalha... Hugh despertou-me de meus devaneios.

— Parece tudo muito bom, mas e se a cavalaria de Murdac não atacar? — disse ele, com um toque de irritação na voz. Ele estava muito indignado por não ter sido incluído pelo irmão nos planos para resgatar Marian e passara o dia cabisbaixo.

— Se ele não atacar, que assim seja. A barreira de escudos recuará lentamente de volta para o solar, depois nos posicionaremos e esperaremos. Quando Murdac conduzir suas tropas para nos atacar neste solar bem fortificado, ainda teremos arqueiros atrás deles, pela esquerda, e nossa cavalaria pela direita. Nós o teremos entre três frentes de ataque. Mais alguma pergunta?

Ninguém falou nada e Robin nos dispensou para prepararmos os homens. Quando os capitães saíram para organizar os soldados, Sir Richard disse a Robin:

— Está na hora de partir.

Fiquei chocado; eu presumira que Sir Richard, aquele guerreiro supremo, aquele *preux chevalier*, lutaria ao nosso lado.

— Não posso persuadi-lo a se juntar a nós? — perguntou Robin.

— Como disse anteriormente, não é minha batalha — disse Sir Richard. — Os cristãos não devem derramar o sangue de seus iguais quando precisamos de todos os bons guerreiros na Terra Sagrada. Ao contrário, pergunto-lhe outra vez, não posso persuadi-lo a abraçar a cruz? A juntar-se a mim na grande missão para libertar Jerusalém do infiel?

— Não é a minha luta — disse Robin.

Eles sorriram um para o outro e apertaram as mãos. Depois, Robin partiu e fui deixado com Sir Richard.

— Você vai mesmo nos deixar? — perguntei, tentando manter a voz firme.

Ele olhou para mim e disse gravemente:

— Lamento, Alan, mas devo cavalgar para o sul para me juntar à rainha Eleanor. Ela está viajando pelo país para ser homenageada pelos barões da Inglaterra em nome do filho, Ricardo. Meus irmãos cavaleiros da Ordem e eu somos os conselheiros de confiança de nosso futuro rei... Cavalgaremos como escolta da rainha, mas também esperamos persuadir muitos nobres da Inglaterra a participar da peregrinação sagrada que Ricardo jurou conduzir no próximo ano. Eu gostaria de ajudar vocês, mas estou comprometido com o trabalho de Deus, que é muito mais importante que o resultado desta batalha.

— Mas esta é a terra de sua família. Esta era a casa de seu pai. Você não lutará para protegê-la? — perguntei.

— Ela não pertence mais a mim — disse Sir Richard. — Nossa ordem exige um voto de pobreza. Quando meu pai morreu, entreguei este solar e estas terras aos Pobres Camaradas Soldados de Cristo e do Templo de Salomão. Agora, este lugar pertence a Deus. Ele o protegerá. E não tema, Alan, meu amigo, Deus também o manterá seguro durante a batalha. Tenho certeza. — Ele sorriu. — Quero dizer... desde que... — Ele fez uma pausa novamente.

— O quê? — perguntei. — Deus vai me manter em segurança desde que... o quê?

Havia um tom de desespero em minha voz, do qual eu não sentia orgulho.

— Deus o manterá em segurança... desde que se lembre de mover os pés!

E, com um sorriso, afagando delicadamente meu cabelo, Sir Richard caminhou para os estábulos. Eu não sabia se ria ou chorava.

***

Deus poderia muito bem estar me mantendo em segurança, mas fiz meus próprios preparativos para sobreviver à batalha. Afiei minha espada e o punhal em uma pedra de amolar; remendei um buraco em meu *aketon* e revesti o interior de meu elmo com pedaços de lã para maior proteção. Ao meu redor, os homens faziam preparativos parecidos. Vi com uma pontada de desconforto que Marian estava ocupada cortando lençóis de linho em longas tiras para fazer ataduras e perguntei-me quantos de nós precisariam delas no dia seguinte.

Meu trabalho durante o combate seria agir como mensageiro para Robin. Ele estaria com a infantaria e eu deveria cavalgar ao encontro dos capitães — arqueiros e cavaleiros, nos dois flancos — e transferir suas ordens. Seria um trabalho perigoso que dependeria da velocidade de meu cavalo para escapar da captura e da morte nas mãos do inimigo. Fui para os estábulos e, por ordem de Robin, escolhi o melhor cavalo que poderia encontrar para o trabalho: um capão esperto, jovem e corajoso; na verdade, o mesmo cavalo que eu cavalgara na noite do resgate. Descobri que gostava dele, e ele parecia gostar de mim. Eu mesmo o escovei até que seu pelo cinzento brilhasse, e assegurei-me de que fosse bem alimentado naquela noite com um mingau quente de cereais. Depois, fui até a passarela que seguia pela parte interna da paliçada para observar o sol afundar atrás das colinas no oeste. Havia uma dúzia de camaradas comigo, matando tempo, conversando, cuspindo no fosso por cima da fortificação e, enquanto observávamos a grande esfera vermelha deslizar por trás das colinas descampadas, uma movimentação ondulou pelos homens na fortificação. Alguém apontou e olhei para o sul, na direção do final do vale, e vi os cavaleiros: uma fileira de homens montados trotando vale abaixo em nossa direção. Pareciam muito poucos, não mais do que quatro dúzias de homens, talvez sessenta, no máximo, e fiquei mais entusiasmado. Nossas cavalarias eram praticamente iguais em número. Talvez Deus estivesse realmente nos protegendo, no final das contas. Depois, à minha esquerda, houve um suspiro. Olhei novamente e, no horizonte sob a escuridão que aumentava, vi a silhueta de várias figuras negras, centenas e mais centenas delas, montadas e a pé, carroças e animais de carga. Era um exército de verdade, uma horda. Aquela fina fileira de cavaleiros, percebi estupidamente e tarde demais, eram apenas os sentinelas. Uma simples fileira de escaramuça, igual em número a toda nossa força montada.

Sir Ralph Murdac havia chegado a Linden Lea.

Capítulo 17

À medida que a luz sumia do vale de Linden Lea, a grande multidão de Sir Ralph acomodou-se para a noite, espalhando-se pela terra fértil como um pote de tinta derramada. Acamparam a um quilômetro e meio do solar, suas fogueiras fazendo dezenas de pontos de luz, cintilando na escuridão como a miríade de olhos de uma besta enorme que aguardava para nos devorar.

A estimativa de Robin em relação à força do inimigo estivera claramente errada, ou ele fora induzido a se enganar; seu número devia ser pelo menos duas ou três vezes o nosso. Quando mencionei isso a João Pequeno, que viera ficar ao meu lado na paliçada ao pôr do sol para avaliar a multidão inimiga, ele apenas deu de ombros e disse:

— Então precisaremos matar alguns desgraçados a mais.

Ele parecia totalmente despreocupado, o que fez com que me sentisse muito melhor. Olhando para aquele homem gigantesco, de pé com as pernas afastadas, girando casualmente seu enorme machado de batalha de duas lâminas nas mãos parecidas com presuntos, o antigo elmo com chifres enfiado sobre a cabeça cor de palha, eu não conseguia imaginá-lo derrotado por nenhum número de inimigos — ele parecia uma entidade saxônica invencível —, o que me deu esperanças.

Quando ficou totalmente escuro, Robin nos reuniu novamente. Ele falou para um pátio lotado, mas seu discurso não tinha nada da retórica exuberante do que fizera no começo do dia. Ele apenas disse:

— O plano permanece o mesmo. É um bom plano. Sim, há um pouco mais deles do que imaginávamos, mas não desanimem, eles morrerão com a mesma facilidade. Apenas obedeçam suas ordens, cumpram o maldito trabalho que sabem fazer tão bem e amanhã, nesta mesma hora, estaremos celebrando a vitória.

"Mais uma coisa. Se a batalha der errado, e acredito verdadeiramente que isso não acontecerá, darei três toques longos com minha trombeta. — Sua mão pousou brevemente sobre a trombeta de caça presa ao cinto. — Se ouvirem esse instrumento soar três vezes, vocês devem recuar, todos. Interrompam a batalha imediatamente e tragam seus traseiros esfarrapados de fora da lei para cá — houve um leve rumor de gargalhadas —, não importa como, o mais rápido possível, voltem para cá. Realmente não acredito que precisaremos recuar. Acredito que os derrotaremos na batalha. Mas, caso ouçam trombeta, voltem para o solar. Uma vez aqui, caso necessário, poderemos contê-los por semanas.

Em seguida, Robin ordenou os arqueiros, sessenta homens liderados pelo velho e feio Thomas, a se posicionarem em silêncio. Cada homem tinha duas aljavas presas à cintura, cada uma contendo trinta flechas com pontas de lâminas compridas afiadas como navalhas. Eles partiram por um portão lateral da paliçada, atravessando o fosso sobre uma ponte de tábuas, formaram grupos de dez no outro lado, praticamente invisíveis na escuridão, e correram os 100 metros que os separavam da proteção acolhedora da floresta. Não houve o menor sinal de movimentação do inimigo enquanto os pequenos grupos de arqueiros partiram correndo através da escuridão para a cobertura das árvores. Confiante de sua superioridade numérica, o acampamento de Murdac parecia feliz em nos ignorar. Talvez pensassem que estávamos fugindo.

Depois, foi a vez da cavalaria sob o comando de Hugh: 52 homens durões e bem disciplinados, vestindo cotas de malha de ferro e armados com lanças de 4 metros, montados em cavalos treinados para empinar, pisotear e matar, trotaram pelo portão principal e afastaram-se na direção das colinas atrás do solar. Antes de partir, Will Escarlate veio até mim e apertou minha mão. Ele disse:

— Caso alguma vez eu tenha lhe feito mal, Alan, peço agora perdão. Prefiro que nos separemos como amigos para que, caso o infortúnio caia sobre um de nós amanhã, não venhamos a morrer com qualquer sentimento ruim entre nós.

Fiquei tocado e, com uma lágrima nos olhos, abracei-o.

— Não existe nada além de amizade entre nós — eu disse.

Ele sorriu novamente para mim antes de montar em seu cavalo e desaparecer pelo portão. Foi somente depois que ele partiu que pensei sobre o que havia dito. Teria ele feito algo de ruim para mim? Como teria feito isso? Seria ele o traidor? Tal pensamento azedou a sensação agradável durante a separação como vinagre derramado em uma tigela de leite doce.

Com a partida dos arqueiros e da cavalaria, o solar parecia deserto. Fizemos uma refeição modesta no salão e estiquei minhas cobertas ao lado da pilha de lenha da fogueira central e tentei dormir. Mas a noite estava quente e não consegui descansar. Os homens conversavam em voz baixa, reunidos em pequenos grupos; alguns bebiam em silêncio, outros rezavam ou circulavam impacientemente pelo salão. O tempo todo, como um acompanhamento sutil ao burburinho moroso da humanidade nervosa, havia o ruído constante das pedras de amolar contra lâminas de aço — tchhh, tchhh, tchhh — enquanto os homens afiavam obsessivamente suas espadas e lanças para espantarem o terror de suas imaginações. Pensei em Bernard e Goody, seguros em Winchester, com boa comida e vinho, sob a proteção da residência real, e, para minha vergonha, invejei-os. Quando fechava os olhos, via a grande e sombria multidão de Sir Ralph Murdac e imaginava aquele nobre malévolo sobre mim em um grande cavalo, brandindo sua espada brilhante e cortando meu corpo profundamente com sua lâmina.

Finalmente dormi, mas fui despertado antes do amanhecer por homens que tossiam, cuspiam, bocejavam e tropeçavam em mim ao passar. Levantei-me com algum esforço e encontrei um cântaro de água e um jarro para me limpar rapidamente. Conferi minhas costelas queimadas e elas pareciam estar cicatrizando bem: linhas de tecido cicatrizado rosado e os resquícios marrom escuros das crostas do ferimento. Por algum motivo, aquilo me deixou otimista. Depois de lavar o rosto e o corpo, saí para ver o nascer de um lindo dia. Na passarela atrás da paliçada, Robin e João Pequeno inspecionavam o inimigo e, quando subi para me juntar a eles, vi que a multidão continuava ali — parecia ainda mais numerosa que na noite anterior —, os cavalos a postos em fileiras perfeitas, os homens ocupados como formigas. Robin apontava para uma grande estrutura no meio do acampamento inimigo, foco de muita atividade agitada; uma estrutura quadrada feita de grossas vigas de madeira, com um braço vertical com a forma de uma colher enorme, apontando para o céu e descansando sobre uma barra de aparência sólida revestida com o que pareciam duas grandes sacas de lã. João estava dizendo:

—... Já vi coisas parecidas, mas nunca uma de verdade com os próprios olhos. Você acha que nos trará problemas?

— O que é aquilo? — perguntei.

— É uma manganela, algo inventado pelos romanos há centenas de anos — respondeu Robin. — É uma catapulta gigante, capaz de arremessar grandes rochas a centenas de metros. Jamais ouvi falar em um deles sendo usado antes na Inglaterra, mas os franceses e os alemães os usam para reduzir as muralhas de castelos a escombros. Não é muito preciso e é necessário muito tempo para que seja preparado e mirado corretamente. Estaremos bem desde que fiquemos em movimento. Mas, Alan, apenas por segurança, não fale sobre a máquina com os homens, certo? Eles podem achá-la um pouco desconcertante.

Concordei em silêncio e continuei olhando para a estranha invenção. Enquanto observava, um grupo de soldados amarrou o grande bojo da colher e, muito lentamente, começou a puxá-lo para baixo, afastando-o até ficar no nível do solo, onde os homens o fixaram com cordas espessas amarradas a grandes grampos de metal martelados na terra. Conforme a colher era abaixada, vi que havia um grande contrapeso de ferro e pedra na extremidade oposta do braço que lançava as rochas. Então, com muitos tropeços e gritos, os homens lutaram para colocar uma rocha enorme, do tamanho de um porco adulto, no bojo da colher. Depois de uma breve conferência, todos se afastaram e um homem puxou uma alavanca que, de algum modo, soltou as cordas que mantinham o bojo abaixado. O grande braço balançou para o alto e, com um estalido que podia ser ouvido onde estávamos, a quase 1 quilômetro de distância, o braço atingiu a viga de madeira e a rocha voou do bojo, viajando em um arco baixo antes de cair com um grande estrondo no córrego no meio do vale, a 300 metros da máquina infernal.

— É grande demais para ser manobrada — disse Robin.

João Pequeno grunhiu.

— É verdade — concordou. — O que significa que, se permanecermos em movimento, será fácil evitar que sejamos esmagados.

— Tente mesmo evitá-la, mesmo que apenas por mim — disse Robin, implorando jocosamente.

João gargalhou e, ignorando os degraus de madeira que levavam ao parapeito, saltou diretamente os 3 metros da passarela na paliçada até o chão do pátio e, imediatamente, começou a gritar ordens para seus homens. Robin olhou para mim.

— É melhor montar em seu cavalo, Alan, temos um dia cheio pela frente.

Liderados por João Pequeno, mais de duzentos fora da lei, armados com espadas, escudos, lanças e elmos, além de quaisquer partes de armaduras que tivessem conseguido juntar, saíram marchando pelo portão principal do casarão de Linden Lea. Estava no meio da manhã e o céu era de um azul puro: a promessa de um dia muito quente. A beleza do dia levantou nosso ânimo e os homens começaram a cantar: uma canção antiga que falava sobre a batalha do Monte Baddon, na qual o rei Arthur derrotara os inimigos. Robin e eu, os únicos homens a cavalo, cavalgamos no centro da coluna cantante. Atrás de nós, 25 arqueiros marchavam, alguns dos melhores homens com arcos que Robin tinha, liderados por Owain. Robin deixara dez homens mais velhos no solar para proteger Marian. Todos tinham jurado que morreriam antes de permitir que ela fosse capturada.

— Assegurem-se disso — foi a resposta de Robin, seus olhos duros como granito.

Marchamos diretamente de encontro ao inimigo, parando 100 metros antes da grande rocha arremessada pela manganela, que estava cravada no solo do vale como uma grande passa em um bolo gigante. Os homens formaram duas fileiras com uma centena de soldados cada, com a parede verde da floresta a cerca de 100 metros à nossa esquerda, voltadas para o sul do vale, na direção do exército de Murdac, o qual estava a pouco mais de 300 metros de distância. A primeira fileira ajoelhou-se, fincando suas lanças na grama e segurando-as com firmeza com a mão direita, escudos em forma de pipa na mão esquerda; a segunda fileira ficou de pé, apontando as lanças para o céu. Os arqueiros de Owain pararam atrás da segunda fileira e, atrás deles, estávamos Robin e eu, nossos cavalos, meu capão cinza e o garanhão negro de Robin, mastigando a grama verde como se não houvesse nada no mundo que os preocupasse. Então, esperamos. O sol ardia sobre nossas cabeças e aguardamos mais um pouco, suando em silêncio, esperando que os inimigos atacassem.

Durante uma hora, observamos os homens de Murdac. Uma massa de cavalaria havia se formado à nossa frente em duas fileiras indistintas: cerca de duzentos homens. Números iguais, falei para mim mesmo. Mas eu estava mentindo. Um cavaleiro equivale a pelo menos três ou quatro soldados a pé. Eu via claramente os sobretudos vermelhos e pretos dos assassinos de Sir Ralph. Os elmos de aço com topo chato e as pontas brilhantes das lanças reluziam sob a forte luz do sol enquanto os cavaleiros da primeira guarnição se empurravam para encontrar um lugar na longa fileira. Eu começava a me arrepender de estar vestindo meu *aketon*; o revestimento poderia ser útil em conter cortes de espadas, mas estava quente como as chamas do inferno naquele dia de verão. O metal de nossos acessórios estava ficando quente demais para ser tocado; os homens começaram a ficar irrequietos. Levantei os olhos para o céu perfeitamente azul: lá no alto, um gavião circulava o campo, observando as evoluções dos homens com um olhar impassível. João virou-se para Robin e disse:

— O que eles estão esperando? Aqui estamos, apenas duzentos soldados a pé, o alvo mais suculento que pode existir. Por que não atacam?

— Eles pensam que é uma armadilha — disse Robin.

— Então não são tão burros — rosnou João Pequeno.

Robin levantou a voz:

— Owain, avance e faça um pouco de cócegas neles, por favor. — Em seguida, deu a ordem: — Abrir fileiras!

E, com uma precisão maravilhosa, todos os homens moveram-se em conjunto, dando um ou dois passos para a esquerda ou para a direita, expandindo a fileira e dando espaço para que os arqueiros avançassem entre os lanceiros. Até aquele momento, eu não apreciara o quanto a infantaria de Robin era bem treinada. Eu a vira treinando no assentamento de Thangbrand e nas cavernas de Robin, marchando, circulando e fazendo manobras, mas não havia me dado conta do quanto aqueles desajustados maltrapilhos ficaram parecidos com soldados de verdade. Os arqueiros de Owain correram cinquenta passos à frente, alinharam-se, puxaram as cordas de seus grandes arcos e, sob o comando de "atirar!", dispararam uma chuva de flechas em um arco até atingir a fileira de cavaleiros inimigos. A fileira estava no limite do alcance dos arcos, a cerca de 250 metros, e os danos foram leves: um cavalo, perfurado no quadril por uma flecha, empinou-se e quase derrubou seu cavaleiro, colidindo com o animal a seu lado e gerando uma onda de movimentação ao longo de toda a fileira; um cavaleiro curvou-se para trás sobre a sela, uma flecha despontando do lado de seu corpo. Este foi todo o dano que causamos com a primeira salva de flechas. A cavalaria estava bem protegida com armaduras e a distância era demais para uma grande carnificina. Owain gritou "atirar!" novamente e outra fina cortina de flechas com pontas de aço caiu sobre a linha de homens e cavalos. Novamente, a carnificina foi pequena. Outro pobre animal começou a se agachar e a dar coices por causa de um ferimento que eu não conseguia ver. Mas a provocação dos arqueiros estava obtendo o resultado desejado. Um cavaleiro seguira para a frente da fileira e estava instigando seus homens a terem coragem. A primeira fileira de cavalaria reordenou-se e começou a avançar lentamente.

Robin gritou:

— Owain!

Os arqueiros viraram-se e retornaram para a segurança atrás de nossa fina fileira de lanceiros. Quando os arqueiros passaram, as fileiras voltaram a se fechar tranquilamente. João Pequeno gritou:

— Preparar para receber a cavalaria!

Os homens nas extremidades de nossa fileira começaram a formar uma curva para trás até que, em menos tempo do que se leva para se colocar um par de botas, formassem um círculo fechado com três fileiras de espessura — Robin, eu e os arqueiros no centro de um círculo de aço formado por homens de armas, com 5 metros de diâmetro, flechas apontadas para fora, escudos erguidos, a primeira fileira de fora da lei ajoelhados, a segunda e a terceira de pé atrás deles com as lanças em posição para perfurar qualquer cavaleiro que estivesse ao alcance. Era o porco-espinho, uma formação que eu vira pela última vez no assentamento de Thangbrand — morrendo na neve ensanguentada. A formação deveria ser impenetrável para os cavaleiros; os cavalos não investiriam contra aquela cerca viva de pontas de lança feitas de aço. No assentamento de Thangbrand, contudo, a cavalaria de Murdac destruíra o porco-espinho. Seria possível que o mesmo acontecesse hoje?

Quando a primeira fileira da cavalaria de Murdac avançou lentamente, devo admitir que foi uma visão impressionante: cada cavalo ajaezado com arreios pretos ornamentados que cobriam inteiramente seus corpos, feitos de material estofado para proteger os animais, uma pluma vermelha oscilando sobre a cabeça de cada animal; os cavaleiros com sobretudos negros com três divisas vermelhas no peito. Por Deus, eles deviam estar sentindo calor, mas pareciam magníficos. Cada homem empunhava verticalmente uma lança de 4 metros com um galhardete vermelho que tremulava logo abaixo do brilho do aço afiado. Os cavalos da formação andavam em conjunto, cavaleiros com os joelhos juntos aos dos parceiros, a linha perfeitamente reta, avançando contra nós em uma lenta barreira negra. Atrás da primeira fileira de soldados montados, os quais, haviam me dito, eram todos cavaleiros que haviam jurado servir a Sir Ralph, vinha a segunda; os sargentos, igualmente bem treinados e letais no campo de batalha, mas sem sangue nobre. Tinham apenas duas divisas no peito e não portavam lanças; estavam armados com espadas e maças.

A tática da cavalaria era brutalmente simples: a primeira fileira de cavaleiros atacaria nosso corpo de infantaria, uma massa compacta de carne pesada de cavalos e aço nu que partiria nossa formação com seu peso e com o choque do impacto. Conforme fôramos separados, a segunda fileira, formada pelos sargentos, galoparia e mataria os soldados de infantaria que fugissem. Era um método de batalha devastador, aprimorado ao longo das décadas pelos nobres da Europa em uma arte refinada e letal.

Os cavaleiros negros começaram a trotar e, recebendo um sinal, as lanças foram baixadas em uma onda da esquerda para a direita ao longo da linha de ataque, cada arma deitada e calçada sob a axila dos cavaleiros, apontadas diretamente para a frente, disparando aparentemente nessa direção. Naquele instante, houve um grito de um homem em nossa fileira dianteira de soldados ajoelhados e olhei para a floresta à esquerda. Do meio das árvores espessas surgiram nossos arqueiros, com Thomas à frente, sessenta homens incrivelmente fortes, todos com a mesma túnica de lã verde, cada um segurando um arco de teixo de 2 metros esticado por uma corda de cânhamo, prontos para a batalha. Estavam adiante de nós em um grupo indefinido na margem da floresta, a 200 metros da primeira onda de cavaleiros que trotavam. Os cavaleiros aceleraram o passo para um trote largo.

— Vamos, vamos, malditos, disparem — ouvi João Pequeno murmurar, e, como que respondendo ao comando, as flechas começaram a voar.

A primeira nuvem de feixes cinzentos atingiu a linha negra da cavalaria como uma chuva de granizo contra a porta de um celeiro, metros de madeira com pontas de aço penetrando profundamente na carne dos inimigos ao longo de toda a fileira e, repentinamente, como que por mágica, um punhado de selas ficou vazio ao longo de toda a fileira de cavaleiros que avançavam. Uma segunda salva de flechas atingiu o alvo e as fileiras afinaram novamente. Com a terceira salva, as fileiras pareciam gravemente esvaziadas; uma quarta salva e toda a coesão desapareceu — em vez de uma fileira ordenada de guerreiros de preto galopando para nos destruir, havia grupos de cavaleiros tentando desesperadamente controlar seus cavalos, os quais empinavam violentamente e se chocavam, flechas despontando dos corpos de cavalos e de homens como alfinetes em uma almofada. Mais uma onda cinzenta de flechas foi disparada, seguida por outra, e a fileira simplesmente deixou de existir, restando apenas homens e animais jorrando sangue e debatendo-se a esmo, espalhados ao longo de 100 metros, mergulhados em dor. Corpos salpicaram o campo verde, cavalos desgarrados relinchavam e galopavam sem direção, homens desmontados tropeçavam, vomitando, partindo flechas e tentando estancar perfurações profundas com mãos ensanguentadas. Alguns cavaleiros montados haviam dado meia-volta, galopando para a segunda fileira de sargentos atrás deles, tomados pelo pânico enquanto tentavam escapar da chuva mortal.

Mas as flechas impiedosas os seguiram, perfurando as costas de suas couraças de malha de ferro e penetrando em seus ombros e pescoços, trazendo mais caos sangrento para a segunda fileira. Em pouco tempo, todo o corpo da cavalaria estava recuando, homens e cavalos aterrorizados lutando para fugir daquele campo de sangue. As flechas continuavam a cair, como os raios da vingança de Deus, acertando cavalos e carne humana sem a menor discriminação. Dois cavaleiros ensanguentados, homens corajosos, conseguiram alcançar as primeiras fileiras de nosso porco-espinho, mas os cavalos pararam diante de nossas fileiras de aço impenetrável e vi Owain enterrar profundamente uma flecha de 1 metro de comprimento no peito do cavaleiro que seguia à frente enquanto ele lutava para controlar seu cavalo assustado. O segundo cavaleiro, percebendo que ficara sozinho, virou sua montaria e galopou para longe em zigue-zague para confundir a mira dos arqueiros de nosso porco-espinho, os quais, gritando excitadamente, apostavam quem o atingiria primeiro. Flechas voaram à esquerda e à direita do cavaleiro mas, por algum milagre, o homem e seu cavalo escaparam de volta para suas fileiras. Desejei-lhe boa sorte. Eu sentia que já tinha visto o suficiente de matanças para toda a vida. Mas aquele dia sangrento estava apenas começando.

Aplaudimos os arqueiros da floresta e gritamos até ficarmos roucos; não havíamos perdido um único homem e o primeiro ataque inimigo fora dizimado. Os arqueiros responderam com mesuras elaboradas, removendo capuzes e chapéus e curvando-se até que seus cabelos longos tocassem o chão. Aos berros, zombaram de nós a respeito de como havíamos matado poucos cavaleiros até que, finalmente, Thomas os controlou e os conduziu de volta à segurança da floresta. Bem a tempo. Fora do alcance dos arcos, um grupo de sargentos montados estava se reunindo para o que poderia ter sido um ataque mais veloz e letal contra nossos arqueiros, uma oportunidade de vingarem os camaradas mortos.

Mas havia notícias piores que um punhado de cavaleiros vingativos. Um grande de soldados a pé havia marchado de um recôncavo no campo até a retaguarda do acampamento de Murdac e estava em formação à nossa frente e à esquerda. Vestiam sobretudos verdes e vermelhos sem mangas, com padrões de quadrados grandes, sob os quais usavam *aketons* acolchoados. Cada homem tinha um elmo e uma espada curta presa à cintura, e carregava um grande instrumento negro de madeira na forma de cruz.

— Pelas crostas do cu de Deus — João sussurrou em descrença, soando genuinamente chocado. — São os flamengos. São os malditos besteiros.

Robin estava olhando para o novo corpo de homens, com cerca de duzentos integrantes, a cabeça inclinada para um lado e uma expressão estranha no rosto.

— Isto tornará as coisas muito mais interessantes — ele disse com uma voz calma e pensativa.

Contudo, quando capturei seu olhar, vi um lampejo de ira gélida, um traço de uma fúria tão terrível que realmente me causou um sobressalto de medo.

Quando os besteiros ficaram em formação, para minha surpresa, em vez de marcharem em nossa direção, deram meia volta e começaram a seguir na direção da margem da floresta. Cada homem parou por meio minuto no limite das árvores. Antes de penetrar na cortina verde, cada homem passou a corda de sua besta por um anel em seu cinto e, colocando o pé em um estribo na extremidade do arco, esticando a perna, puxou a corda de sua máquina poderosa até que ela se encaixasse em uma taramela e ficasse tesa. Em seguida, cada homem colocou uma flecha com 30 centímetros, uma seta, no vinco na parte da frente da arma e avançou floresta adentro, pronto para a batalha. Em um quarto de hora, toda a companhia foi engolida pela folhagem e sumiu totalmente de vista. Eu sabia o que estavam fazendo: iriam caçar nossos arqueiros; flecha contra seta, lutariam a pouca distância na floresta — e havia pelo menos duzentos mercenários bem treinados contra nossos sessenta homens.

— Alan — disse Robin com urgência. — Vá até a floresta; encontre Thomas e diga-lhe para retroceder, um recuo de combate, que recue lentamente. Preciso dos flamengos fora do campo pelo máximo de tempo que ele consegui mantê-los. Ele deve recuar para o norte, na nossa direção, e, quando não puder resistir mais, deve correr para o solar. Transmita a mensagem e volte diretamente para mim. Precisarei de você hoje. Entendido?

Senti um nó de medo na garganta, mas consegui dizer do modo mais calmo possível:

— Recuar, mas lentamente. Depois, devem correr para o solar. Devo voltar para cá.

— Bom rapaz; agora, vá!

Espremi meu capão cinzento através das fileiras do porco-espinho e galopei à toda velocidade até a margem da floresta, conduzindo o cavalo para o norte, para longe de onde os besteiros haviam entrado na floresta, na direção do solar. Quando penetrei na floresta, saltei da sela e amarrei o cavalo a um arbusto. Enquanto recobrava o fôlego e olhava ao redor, não vi ninguém. Exceto pelas batidas de meu coração, não havia som algum. Senti como se estivesse sozinho no mundo, longe do companheirismo rude dos lanceiros e da presença confortante de Robin e João, e percebi que estava com medo. Benzi-me, puxei a espada e comecei a abrir caminho através da vegetação espessa, avançando para onde vira pela última vez os arqueiros. Não havia nenhum som no mundo exceto o leve farfalhar da folhagem à medida que eu avançava e os estalidos dos galhos movendo-se acima de mim com a leve brisa. Tive a estranha sensacão de que estava debaixo d'água, naquele mundo verde e quase silencioso. Onde estavam nossos homens? Onde estavam os inimigos? Parei e escutei novamente. Nada. A floresta ao meu redor era fechada e eu não conseguia ver a mais de 12 metros em qualquer direção. Ela me fazia lembrar de dias mais felizes, caçando veados vermelhos com Robin e, sem me dar conta, comecei a seguir os métodos de espreita que aprendera com ele. Cada pé colocado à frente do outro com deliberação e cuidado para não quebrar algum graveto nem emitir qualquer som. Passo, passo, passo, parar, ficar absolutamente imóvel e escutar. Depois passo, passo, passo, parar e escutar. Não havia nada ali, eu tinha certeza. Onde estava todo mundo? Senti-me como uma alma solitária em um mundo diferente, verde e povoado por fadas, distante do sangue e da dor do campo de batalha aberto, que estava, eu sabia, a apenas cerca de duas dúzias de metros à minha direita. As árvores antigas, tão próximas que seus galhos se entrelaçavam, erguiam-se acima de mim como o telhado de uma gigantesca jaula de madeira, mas a vegetação rasteira era leve formada por algumas samambaias e arbustos mirrados. Afastei uma fronde rastejante de hera e aventurei-me profundamente na escuridão. Passo, passo, passo, parar e escutar.

De repente, quase saltei de minha pele: um grito enorme e arrepiante, um grito de agonia impossivelmente alto, e apenas 12 metros adiante um homem com traje verde-escuro apareceu repentinamente por detrás de uma árvore, tropeçando, com uma grossa haste preta projetando-se obscenamente de seu pescoço; e o silencioso mundo verde explodiu em barulho e movimento. Por trás de mim e à minha esquerda veio um som que eu conhecia bem: o vush, vush, vush de flechas passando por perto, seguido por outro urro de dor vindo de mais adiante. Vi figuras escuras à minha frente passando rapidamente de uma árvore para outra, vindo em minha direção, cada vez mais perto, e ouvi o silvo e o baque de flechas atingindo a madeira perto de mim. À minha direita, ouvi um gemido alto e o corpo de um arqueiro caiu dos galhos de uma faia venerável, como uma enorme ameixa madura e atingindo o solo da floresta com um baque úmido. Então, fui derrubado com uma força terrível, parcialmente preso por um grande peso à terra coberta de folhas. Alguém havia saltado sobre mim pelas costas; contorci-me em terror, perdi minha espada e ataquei com os punhos em um pânico cego, mas o homem agarrou meus braços agitados, imobilizando-me, e vi-me deitado de costas olhando para o olho sadio de meu amigo Thomas.

— Quieto — ele silvou, e lutei para controlar minha respiração ofegante.

Em seguida, ele me jogou para trás do tronco de um grande carvalho e ambos apoiamos as costas contra a solidez reconfortante da árvore.

A floresta retornara ao silêncio absoluto depois do último alvoroço violento da batalha. Thomas colocou um dedo sobre os lábios.

Quando minha respiração se acalmou, inclinei-me para a frente e sussurrei em seu ouvido a mensagem de Robin. Thomas colocou o rosto perto do meu ouvido e sussurrou:

— Retroceder? Como se tivéssemos escolha. Estamos sendo massacrados como porcos.

Coloquei a cabeça em torno do tronco espesso da árvore e espiei a escuridão da floresta. Não vi nada. A alguns metros de distância, parcialmente enterrada nas folhas sobre o solo onde Thomas e eu havíamos nos atracado por poucos instantes, estava minha espada. Agachei-me e comecei a caminhar para pegar a arma quando Thomas puxou-me rispidamente para atrás da árvore, bem a tempo. Duas flechas perfuraram a casca da árvore exatamente onde minha cabeça estivera poucos instantes antes.

— Tome cuidado, Josué — sussurrou Thomas, rindo um pouco de minha expressão de choque. — Você não está no castelo de Winchester. Ali está um dos desgraçados, bem atrás daquele olmo à nossa frente. Quando ele colocar a cabeça para espiar, eu o espetarei e você poderá recuperar a espada. Depois, recuaremos um pouco. Observe-o para mim. Dê-me o sinal. Certo?

Thomas ficou de pé, pegou seu arco e escolheu uma flecha de sua aljava de linho. Esticou a corda até a metade e ficou com os ombros apoiados na casca áspera do carvalho, protegido mas totalmente de costas para o inimigo. Na altura de seus pés, espiei ao redor do tronco através dos cachos verdes de um broto de samambaia, expondo o mínimo possível de meu rosto. Não havia nada à vista. A floresta estava assustadoramente vazia e silenciosa. Contudo, se realmente me concentrasse, eu captava ocasionalmente o farfalhar apressado, como um rato em um celeiro, de um homem movendo-se rapidamente através da folhagem rasteira. Senti os pelos da minha nuca se arrepiarem mas, imóvel como uma pedra, observei o grande olmo que Thomas indicara. Em pouco tempo, vi uma figura se movendo contra a silhueta da árvore. Apenas um leve movimento, mas meu olhar foi atraído de imediato. Esperei mais um pouco. Então, muito adiante e fora de vista, uma voz rouca gritou algo em uma língua quase igual ao inglês, mas que eu não conseguia compreender. Claramente, era uma ordem do capitão flamengo para que seus homens avançassem, pois, enquanto eu observava, partes das árvores diante de mim se separaram dos troncos e adquiriram formas de figuras humanas. Homens se destacaram da cobertura da floresta e, cuidadosamente, começaram a avançar. Levantei os olhos para Thomas e acenei com a cabeça. Com um movimento suave, ele esticou a corda até a orelha, contornou a árvore e disparou uma flecha de freixo de 1 metro contra o corpo do flamengo que estava a 12 metros de distância. A flecha atravessou totalmente, o inimigo e reluziu pela vegetação. O homem deu um pequeno grito e caiu de joelhos. Naquele instante, corri para a frente, peguei a espada e retornei à segurança atrás de uma faia caída antes que o homem finalmente desabasse no chão com um suspiro borbulhante. Os outros arqueiros também estavam disparando suas flechas. Meia dúzia de besteiros xingaram de dor, tropeçaram e caíram no chão. Mas as formas sombrias ainda avançavam; percebi figuras indistintas em corridas curtas de uma árvore para outra. Estiquei o pescoço um pouco mais, tentando ver se algum de nossos homens estava por perto, mas uma dúzia de flechas pretas e mortais silvaram sobre minha cabeça e estalaram pelos galhos. Eles estavam vencendo. Era hora de partir.

Na segurança da faia caída, acenei para Thomas e ele sorriu com uma saudação engraçada. Depois, recolhendo o arco e os alforjes, ele disparou repentinamente e correu alguns passos, afastando-se do grande e velho carvalho e dos flamengos que se aproximavam rapidamente, até atingir outra árvore. Vi-o deliberar com outro arqueiro de verde e seu amigo, os quais, por sua vez, correram agachados até outra árvore, atrás da qual estava outro arqueiro, para transmitir a mensagem. Comecei a me afastar, arrastando-me. Sem ousar levantar a cabeça, e tampouco correr de pé, serpenteei de quatro através da vegetação rasteira em direção a meu cavalo. Uma parte de mim sentia culpa por deixar os arqueiros naquela luta desigual, mas disse a mim mesmo que minha obrigação era com Robin. Contudo, não consegui conter uma sensação de alívio por estar escapando daquele massacre silencioso na escuridão traiçoeira da floresta.

Algo da atmosfera terrível daquela floresta tinha afetado meu cavalo. Ele tremia de medo e relinchou de felicidade com meu retorno. Aquele barulho amigável quase resultou em minha morte.

Eu estava segurando as rédeas do cavalo cinzento, minha espada na bainha, e o acalmava com minha mão livre quando algum instinto, algum aviso de Deus, fez com que eu virasse a cabeça e, naquele momento, por debaixo dos galhos, surgiu uma figura alta e esguia com o sobretudo xadrez verde e vermelho de um besteiro flamengo. Era um homem grande, com cerca de 30 anos, de cabeça redonda e cabelo castanho-claro ensebado. Ele estava apontando sua arma diretamente para mim, a coronha acomodada em seu ombro direito, corda esticada, a seta deitada inocentemente no sulco à frente. Eu estava olhando para minha própria morte. E o homem sorriu, revelando seus dentes amarelos e podres e uma careta terrível de vitória.

Capítulo 18

Treinar é algo maravilhoso. Mesmo um pouco de treino pode ser muito útil quando se está encurralado. As horas empoeiradas e suadas nos pátios do assentamento de Thangbrand e do castelo de Winchester salvaram minha vida mais de uma vez naquele dia. Com espada na mão, eu praticamente não precisava pensar; um golpe seguia o outro naturalmente, os músculos relembrando os movimentos como se meu braço tivesse mente própria.

Olhei para o besteiro e, por um segundo, fiquei congelado de surpresa. Então, me mexi. Larguei as rédeas, agarrei o cabo de minha espada com uma das mãos e minha bainha desgastada com a outra. Com um movimento suave, a espada estava livre. O homem alto, ainda sorrindo triunfante, puxou a alavanca na parte inferior da besta, a corda foi solta, a flecha disparou em minha direção em um borrão cinzento e... ele errou. Ouvi um grito equino por trás da minha cabeça quando a seta perfurou meu pobre capão cinza, a 2 centímetros do meu ombro esquerdo, e em seguida eu estava atacando o flamengo, um grito de ira sem palavras em minha garganta. Simulei um ataque contra sua cabeça com a espada e ele a bloqueou desesperadamente com a besta. O aço rangeu contra a madeira, mas ele impediu meu golpe, a lâmina a meros 15 centímetros de seu rosto; mudei de posição e ajeitei o braço com uma estocada, um movimento que Sir Richard me fizera praticar não menos do que trezentas ou quatrocentas vezes. A ponta da espada avançou, com todo o peso do meu ombro atrás dela, estraçalhando os dentes amarelos do inimigo e penetrando nas profundezas de sua boca; atravessando seu cérebro, a espada mergulhou na área fatal onde o cérebro encontra a espinha, até que a ponta parou depois de sair por 15 centímetros pela parte de trás da cabeça. Sangue quente jorrou da boca destruída, encharcando minha mão e o braço que segurava a espada. De repente, senti o peso morto do corpo na ponta da lâmina, puxando-a para baixo e, quando ele desabou no chão, como uma pedra, arranquei a espada de sua cabeça deformada, cortando lateralmente o rosto e produzindo com ela outro jato de sangue brilhante. Não levara mais de 12 segundos entre o momento em que ele aparecera e sua morte. Quando abaixei os olhos para o cadáver a meus pés, a boca cortada em um buraco vermelho aberto de sangue e fragmentos de dentes, e ajoelhei-me para limpar minha espada em seu sobretudo, não senti nada, nenhum remorso, nenhuma pena, e sim uma onda de alegria — e de orgulho. Eu matara meu inimigo sozinho em um combate corpo a corpo. Ele tentara me matar, e ainda assim eu fora o melhor. Eu havia me gabado a Robin, tantos meses antes, de que um dia me tornaria um guerreiro. E eu sabia, finalmente, que me tornara um.

Meu adorável capão cinzento caíra de joelhos. Seus olhos giravam loucamente. A seta estava cravada na lateral de seu corpo, 30 centímetros de madeira de carvalho com ponta de aço enterrados até as penas de couro. Ele suava e tremia e, a cada respiração trêmula, bolhas rosadas brilhantes formavam-se em sua boca. Eu sabia que estava muito ferido nos pulmões, que jamais voltaria a correr. Acariciando sua pobre cabeça em espasmos, puxei meu punhal e fiz um corte profundo em sua garganta, cortando a grande veia no pescoço. Ele morreu sob minhas mãos. Acariciei suas orelhas longas e ele ficou deitado quieto, o sangue correndo em um rio espesso por seu peito cinzento e largo.

Mas eu não podia ficar muito tempo ao lado dele. Outros besteiros poderiam estar por perto e meu dever era procurar Robin. Abandonei o corpo retorcido de meu pobre e corajoso cavalo cinzento e arrastei-me para o sul, rumo à margem da floresta, e subi até os galhos mais altos de uma árvore de folhagem viçosa para obter um ponto seguro de onde observar o campo de batalha.

A situação não estava boa para Robin. O porco-espinho estava cercado por um círculo furioso da infantaria inimiga; por todos os lados, centenas de espadachins e lanceiros de preto atacavam e cortavam o pequeno círculo de nossos homens, que morriam aos poucos, apesar da defesa valente. Ocasionalmente, o espesso círculo externo de inimigos recuava, cada homem dando uma dúzia de passos para trás para olhar, resfolegante, o inimigo fora da lei que o encarava, rosnando, por cima dos escudos. Então, seguindo ordens, os homens de Murdac avançavam para atacar novamente as fileiras cada vez mais magras do porco-espinho.

Estávamos lutando como heróis lendários. Vi João Pequeno sem o fardo de um escudo, apenas protegido por sua couraça de malha e seu elmo antigo, brandindo o grande machado e cortando imensos buracos nas fileiras inimigas a cada golpe sangrento. Ele partiu um homem bem no meio da cabeça com um golpe, deu um passo ao lado para desviar de um golpe de lança e decepou o braço do lanceiro no cotovelo. Os arqueiros estavam disparando seus projéteis mortais contra a barreira de inimigos, cada flecha atravessando o primeiro homem e acertando o que vinha atrás dele. Robin lutava como um louco: cortava e atacava, um jato de sangue fresco jorrando de sua espada a cada golpe. Então o inimigo recuou novamente alguns metros, o espaço entre as fileiras coberto de corpos e das formas rastejantes de homens mutilados. Eu ouvia claramente os gritos, mesmo na árvore a 100 metros de distância.

Longe do porco-espinho, cavaleiros de preto vagavam pelo campo; sargentos, presumi, que haviam sido afugentados no primeiro ataque desastroso dos homens de Murdac. Eles pareciam circular o grande combate fervente no centro de seu campo como grandes corvos escuros, esperando que o porco-espinho se desfizesse, como acontecera no assentamento de Thangbrand, para que pudessem alcançar os fugitivos e cortá-los em pedaços ensanguentados. Não havia como juntar-me novamente a Robin e ajudar naquele combate desesperado. Quando deixasse a segurança do topo da árvore, com medo e a pé no campo aberto, eu seria caçado e morto pelos cavaleiros que circulavam antes que chegasse na metade do caminho até o lado de Robin. Também parecia haver mais cavalaria bem longe, ao sul das fileiras de Murdac. Ele devia ter mais de mil homens no total. Que loucura tinha

Robin, perguntei-me, para que ele insistisse na batalha em Linden Lea, quando suas forças estavam em número muito menor? Seria arrogância? Ou teria ele simplesmente cometido um erro de cálculo fatal? Então meus olhos se levantaram do coração pulsante e ensanguentado da batalha para as colinas na extremidade do vale — e vi Hugh, o fiel Hugh, cavalgando para resgatar o irmão, à frente de seus homens.

Trotando em uma grande massa desordenada, uma nuvem de poeira na qual, brevemente, surgiam cabeças de cavalos, lanças reluzentes e sobretudos verde-escuros, sob uma bandeira decorada com a cabeça de um lobo rosnando, nossos cavaleiros desceram pela encosta onde estavam escondidos e dispararam rumo ao vale. As pontas das lanças foram abaixadas e com o tropel dos cascos dos cavalos, os guerreiros lançaram-se contra a massa de homens de preto reunidos em torno do porco-espinho.

Eles nunca chegaram.

Vindo do sul, surgindo de um recôncavo no solo do vale, desapercebido pelos homens de Hugh, um novo *conroi* de cavalaria avançou trotando. Vestindo os mesmos sobretudos verdes e vermelhos que os besteiros flamengos, mas montados em grandes cavalos e armados com longas lanças, meia centena de novos cavaleiros mercenários saíram galopando de seu esconderijo e atingiram em cheio os flancos e a parte posterior do grupo de Hugh. Foi um caos; com nossa linha de ataque completamente desfeita, não mais que um punhado de cavaleiros à frente de nossa força de ataque envolveu-se imediatamente em uma luta pelas próprias vidas contra a cavalaria flamenga. Em pouco tempo, as lanças foram abandonadas na carnificina corpo a corpo, e cavaleiros empinavam e atacavam uns aos outros com espadas, machados e maças. Inicialmente, estavam em igual número. Mas então os sargentos montados, remanescentes do primeiro ataque desastroso da cavalaria, que vagavam pelo campo sozinhos ou em duplas, reuniram-se para entrar na batalha e nossos cavaleiros começaram a morrer. Alguns deles, um punhado desprezível, conseguiram atravessar as fileiras inimigas e, forçando seus cavalos através de nossas fileiras desgastadas juntaram-se aos camaradas na segurança relativa do porco-espinho. Mas muitos homens de verde Lincoln foram mortos em suas selas, cercados por dois ou até três assassinos montados vestidos de preto ou de verde e vermelho. Vergonhosamente, alguns de nossos homens voltaram seus cavalos para o norte e cavalgaram rapidamente para a segurança das colinas.

Afastei o olhar do campo de batalha, do caos sangrento de homens lutando e morrendo, montados e a pé. Bloqueei de meus ouvidos os gritos dos feridos. Eu não suportaria assistir ao ataque final no qual as fileiras escuras dos inimigos esmagariam aquele círculo exausto formado por meus amigos. Levantei os olhos para o céu azul e profundo, para o sol brilhante ardendo acima das colinas ao oeste e para uma revoada de andorinhas fazendo um arco sobre aquele campo ensanguentado e esquecido por Deus, muito acima da dor, do sangue e do fedor da morte. Fechei meus olhos contra a luz brilhante do sol e ouvi o vento nas copas das árvores ao meu redor... e percebi que também ouvia algo mais. Um farfalhar, e um som quase igual a um murmúrio. Imaginei que ouvia vozes, ouvi vozes, e então começaram os tambores. *Ba-buum-buum; ba-buum-buum; ba-buum-buum...* Eu não acreditava em meus ouvidos. Abanei a cabeça mas o som permanecia ali, cada vez mais forte. *Ba-ba-buum; ba-ba-buum; ba-ba-buum...* Eu já tinha ouvido aquele som pagão anteriormente, meses antes, em uma noite sangrenta perto das cavernas de Robin.

Olhei para o chão, 7 metros sob meus pés e, através das folhas, percebi o topo da cabeça de um homem, raspada em uma tonsura, seu cabelo castanho-avermelhado ao redor de uma careca queimada de sol. Era um monge, e percebi que carregava um arco de guerra. Ao seu lado, estavam sentadas suas duas bestas grandes e terríveis: os cães caçadores de lobos Gog e Magog. Meu coração deu um grande salto. Era Tuck.

Com um grito de alegria, desci da árvore o mais rápido que pude, quase quebrando meu pescoço quando caí no chão. Era mesmo Tuck, e ele não estava sozinho. Havia uma dúzia de figuras sombrias na escuridão da floresta atrás dele. Recebi-o com um abraço, apertando seu corpo atarracado contra o meu e sentindo mais uma vez o perfume rústico e terreno de seu robe marrom. Minha mente fervilhava com perguntas. Mas antes que eu as pudesse fazer, Tuck ergueu uma das mãos.

— Respostas depois, Alan, temos um trabalho a fazer agora.

Os tambores ainda ressoavam, preenchendo o ar com seu chamado de batalha antigo, e vi que a floresta estava repleta de pessoas, dezenas, até mesmo centenas. Uma mulher aproximou-se por entre as árvores; estava vestida em um robe azul-escuro decorado com estrelas e luas crescentes. Sua testa estava pintada com o símbolo em forma de Y com o que parecia sangue coagulado. Nas mãos, segurava uma espessa vara negra de espinheiro. Era Brigid. Em minha felicidade, também a abracei. Ela sorriu para mim, mas de um jeito um pouco estranho, vazio, sem o calor reconfortante que exibira quando tratara dos ferimentos e queimaduras que eu sofrera. Ela parecia imbuída de um ódio frio, uma fúria negra, parcamente contida dentro de seu corpo, e afastei-me instintivamente dela como que repelido por uma força invisível. Por trás de seu ombro, vi outras figuras reconfortantes. Pequeno Ket, a Balsa, com uma armadura de couro, segurando uma clava enorme, quase tão alta quanto ele; seu irmão, Hob, sorrindo para mim através das folhas de um galho baixo; e muitos outros fora da lei que não eram membros do bando de Robin, mendigos errantes, aldeões de Sherwood, homens selvagens das profundezas da floresta... Todos tinham vindo para a batalha. Os tambores ressoavam, vibrando dentro da minha cabeça. Então, Tuck falou com uma voz calma e fria:

— Madame, acredito que devam atacar agora, ou será tarde demais.

Brigid concordou, fez uma pausa, respirou fundo e jogou a cabeça para trás. E, com um grito selvagem e ululante que arrepiou todos os pelos de meu corpo, ela disparou por mim e atravessou a margem da floresta, entrando no campo de batalha. Atrás dela, seguiram centenas de homens, inclusive algumas mulheres, gritando com a mesma selvageria, muitos com o Y pagão pintado nas testas, todos armados com o que quer que tivessem trazido: clavas, espadas enferrujadas, machados, enxadas, foices — vi até um velho com uma debulhadora de cereais —, todos enlouquecidos com a sede de sangue da batalha.

Foram os pombos domesticados. Na tarde que antecedeu a cavalgada secreta para resgatar Marian, Robin pedira-me para libertar três cestas de pombos, cada um com uma fina fita verde amarrada a ele. Os pássaros voaram alto no sol do fim de tarde, enquanto todos estavam na conferência de guerra com Robin, e depois retornaram para seus pombais, transmitindo a mensagem: *Armem-se, todos vocês que me serviriam, e venham*! Com os pássaros, ele estava convocando todo o seu poder da floresta. Cada homem em toda Sherwood que buscava seu favor, todo homem com um débito de gratidão que quisesse retribuir. Descobri que Brigid também reunira todos os homens e mulheres de sua antiga religião, de tão longe quanto North Yorkshire e das fronteiras com o País de Gales, atraindo-os com a promessa das ricas pilhagens da batalha e a chance de desferir um golpe em nome da Deusa Mãe. Tuck vira os pombos e viera, juntando-se ao bando de Brigid: um monge cristão e uma sacerdotisa pagã marchando juntos. Tudo por amor a Robin. Quando contei a história a amigos, anos depois, poucos acreditaram em mim, mas juro que é verdade.

Aquela horda desgrenhada de párias, loucos e fanáticos religiosos atacou pela margem da floresta como uma multidão de assombrações vingativas, dando seus gritos de guerra. Brigid avançava à frente deles, atacando os homens de Murdac para fora de seu caminho com a vara de espinheiro que brandia com as duas mãos com uma energia selvagem, maníaca. Como gravetos diante de um grande rio de humanos, todas as tropas de preto no caminho da horda que atacava foram derrubados ou varridos. À frente daquela massa gritante que avançava para o ataque, vinham Gog e Magog, silenciosos e salivando. Um dos grandes cães saltou sobre um homem de armas desafortunado nas fileiras posteriores das forças que cercavam os resquícios do porco-espinho e, com um rosnado e uma forte mordida, arrancou a parte inferior do rosto do soldado. O homem largou sua arma e cambaleou para trás, segurando nas mãos a massa ensanguentada onde ficava sua mandíbula. Depois, vi uma figura maltrapilha aos urros, magra como um graveto, decepar as duas pernas do homem com um único golpe de foice. O outro cão enorme, não menos selvagem, mordia através de mangas de *aketons*, esmagando os ossos dos braços dos homens de Murdac, incapacitando dúzias de soldados durante aquele ataque terrível. Os homens e as mulheres de Brigid atacavam em um frenesi quase inumano, atingindo soldados e mais soldados com enxadas ou clavas, matando-os com facas e depois rasgando suas roupas, praticamente antes que estivessem mortos, procurando moedas e outros itens de valor. Brigid parecia ter a força de dez homens, derrubando inimigos bem armados com golpes poderosos de sua vara espessa e gritando peãs aos deuses da floresta e estimulando seus seguidores. O amontoado de inimigos ao redor do porco-espinho dissolveu-se, com as tropas de Murdac, tanto a cavalo quanto a pé, dizimadas pelo exército enraivecido de pagãos maltrapilhos. Aqueles que não fugiram imediatamente para salvarem as próprias vidas foram derrubados e massacrados.

Acompanhei o ataque da horda pagã de um modo um pouco mais sereno, mas ainda assim de espada em punho. Contudo, não encontrei nenhum inimigo enquanto caminhava em meio ao mar de corpos ao encontro de Robin. Podia ver claramente os danos sofridos pelo porco-espinho; era uma visão tocante. Grandes buracos haviam sido abertos no que antes fora um círculo impenetrável de homens e aço. Mais da metade de nossos homens estavam caídos e aqueles que permaneciam em posição estavam cobertos de sangue, inacreditavelmente desgastados. Assumi minha posição ao lado de Robin, aguardando em silêncio por suas ordens, e observei o campo que era, naquele momento, nosso.

Tuck não tinha atacado com os pagãos: ele reunira vinte arqueiros, os remanescentes dos homens de Thomas, presumi, com os quais ficou à margem do campo de batalha, onde começava a floresta, indicando alvos uns para os outros e alvejando os homens de armas fugitivos com uma precisão assustadora. A força de ataque de Murdac estava em retirada, homens em pânico correndo para o sul, rumo às barracas e às fileiras de cavalos. Mas a batalha não estava vencida. Ao sudoeste, perto das colinas, vi uma unidade formada por cavaleiros negros, parados, observando o campo. Ao sul, havia um batalhão inteiro de infantaria ainda não utilizado, uma centena de homens de pé em um quadrado negro sob o sol quente de verão. Ao sudeste, dezenas de besteiros de verde e vermelho saíam por entre as árvores. Apesar de obrigados a sair da floresta por nossos pagãos uivantes, estavam recuando ordenadamente e fazendo uma formação na retaguarda da linha de Murdac, ao lado da estrutura ameaçadora da manganela, parecida com uma caixa. Vi um grupo de cavaleiros escuros cavalgando sob uma grande bandeira negra, marcada por divisas vermelho-sangue, cruzando para nossa frente na direção dos flamengos. Era o próprio Murdac, sua cabeça escura descoberta, e seus companheiros mais próximos; todos ainda descansados e completamente intocados pela mão sangrenta da batalha.

O inimigo não fora derrotado. Longe disso. À direita dos besteiros, Murdac e seus cavaleiros preferidos pararam diante de outro quadrado preto, outro batalhão de lanceiros em marcha, surgindo na extremidade oposta do vale, armas erguidas, pontas de lanças reluzindo sob a forte luz do sol. Sir Ralph conferiu seu cavalo, circulando diante dos homens que marchavam, dando gritos de encorajamento, e depois cavalgou para onde os flamengos ordenavam suas fileiras.

Robin, na extremidade de sua formação destroçada, entre os mortos e feridos de ambos os lados, o solo, um pântano revirado de sangue e lama, observava o inimigo tão atentamente quanto eu. Seus ombros estavam caídos e seu rosto cinzento de cansaço. Ele tinha um corte na bochecha esquerda mas, fora isso e para meu alívio, parecia ileso. Então, Robin pareceu se reerguer para tomar uma decisão. Vi-o alcançar o cinto com uma mão ensanguentada, puxar uma tira de couro cru e soltar sua trombeta. Ele ficou reto por um instante, encheu os pulmões e assoprou. Três toques longos, seguidos por outros três. As notas ecoaram pelo campo ensanguentado. Era a retirada, o sinal para que retornassem ao solar.

— Ajude os feridos, Alan — ele me disse em uma voz monotônica.

Depois, com um último olhar para as linhas inimigas, deu meia-volta, colocou de pé um homem ensanguentado e os dois começaram a caminhar penosamente, mancando, de volta a Linden Lea.

Vagamos de volta ao solar, centenas de pessoas, à medida que as sombras ficavam mais longas e o sol tocava o cume das colinas a oeste: os cavaleiros cansados de Hugh, em número muito pequeno; os lanceiros sobreviventes e ensanguentados do porco-espinho; arqueiros mancando e usando suas varas fortes de freixo para andarem mais rápido; pagãos cobertos de sangue, que paravam com frequência para pilhar os cadáveres. E havia muitos mortos, o campo estava repleto de cadáveres e de feridos, os quais gritavam por água e ajuda. A maioria de nós chegou ilesa ao solar, os que não estavam feridos ajudando os feridos; contudo, alguns foram atacados pelos cavaleiros de Murdac, que circulavam pelo campo: homens que não atenderam a tempo à trombeta de Robin e foram mortos com golpes de machado ou de espada. Carreguei um lanceiro com um corte enorme no lado do corpo por todo o caminho até o solar. Mas quando cheguei ao pátio e coloquei-o o mais delicadamente possível sobre um monte de palha, vi que já estava morto. Quando os últimos homens passaram com dificuldade pelo portão, quase incapazes de andar por causa do cansaço, abaixamos a grande viga de carvalho e cuidamos dos ferimentos.

Marian e os homens que haviam ficado no solar permaneceram ocupados. Comida fora preparada, novamente em mesas de cavaletes no pátio ensolarado, e os feridos receberam grandes jarras de cerveja fraca para aplacarem a sede. Os gravemente feridos foram colocados no próprio solar e tratados por Marian, Tuck, Brigid e os criados. Eram dezenas, ensanguentados e exaustos, incapacitados por lanças e cortados por espadas; alguns joviais, orgulhosos pelo que haviam conquistado, outros pálidos e silenciosos, apenas esperando pela morte. Os mais gravemente feridos foram ajudados pelos homens de Robin a passar para o descanso eterno. O próprio Robin circulou pelo salão confortando os mais feridos e elogiando seu valor. Um homem, um traquinas bem-humorado com um grande buraco no ombro, tirou uma pomba branca com uma fita verde amarrada a ela de seu casaco esfarrapado e manchado de sangue. Robin aceitou-a solenemente e revirou sua algibeira para encontrar uma moeda de prata com a qual pudesse recompensar o homem. A maioria dos feridos, contudo, era mais desesperadora; bebiam avidamente dos recipientes de vinho que eram passados pelo salão e os sons de dor aumentaram quando o sol finalmente afundou atrás das colinas a oeste. Todos sabiam que Robin havia lançado os dados e perdera. As tropas de Murdac haviam cercado o solar e, pela manhã, ele atacaria o lugar e todos morreríamos.

O anoitecer encerrara as hostilidades e Robin enviara emissários até Murdac pedindo uma trégua para recolher nossos feridos no campo. Murdac concordou e, durante toda a noite, grupos de homens entraram e saíram do solar carregando macas. Em pouco tempo, o solar e todos os anexos estavam repletos de homens feridos e moribundos, assim como o pátio. A noite quente estava repleta dos gemidos dos feridos e dos gritos agudos daqueles que recebiam cuidados médicos. Tuck circulou entre os moribundos oferecendo a extrema-unção e rezou com aqueles que, *in extremis*, voltaram-se para Nosso Senhor Jesus Cristo para salvarem suas almas. Brigid fez o mesmo com os pagãos feridos. Marian estava exausta: ela tentava tratar todos os feridos, centenas deles, com a ajuda de apenas alguns criados do solar. João Pequeno estava organizando o recolhimento dos feridos do campo; os mortos foram deixados onde estavam.

Naquele inferno de morte e sangue criado pelo homem, naquele matadouro ensanguentado, ecoando com os gritos terríveis de almas em agonia, entrou Bernard de Sezanne. Ele estava vestido com uma túnica amarela de seda muito elegante, imaculada e bordada com imagens de vielas, flautas, harpas e outras figuras musicais. Tinha a barba feita e seu cabelo fora aparado recentemente. Segurava um lenço perfumado contra o nariz e caminhou diretamente em minha direção, passando delicadamente sobre os mortos e moribundos no chão do pátio sem prestar a menor atenção a eles. Quando olhei estupidamente para ele, Bernard disse:

— Deixe-me ver seus dedos, Alan, rápido.

Fiquei chocado; eu não conseguia acreditar que aquela aparição limpa e perfumada fosse real. Devia ser uma criação do meu cérebro confuso pela batalha, mas ele insistia que eu colocasse as mãos à minha frente, como um estudante mostrando à mãe que suas patas empoeiradas estão limpas. E foi o que fiz. Não estavam limpas, pois estavam cobertas de sangue seco, terra e líquen verde das árvores, mas Bernard contou solenemente os dedos e manifestou seu alívio:

— Todos os dez, isso é reconfortante — disse ele. — Você pode não ser o melhor tocador de viela que existe, mas seria muito pior caso algum daqueles vilões sanguinários tivesse cortado um ou dois dedos.

Depois, Bernard abraçou-me e disse que precisava ver Robin imediatamente.

Eu tinha muitas perguntas a fazer: de onde ele viera? O que estava fazendo no meio de um campo de batalha coberto de sangue? Mas ele me calou e fez com que o levasse até Robin, que estava ajudando um homem ferido a beber uma caneca de vinho.

— Tenho uma mensagem que preciso lhe transmitir privadamente — disse Bernard a Robin. E meu mestre, sem dizer nada, conduziu-o para um quarto nos fundos do salão e a porta foi fechada na minha cara.

Eles ficaram no quarto por uma hora ou mais, e depois de algum tempo fui enviado para levar vinho e frutas, mas fui proibido de me juntar a suas deliberações. Finalmente, Robin e Bernard saíram e Robin disse-me para encontrar uma jarra de vinho para Bernard e um canto no qual pudesse dormir, enquanto retornava para cuidar dos feridos. Bernard não me disse nada além de que eu deveria dormir tranquilo, pois tudo ficaria bem. Mas o sono não veio. Dividimos a jarra de vinho, o que quer dizer que consegui dar alguns goles enquanto Bernard, como de costume, parecia ter a sede de dez homens. Depois, deitei-me sobre a palha ao lado de meu mentor musical, ouvindo seus roncos e tentando imaginar o que sua chegada poderia significar. Finalmente, caí em um sono conturbado, apenas para ser despertado antes do amanhecer, novamente, pelo feioso Thomas, que me sacudia pelos ombros.

Sentei-me com o corpo dolorido dos esforços extraordinários da batalha do dia anterior, e não estava mais que parcialmente desperto quando Thomas disse:

— Robin quer vê-lo.

Deixei Bernard em seu sono de suíno e segui o homem de um olho só pelo pátio até um canto no salão.

Robin parecia descansado, mas eu sabia que não dormira. Ele entregou-me uma pomba totalmente branca, e quando olhei para o lindo pássaro e senti seu coração batendo rapidamente entre meus dedos, percebi que tinha uma longa fita vermelha amarrada a seu pé esquerdo e rosado.

— Vá para a paliçada e solte-a — disse ele.

— Apenas uma? — perguntei surpreso. — O que significa?

Robin olhou para mim por um momento e vi um sinal de tristeza em seus olhos prateados.

— Significa apenas: aceito.

Depois, Robin virou-se para retornar aos feridos.

Caminhei até a paliçada, subi os degraus da passarela e, com uma oração silenciosa a Deus, o Pai, a seu Filho e ao Espírito Santo implorando para que todos eles descessem do Paraíso em sua Glória para nos salvar, lancei o pássaro no ar. Ele bateu suas asas perfeitamente brancas, contornou o solar e voou para o oeste, desaparecendo sobre as montanhas e arrastando atrás de si a fina mensagem vermelha de aceitação.

Enquanto observava o pássaro alçar a liberdade, o sol nasceu em toda sua majestade ofuscante por cima da floresta à minha esquerda e olhei para o campo de batalha no começo do que já parecia mais um dia lindo. Durante a noite, as tropas de Murdac haviam cercado totalmente o solar de Linden Lea; um fino círculo negro de homens, cavalos e carroças em todos os lados, fogueiras já ardendo e espirais de fumaça começando a ser assopradas pelo vento suave. Vi besteiros, lanceiros e grupos de cavalaria movimentando-se em diversas partes das fileiras de barracas e equipamentos de guerra pilhados. Mas eles também tinham sofrido na batalha do dia anterior. Quase à frente, do outro lado do portão principal, talvez a 400 metros de distância, vi o estandarte de Sir Ralph Murdac, a bandeira negra com divisas vermelhas, tremulando na brisa no topo de um grande pavilhão. E ali estava o homem, cavalgando pela linha de frente, seu rosto claramente visível sob um elmo simples com uma grande proteção triangular para o nariz. Imaginei ter visto algo vermelho reluzindo em sua garganta, mas disse a mim mesmo que devia ser um truque de luz. Ele seguia na direção da grande estrutura de madeira em forma de caixa da manganela, a qual fora trazida para muito mais perto do solar durante a noite.

Murdac chegou até a máquina, deliberou com os oficiais do local e, com um gesto brusco de sua mão para os homens agrupados ao redor da arma, a manganela disparou. A grande colher levantou-se e colidiu com a barra transversal; uma pedra do tamanho de uma pequena vaca voou gritando diretamente para nós e, com um estrondo ensurdecedor, abriu um buraco de 2 metros de diâmetro na paliçada a apenas poucos metros de onde eu estava. Meia dúzia de homens feridos que estavam abrigados dentro da parede de madeira foram esmagados instantaneamente. A pedra rolou por alguns metros e parou praticamente no centro do pátio.

Com uma contorção nauseante no estômago, percebi que não tínhamos proteção contra Murdac naquele solar. Aquela máquina infernal poderia destruir nossas frágeis defesas de madeira por puro capricho, e depois Murdac e sua cavalaria negra saltariam o fosso, cavalgariam sobre nossas paredes destroçadas e nos estripariam. Ao meio-dia, calculei com o coração pesado, estaríamos todos mortos.

Capítulo 19

Em muitos anos de combates duros, batalhas sangrentas e de ter escapado por pouco, jamais me senti tão próximo do desespero quanto no momento em que aquela grande rocha atravessou a paliçada de madeira em Linden Lea. Exceto uma vez. Nesta primavera, enquanto meu neto Alan estava doente, com febre e perto da morte, senti que o mundo inteiro terminaria com ele. Alan está bem agora, louvado seja Deus, e sua recuperação foi impressionantemente rápida, ou talvez apenas impressionante para um homem como eu, cujos cortes e ferimentos demoram tanto a cicatrizar atualmente. Alimentei Alan com a poção elaborada por Brigid enquanto Marie, sua mãe, dormia, exausta de preocupação, no quarto ao lado. Era uma infusão malcheirosa e, quando eu mal fizera Alan engoli-la, seu estômago jogou-a de volta diretamente sobre mim. Limpei-me e tentei outra vez, até que finalmente consegui fazer com que um pouco do líquido nauseante ficasse dentro dele. Depois, Alan dormiu.

No dia seguinte, dei-lhe outra dose, como instruído por Brigid, com uma mistura mais fraca feita com muita água fervida à meia-noite e deixada para esfriar. No dia seguinte, ele estava desperto e pediu mingau. Marie está fora de si de tanta felicidade e jurou acender uma vela para a Virgem por todos os domingos pelo resto da vida para agradecer pela recuperação do filho. Enviei um pedaço de bacon, três galinhas, uma dúzia de filões de pão e uma bolsa de moedas de prata para Brigid.

A cada dia que se seguiu, Alan ficou mais forte. Agora, enquanto narro esta história de morte e destruição em Linden Lea, meu neto brinca de fora da lei e xerife nas florestas ao lado do solar, com alguns garotos locais. Com a saúde recobrada, minha melancolia se dissipou. Os dias parecem brilhantes novamente; realizo minhas tarefas com um vigor renovado; até rio com Marie à noite ao lado da lareira quando as obrigações do dia estão concluídas. Jamais contarei a Marie que procurei a ajuda de Brigid para salvar Alan, mas não há a menor sombra de dúvida em minha mente: a bruxa curou meu neto, e também a mim. Talvez Robin estivesse certo tantos anos atrás: Deus está em todas as partes, em tudo e em todos, até em uma bruxa. Pois a salvação de meu garoto não poderia ter sido um ato do demônio, seja lá o que o pároco Gilbert, padre de nossa paróquia, possa dizer sobre as habilidades de Brigid. Rezarei por sua alma, e considerá-la-ei uma boa amiga, durante todos os dias que ainda me restam.

Havia duas coisas que eu ainda não tinha percebido em relação a Robin quando aquela rocha gigantesca destruiu nossas esperanças de segurança atrás da paliçada no solar de Linden Lea: primeiro, ele planejava as batalhas como um jogador de xadrez, pensando meticulosamente de modo antecipado, prevendo os movimentos que o inimigo pudesse fazer e tomando as próprias providências para reagir a eles; e, em segundo lugar, ele sempre contava com a sorte do diabo nas batalhas.

O primeiro projétil da manganela pode também ter sido um golpe diabólico de sorte, pois a rocha seguinte rolou até parar a uns bons 20 metros de distância da paliçada. O rochedo seguinte voou por cima do solar e caiu no milharal atrás dele. Àquela altura, estávamos todos abalados no pátio e a atmosfera beirava o pânico. Robin agiu prontamente — ordenou que todos os feridos fossem levados para o casarão do solar, apesar de mal haver espaço para os homens que já estavam lá, e eles não estariam muito mais protegidos da grande máquina do que no pátio. Ele também fez com que três homens movessem a rocha para que ela bloqueasse parcialmente o rombo na paliçada; depois, ordenou que fortalecêssemos as paredes de madeira, amparando-as com troncos e tábuas. Acredito que quisesse apenas manter os homens ocupados e evitar que ficassem ruminando sobre o que a manganela representava para nossas chances de sobrevivência. O trabalho de fortalecimento não teve efeito quando o rochedo seguinte nos atingiu: ele atravessou totalmente as palafitas redondas com 8 centímetros de diâmetro, apesar do reforço dos troncos e das tábuas, e seguiu adiante, rolando na velocidade de um pônei trotando, até arrancar um canto inferior do próprio casarão.

Entre os que não chegavam até nós e os que voavam para longe do solar, calculei que cerca de um em cada cinco projéteis acertava nossa muralha. E conforme o sol subiu na redoma do céu, logo ficou claro que, em menos de uma hora, não teríamos nenhuma defesa, apenas um punhado de homens amedrontados e moribundos, horrivelmente mutilados e esmagados pelas gigantescas rochas voadoras. Não foram apenas homens que morreram sob aquele ataque cruel: um projétil atingiu os estábulos, matando instantaneamente dois cavalos e uma mula e quebrando as pernas de outras duas montarias. O chiqueiro também foi atingido em cheio. Robin estava aqui e ali, como um possuído, exortando-nos a remendar as muralhas da melhor maneira possível, a correr e matar os animais de criação apavorados e a carregar os feridos para o casarão, o qual fora atingido em cheio duas vezes e através de cujo telhado rachado a luz do sol caía sobre uma cena indescritível de dor e agonia. Vi homens olhando para a floresta, a meros 100 metros dali, medindo a distância para uma fuga rápida a pé. Era um caminho impossível para fugir de nosso tormento, pois um *conroi* completo de cavaleiros de verde e vermelho estava sentado à margem da floresta observando os buracos aumentarem na muralha do solar, e qualquer um que tentasse correr os 100 metros até a segurança da floresta seria morto em poucos instantes sangrentos.

Com quase toda a paliçada frontal destruída, exceto por alguns trechos avariados da cerca de madeira, nossa defesa parecia a boca de um velho, alguns poucos dentes em um leito de gengiva ensanguentada. Então, Deus seja louvado, a manganela parou com seu ataque perverso. Contudo, antes que tivéssemos tempo para desfrutar da pausa, vi que Sir Ralph e sua força principal de cavaleiros negros começavam a se mover. Ao lado dele, sob um simples elmo redondo, vi o rosto de Guy de Gisbourne, as cores amarela e verde tremulando em sua lança. A cavalaria talvez contasse com 150 homens em três fileiras compactas, e aproximava-se de nós lentamente; atrás dela, marchava um batalhão inteiro de infantaria escura.

Robin saltou sobre um rochedo no centro do pátio e gritou, chamando a atenção de todos.

— Homens — ele berrou —, camaradas, irmãos, não ficarei sentado aqui como uma galinha empoleirada esperando que a raposa venha me pegar. Atacarei, avançarei agora mesmo... e matarei aquele homem.

Ele esticou um braço e apontou através dos buracos na cerca para Sir Ralph Murdac, que cavalgava, ainda a passo lento, na fileira intermediária de seus cavaleiros de preto.

— Quem cavalgará a meu lado?

Houve um grunhido de aprovação, pouco entusiasmado, mas os homens sabiam que morreriam se permanecessem no solar.

— Ótimo — disse Robin. — Atacaremos agora, e quando matarmos aquele homem, quando cortarmos a cabeça da cobra, o corpo morrerá. Estes mercenários não lutarão quando virem que seu pagador está morto. Dois homens em cada cavalo, o resto seguirá a pé, os arqueiros que ainda tiverem flechas nos cobrirão com disparos pela retaguarda.

Fizemos uma formação atrás dos destroços do portão principal, um triste punhado de vinte cavalos, dois homens para cada, eu próprio cavalgando atrás de Robin. Enquanto me preparava para montar atrás de meu mestre, ele virou-se na sela, baixou os olhos para mim e disse:

— Lealdade até a morte, não é? Você manteve a promessa.

Dei de ombros.

— Ainda não estou planejando morrer — falei. — Não até que ele se torne comida podre para os vermes.

E inclinei a cabeça na direção de Sir Ralph Murdac e suas tropas que avançavam a apenas 100 metros de distância.

Robin sorriu.

— Você não teria dito isso há um ano.

Não falei nada; montei atrás dele no cavalo e desembainhei minha espada.

Os poucos que restávamos da cavalaria de fora da lei estávamos cercados por uma multidão desgrenhada de pagãos e fora da lei, todos que ainda podiam andar ou correr, armados como podiam, com lanças, espadas, machados e ferramentas de fazenda. Tuck estava ali, protegido por seus dois enormes cães de guerra. Hugh parecia infeliz, montado com um homem de armas atrás dele. João Pequeno, com a cabeça desprotegida e nu até a cintura sob o calor, estava de pé com o machado sobre um dos ombros, seu grande peito musculoso coberto de pelos louros. Um reles punhado de arqueiros, com não mais de três ou quatro flechas cada, formaram dois grupos à esquerda e à direita. Robin rugiu:

— Vamos lá, companheiros! Vamos!

O portão foi derrubado, fazendo uma ponte sobre o fosso, e com um grito selvagem e rouco de cem gargantas, disparamos adiante, soldados a pé e a cavalo juntos, rumo à morte certa.

Enquanto galopávamos e eu segurava firmemente na parte traseira de madeira da sela de Robin, achando moderadamente difícil permanecer sentado no traseiro agitado de seu garanhão negro, olhei sob a aba de meu elmo para as montanhas ao oeste, onde algo chamara minha atenção. E vi nada mais nada menos que nossa salvação. Um grupo de anjos vinha para a batalha. Por um minuto, não acreditei em meus olhos; na encosta, armas reluzindo sob a luz brilhante do sol, havia uma longa fileira imóvel de cavaleiros de branco, pelo menos uma centena deles, todos montados em magníficos cavalos de guerra cobertos com tecidos deslumbrantes.

A fileira ficou imóvel por um instante. Então, seguindo uma palavra de comando que não ouvimos, os cavaleiros brancos avançaram sobre o cume da colina e desceram como uma grande onda cremosa pela encosta para participar da batalha.

— São os templários, os templários — gritei no ouvido de Robin. — Sir Richard veio, Sir Richard — gritei para os homens que avançavam a meu lado e apontei para as montanhas, onde uma centena dos melhores cavaleiros da cristandade desciam a encosta da colina em uma fileira perfeita, avançando para nos resgatar.

Os homens de Sir Ralph Murdac, aparentemente alheios à ameaça que se aproximava por trás deles, aceleraram galopando enquanto nos aproximávamos, e as duas forças desiguais, o pequeno bando maltrapilho dos homens de Robin, dois para cada cavalo, e as fileiras de cavaleiros negros de Murdac, chocaram-se com um estrondo cortante de pontas de lanças de aço e escudos de madeira. Estávamos mais concentrados em uma cunha coesa de homens e animais, mirando como uma lança viva contra o próprio Murdac e, por alguns instantes, nossa força atingiu intensamente a fileira inimiga, penetrando-a profundamente. Robin matava os homens, tentando desesperadamente alcançar Murdac na segunda fileira. Seguimos em frente, cortando, atacando e atingindo homens e animais, Robin esporou brutalmente o cavalo para que seguisse adiante, tirando sangue das laterais escuras do garanhão. A fileira negra dos cavaleiros de Murdac cercou-nos pelos dois lados e atrás de nós, formando ao nosso redor um círculo de cavalos quentes, homens gritando e aço em movimento. O xerife supremo estava a poucos metros de nós, com Guy a seu lado. Murdac viu Robin e eu avançando em sua direção, tenho certeza — e, em um instante, voltou seu cavalo em nossa direção, abrindo caminho bruscamente através das fileiras de seus próprios homens, sua longa espada desembainhada. Pendurado em seu pescoço, balançando sobre seu sobretudo negro em uma corrente dourada, estava o grande rubi. Ele parecia emanar um fogo vermelho e raivoso a cada movimento sob a luz forte do sol.

Robin atacou com a espada um cavaleiro de armadura que estava entre nós e Murdac e o soldado desapareceu na poeira do combate. Logo depois, o xerife estava diante de nós e ele e Robin se enfrentavam com as espadas. Um choque de aço e as duas lâminas ficaram presas por um instante. Separaram-se, rosnando um para o outro, circularam com os cavalos e atacaram ao mesmo tempo. Outro ruído das lâminas de aço colidindo. Tentei atingir a cintura de Murdac com minha espada, mas errei. O cavalo de Murdac empinou-se e nos esquivamos dos grandes cascos enquanto cortavam o ar ao redor de nossas cabeças. Então o cavalo ficou novamente sobre as quatro patas e Robin avançou ferozmente para se aproximar outra vez de Murdac. Um cavaleiro de preto, ensanguentado e descontrolado, cambaleou entre o Senhor da Floresta e o Senhor de Nottingham, e quando Robin o derrubou para um lado com um grande golpe contra seu elmo, vi que Murdac estava ainda mais longe do que antes, empurrado pela pressão inexorável dos homens suados que lutavam. Outro cavaleiro dirigiu-se até nós, com a lança abaixada, mirando na lateral do corpo de Robin, mas desviei a lança da linha de ataque, dirigindo-a para o alto e para a direita — seu cavalo nos atingiu e, quando passou por nós, fiz um grande corte pela esquerda em seu braço protegido por uma cota de malha e senti o osso partir sob o aço. O golpe desequilibrou-me e senti que estava escorregando do traseiro suado do cavalo de Robin. Somente virando rapidamente meu corpo e com uma boa dose de sorte consegui cair de pé no meio daquele caos de cavalos de guerra que atacavam e de guerreiros possuídos brandindo suas armas. Eu estava remotamente ciente de que a fileira branca dos cavaleiros templários havia colidido contra os homens de Murdac, pois todo o combate tremeu com o impacto. Em relances ocasionais pela massa de homens, vi que os cavaleiros brancos estavam fazendo muitos danos, enfiando suas lanças nas costas desprotegidas dos inimigos, mas eu estava muito mais preocupado com minha própria sobrevivência.

A maça de um cavaleiro acertou meu elmo, atordoando-me por um instante, e os cascos de um garanhão de guerra passaram rentes a meu rosto e então, graças a Deus, eu estava fora da massa de aço cortante e de cascos de cavalos agitados. Puxei meu punhal com a mão esquerda, segurando firme minha espada com a mão direita, e rezei para sobreviver ao quarto de hora seguinte. Os soldados de Robin que seguiam a pé haviam alcançado a cavalaria e atacaram a turba agitada, gritando "Sherwood, Sherwood!". Vi um lanceiro de rosto sujo furando um guerreiro de preto sobre um cavalo. Sem efeito. O cavaleiro virou-se e cortou-o com a espada, partindo seu elmo ao meio. Depois, um grande cavaleiro branco, em um sobretudo brilhante com uma cruz vermelho sangue no ombro, cavalgou por mim e acertou a lateral do corpo do cavaleiro inimigo com sua lança, que atravessou a cota de malha de ferro e deixou o homem espetado em 4 metros de freixo, gritando terrivelmente. O cavaleiro branco, com o rosto completamente coberto por seu elmo cilíndrico de topo chato, largou a lança, deixando-a projetada, oscilante, na lateral do corpo do moribundo, e levantou uma das mãos para mim em saudação antes de sacar sua grande espada e cavalgar para juntar-se novamente ao combate. Enquanto galopava em busca de novas presas, ouvi-o gritar palavras levemente abafadas, porém familiares, em minha direção:

— Não se esqueça de mover os péééééés...

E foi o que fiz. A infantaria de Murdac também havia se juntado à batalha: um espadachim sombrio avançou em minha direção, brandindo sua espada. Bloqueei o golpe com minha espada, dei um passo para trás dele e cortei-o por trás com a espada, cortando seu rosto logo acima do nariz. Ele afastou-se cambaleando, o sangue jorrando entre seus dedos enquanto segurava a cabeça. Um homem de armas correu na minha direção, defendi-me sem pensar com minha espada e enfiei o punhal na carne de sua coxa. Ele gritou e sangue quente espirrou em meu rosto e em meu peito. Troquei golpes, espada e punhal contra um machado, com um homem de armas de verde e vermelho. Nossas armas se travaram e meu rosto ficou a centímetros do dele. Golpeei-o com a cabeça, a aba de meu elmo de aço esmagando seu nariz, e ele caiu aos meus pés. Outro homem atacou pela minha direita, brandindo um alfanje, uma espada cortante e pesada, e ajoelhei-me sob seu golpe desajeitado e enfiei minha espada em sua cintura, cortando através do casaco estofado que usava. Ele caiu de joelhos na grama ensanguentada diante de mim, o sangue jorrando de seu corpo. Dei um passo para trás, removendo minha espada do ferimento, e quase simultaneamente bloqueei com o punhal na mão esquerda um fraco golpe de machado contra minha cabeça desferido pelo homem cujo nariz eu quebrara. Virei-me para encará-lo, gritando desafiadoramente algo sem sentido, lâminas vermelhas nas duas mãos, meu rosto e corpo cobertos pelo sangue de outro homem... e, para minha surpresa, ele largou o machado, deu meia-volta e fugiu do campo de batalha. Fiquei surpreso demais para segui-lo, além de estar cansado. De repente, percebi que não havia mais inimigos ao meu redor e vi que a vitória estava a nosso alcance.

Os templários eram os mestres do campo. Os guerreiros de robes brancos trotavam como se não tivessem nenhuma preocupação no mundo. A cavalaria negra e os mercenários flamengos estavam em plena retirada, galopando para o sul com o estandarte de Murdac à sua frente. Robin, sem cavalo, estava a 5 metros de mim, lutando ao mesmo tempo contra dois homens. Sua destreza com a espada era soberba, quase rápida demais para os olhos enquanto bloqueava golpes dos dois homens de armas vestidos de verde e vermelho. Então, antes que eu pudesse correr em seu auxílio, ele matou um homem com um golpe rápido em sua garganta, abaixou diante do golpe de uma foice do outro oponente, virou-se e o atingiu com a espada no ombro. Eu estava satisfeito com minha habilidade, mas fiquei perdido em admiração ao observar Robin. Tal distração quase me custou a vida.

Um homem alto atacou-me por trás. Eu não tinha ideia de onde ele viera, mas fui pego totalmente desprevenido e escorreguei no chão enlameado, revirado pelos cascos dos cavalos e molhado pelo sangue de muitos homens corajosos. Antes que me desse conta, eu estava deitado de costas na lama, parcialmente cegado pelo suor, pelo sangue e por meu elmo, que fora jogado para a frente; eu largara meu punhal e segurava a espada sem força acima de mim na tentativa débil de me proteger, toda a técnica abandonada enquanto arfava sem fôlego no chão. Acima de mim, o espadachim enorme com uma armadura cinzenta atacava meu braço — o tempo começou a se arrastar, vi o balanço lento de sua espada, vi a expressão amarga de raiva em seu rosto e senti o corte da lâmina na carne de meu braço direito. Então, do nada, veio o bloqueio da espada de Robin, quase tarde demais, mas impedindo que a lâmina fizesse um corte profundo. Robin arrancou a espada das mãos do homem e, continuando com o golpe, atravessou seu pescoço com a lâmina, fazendo um corte entre o elmo e a cota de malha. O homem girou, tropeçou alguns passos e caiu de joelhos, cuspindo sangue.

O sangue também jorrava de meu ferimento enquanto eu o agarrava, encharcando a manga de meu *aketon*, e ali estava Robin acima de mim, sorrindo e respirando pesadamente. Ele estendeu a mão direita e colocou-me de pé, trêmulo. A batalha havia terminado. Cavaleiros templários em robes manchados de sangue, segurando espadas que pingavam, agrupavam prisioneiros apontando suas armas; os últimos homens montados de Murdac desapareciam ao sul na direção do castelo de Nottingham e da segurança; seus soldados a pé, derrotados, corriam para a floresta. Havia muitos mortos e feridos no chão, fertilizando o solo com seu sangue. Olhei impressionado ao redor. Inacreditavelmente, nosso último ataque desordenado, combinado com a habilidade incrível dos templários, mudara a maré. Mas o preço fora alto. À minha esquerda, vi Thomas deitado na lama malcheirosa, agarrando a barriga, que era um emaranhado de sangue escuro. Seu outro braço estava enterrado sob seu corpo. Seu rosto feio estava pálido, contorcido de agonia. Apressei-me até ele e tentei afastar seu braço para ver o ferimento, mas ele reagiu com uma força surpreendente.

— Deixe-me, Josué — ele balbuciou. — Apenas deixe-me.

Ele tirou o outro braço debaixo de seu corpo e vi com um choque gelado que a mão fora decepada. Através do coágulo escuro de sangue seco, despontava um osso branco. Ele parecia alheio ao ferimento e coçou a barriga purgante com o toco. Gemeu uma vez e acomodei sua grande e volumosa cabeça em meu colo. Senti um ardor atrás dos olhos e uma grande e dolorosa tristeza dentro de mim, mas não chorei nenhuma lágrima. Abaixei os olhos para seu rosto horrível e gentil, com os olhos secos, enquanto ele morria. Fiquei sentado ali por um longo tempo com a cabeça do grande homem sobre minhas coxas, meu braço ferido como uma linha de fogo, pensando em todo o sofrimento, toda a dor e ódio no mundo, enquanto o sangue secava em uma crosta espessa em minhas mãos.

Devia ser o meio da tarde quando João Pequeno me encontrou, colocou-me vigorosamente sobre um cavalo e conduziu-me as poucas centenas de metros até as ruínas destroçadas do solar de Linden Lea. Sir Richard estava lá, conversando com Robin, e ouvi o templário dizer quando atravessei o portão avariado sobre as costas de um pangaré emprestado.

— Então você manterá sua parte do acordo?

E Robin respondeu com a voz cansada:

— Sim, manterei minha palavra, como você manteve a sua.

Sir Richard acenou para mim e depois partiu a cavalo para se reunir a seus homens sobreviventes, que haviam feito uma formação fora do solar e aguardavam para segui-lo na estrada para Nottingham.

Robin veio até mim e insistiu em fazer ele próprio uma atadura em meu corte. Apesar de ter sido o mais delicado possível, ele riu quando emiti um grito involuntário de dor, e o corte parcialmente cicatrizado do dia anterior em seu rosto abriu-se quando ele sorriu, e algumas gotas de sangue escorreram por sua bochecha suja. Quando terminou de lavar meu corte com vinho e de envolvê-lo com uma atadura limpa, ele disse:

— Entre roubar tortas, os lobos de Sherwood e esse massacre inglório, parece que Deus realmente quer esta mão, Alan. Mas neguei-a a ele três vezes... E Ele jamais a conseguirá enquanto eu tiver forças.

Robin deu um tapa em meu ombro e partiu para tratar de outros mais gravemente feridos.

Na verdade, estávamos em condições muito ruins: praticamente todos os homens tinham algum tipo de ferimento. Hugh mancava devido a um ferimento de lança sofrido na perna direita. João tinha um corte no braço esquerdo que parecia que uma ponta de espada tinha cortado seu antebraço desprotegido quase até o osso. Perdemos talvez quarenta homens no ataque final, e seus corpos estavam dispostos em uma fileira ordenada. Os irmãos Ket, a Balsa, e Hob da Montanha também estavam mortos, seus pequenos corpos deitados juntos, um pouco afastados do resto, pois receberiam um funeral pagão. Apenas Tuck, o invencível Tuck, não estava ferido. Ele estava sentado sobre um tonel de cerveja, comendo um grande pedaço de queijo, com seus dois cães, Gog e Magog, a seu lado, guardando um prisioneiro. Era Guy de Gisbourne.

O garoto — o homem — que havia me torturado, humilhado e despido-me de meu orgulho naquele calabouço imundo de Winchester estava curvado desanimado, com as mãos amarradas, entre os dois enormes cães. Encarava a morte de um renegado do bando de Robin com o máximo de dignidade que conseguia. Todo um lado de seu rosto estava inchado, acredito que devido a um grande golpe que deve tê-lo deixado inconsciente, mas antes que eu pudesse ponderar sobre seu infortúnio por ter sido capturado em vez de simplesmente morto na batalha, ele viu-me e, gritando "Alan, ajude-me!", tentou ficar de pé. Os dois cães rosnaram profunda e terrivelmente, como a vingança de Deus, e Guy desabou novamente. Dei-lhe as costas e afastei-me caminhando.

Nós nos lavamos, comemos, bebemos e dormimos naquela tarde quente em Linden Lea, e muitos de nós morreram por causa dos ferimentos sofridos. Ao anoitecer, Robin reuniu no pátio todos os homens que ainda conseguiam andar. Ele ficou diante da figura desamparada de Guy de Guisbourne, que parecia tentar se encolher para dentro da terra aos pés de Robin.

— Nós lutamos, e vencemos — disse Robin em sua voz estimulante de guerra. — E muitos morreram. E, depois da vitória, vem a justiça. Aqui, diante de vocês, está um homem que, um dia, foi seu camarada, mas que hoje cavalgou com o inimigo; este homem, que um dia foi amigo de vocês, com quem compartilharam o pão de cada dia, é um traidor. O que devemos fazer com ele?

O pátio vibrou com gritos:

— Cozinhem-no vivo!

— Espanquem-no!

— Enforquem-no, sangrem-no e o esquartejem!

Um cômico gritou:

— Conte a ele uma de suas piadas!

Robin levantou uma das mãos, pedindo silêncio.

— Muito bem — disse ele. — A punição será...

Então, comecei a gritar:

— Espere, espere. Quero a vida dele. Quero tirar sua vida em um combate homem a homem.

Não sei por que fiz aquilo; eu poderia ter relaxado e observado meu inimigo enfrentar seu final merecedoramente cruel — e até desfrutado da ocasião. Mas havia algo em seu ar patético, no modo como apelara a mim, e talvez meu sentimento de culpa estivesse sendo atiçado. Se eu não tivesse planejado a expulsão dele do assentamento de Thangbrand com o rubi roubado, talvez ele tivesse lutado conosco naquele dia.

Falei novamente:

— Peço a vida dele. Lutarei contra ele e o matarei em um combate homem a homem, se o prisioneiro estiver disposto.

Robin olhou para mim com estranheza.

— Está certo disso? E quanto ao seu braço?

— Ele ficará bem — eu disse, apesar de estar longe de ter certeza. O corte ardia, meu braço estava fraco e eu tremia mesmo enquanto me vangloriava de modo absurdo: — Minha espada exige a vida dele.

— Muito bem — disse Robin. — O prisioneiro enfrentará nosso irmão Alan em um combate homem a homem. As únicas armas serão as espadas. Caso ele vença, será libertado.

Houve alguns murmúrios na multidão, apesar de muitos parecerem considerar uma luta de espadas até a morte um bom entretenimento para coroar um dia tão sangrento.

— O prisioneiro aceita o desafio?

Guy levantara a cabeça ferida com o estranho rumo que os acontecimentos tomaram. Ele me olhou indubitavelmente recordando-se das diversas vezes que me vencera no campo de treinamento no assentamento de Thangbrand. Ele meio que sorriu, um mero espasmo com seus lábios secos, e disse:

— Aceito.

Atrás de mim, ouvi uma voz profunda sussurrar em meu ouvido.

— Pelos ovos inchados de Deus, você é um tolo, Alan. Mas não se preocupe; você o derrotará facilmente. E se, por algum infortúnio ele vencer, eu mesmo cortarei a cabeça dele.

Tanto Guy quanto eu retiramos nossas túnicas e camisas para lutarmos com os peitos nus na noite quente. Robin providenciara tochas flamejantes para fornecerem luz e vi-me encarando meu inimigo de infância sobre a ponta de minha espada cercado por um círculo de fora da lei que gritavam e xingavam. Enquanto nos rodeávamos, senti o peso de minha espada pela primeira vez em meses; o braço cortado havia me enfraquecido mais do que eu supunha, e eu estava exaurido por causa dos dois dias de batalha. Então Guy falou em voz baixa, para que apenas eu o ouvisse:

— Gostei de ouvir você cantar em Winchester, pequeno *trouvère*, ou melhor, ouvi-lo gritar.

Ele estava olhando para as cicatrizes das queimaduras em minhas costelas nuas e, recordando-me da humilhação profunda, do calor do ferro em brasa perto de minhas partes mais íntimas, senti pela primeira vez uma onda de raiva verdadeira.

"Ótimo", pensei. "Agora posso matá-lo."

Qualquer pena ou fraqueza que eu tivesse sentido foram apagadas pelas palavras de Guy. Enquanto nos rodeávamos, o aço nu em nossas mãos, senti-me preenchido por uma força que era fruto do mais puro ódio. Eu queria seu sangue, queria suas tripas espalhadas sobre minha espada. Eu queria vê-lo morrer, implorando por sua vida à minha frente, na terra do pátio, diante de meus amigos e camaradas.

Então ele avançou contra mim, e foi tão rápido quanto na minha memória; uma saraivada extremamente veloz de golpes, os quais bloqueei com meu braço ferido, que segurava a espada. Por Deus, ele também estava forte, lutava por sua vida, e aprendera uma ou duas coisas desde nossos dias no assentamento de Thangbrand. Mas eu também tinha aprendido.

Ele atacou com força meu lado direito, marretando golpes cruzados contra minha espada. Mais por sorte que por habilidade, consegui repeli-lo e nos afastamos, ambos ofegantes. Olhei para a atadura em meu braço e percebi com desânimo que o sangramento recomeçara e que uma grande mancha escarlate começava a se formar no tecido branco. Guy atacou-me novamente, agora pela esquerda, e depois pela direita e pela esquerda, sucessivamente. Ele estava me empurrando para trás e os fora da lei abriam caminho atrás de mim, rumo a um trecho que sobrevivera da paliçada; ele tentava me encurralar em um canto onde pudesse me derrubar com os golpes.

Então Guy exagerou — ele também devia estar cansado, pois calculou mal o golpe com a espada e penetrei sua guarda em um instante, cortando-o seu peito nu. Foi um corte raso mas sangrento, com 30 centímetros de comprimento e a cerca de 2 centímetros acima de seus mamilos. A multidão urrou excitadamente em aprovação. Eu fora o primeiro a tirar sangue do inimigo. Ele olhou para baixo completamente surpreso enquanto o sangue brotava e descia por seu peito, escorrendo até a barriga. Em seguida, ataquei. Usei uma combinação de cortes e arremetidas que Sir Richard havia me ensinado. Guy pareceu impressionado com minha mudança de atitude. Em seu coração, ele ainda acreditava que eu era o ladrão repugnante que fora alvo fácil para sua valentia apenas um ano antes. Ou a vítima que se encolhera enquanto pedia perdão no calabouço em Winchester. Mas eu não era mais aquele garoto. Eu era um homem, um membro do bando de Robin, um guerreiro. Ele tentou um contra-ataque desesperado para interromper minha sequência de arremetidas e cortes, mas cometeu outro erro. Deixei que sua espada passasse por minha cabeça e cortei a carne de seu bíceps direito. Ele urrou de dor e largou a espada. Eu poderia tê-lo matado ali mesmo, naquele instante. A multidão, inebriada de sangue, gritava por sua morte. Mas não o golpeei. Ouvi outra vez sua gargalhada diante de minha humilhação, de minha agonia mental e física naquela cela, e não tinha em mente a ideia de lhe conceder uma morte rápida.

Fiz com que ele pegasse a espada com a mão esquerda e continuasse com a luta. Contudo, depois do corte em seu braço, a batalha estava em minhas mãos. Ele não conseguia usar a espada com a mão esquerda e, em três passos, atingi novamente seu peito, cortei a lateral de seu corpo, apunhalei o músculo da panturrilha e, com uma virada maliciosa do punho, fiz um corte profundo no lado não ferido de seu rosto. Agora, ele tropeçava e chorava. Ele via sua morte em meus olhos. Suas defesas estavam esgotadas e ele mal se moveu quando cortei profundamente o músculo de seu ombro esquerdo. Àquela altura, enfraquecido com a perda de sangue, ele mal conseguia levantar a espada. E, de repente, toda minha raiva desapareceu. Ali, diante de mim, estavam os resquícios de um homem, sangrando de meia dúzia de cortes, braço direito inutilizado, humilhado. Eu conseguira minha vingança.

Ele ficou ali ofegante, sua espada limpa arrastando na terra, aguardando o golpe mortal como um animal no matadouro. Senti nojo de mim mesmo; aquele não era o comportamento de um guerreiro de verdade, atormentar um oponente derrotado. Afastei-me dele e olhei para o círculo de rostos sedentos por sangue. As marcas da batalha recente e a luz do fogo das tochas atribuía-lhes um ar maligno: pareciam um círculo de demônios brilhando com um desejo horrendo. Começaram a cantar:

— Morte, morte, morte...

Mas eu não queria mais participar daquele entretenimento sangrento e disse em voz alta:

— Terminei. Deixem-no partir. A luta está terminada. Libertem-no.

Virei de costas para aquele resquício ensanguentado de minha infância e comecei a caminhar na direção do solar.

Então, alguém gritou meu nome e me virei rapidamente. Guy havia erguido a espada com a mão esquerda e estava vindo em minha direção, percorrendo o pátio iluminado pelas tochas, com um grito de raiva humilhado na garganta. Ele brandiu a espada com força na direção da minha cabeça, mas agachei-me com facilidade e dei um passo à frente, perfurando seu peito já coberto de sangue com minha espada. O próprio movimento de Guy levou-o na direção da minha espada e ele parou, a centímetros de meu corpo, seu rosto próximo o bastante para um beijo. Pude ver a luz morrer em seus olhos e, sentindo um último lampejo de ódio, inclinei-me para a frente e sussurrei em seu ouvido:

— Fui eu quem escondeu o rubi em sua urna de roupas, Wolfram. Leve este conhecimento com você para o inferno.

Ele regurgitou sangue, um fluxo escarlate escorrendo de seus lábios. Pude ver que tentava falar, amaldiçoar-me, e depois caiu a meus pés, morto, de costas, com minha espada ainda presa entre as costelas, o cabo apontando para o céu.

Capítulo 20

O grande salão do castelo de Nottingham estava tomado pelo perfume de flores frescas e de finas velas de cera de abelha. Ervas-doces espalhadas pelo chão contribuíam para os odores inebriantes de uma celebração feliz. Os robes de cores brilhantes da realeza e da comitiva de nobres enchiam os olhos, ofuscados somente pelas belíssimas tapeçarias tecidas com linhas de ouro e prata e penduradas nas paredes. Eu estava tão finamente adornado quanto qualquer pessoa naquela cacofonia de cores em um par de calças amarelas e verdes e um belíssimo robe escarlate, bordado com linha de prata, que quase chegava a meus calcanhares. Meus pés estavam calçados com os sapatos do mais leve couro de cordeiro, minha cabeça adornada com um chapéu macio de lã escarlate brilhante que descia por um lado de meu rosto no que eu considerava um estilo magnificamente aristocrático.

Eu estava quase tão satisfeito com meus trajes quanto ficaria ao testemunhar o casamento do conde e da condessa de Locksley. Robin e Marian, vestidos respectivamente em trajes suntuosos de seda verde e azul, estavam de pé na frente do salão sendo abençoados por um padre solene vestido de preto; um homem forte e poderoso que lembrava notavelmente um certo Frei Tuck, um notório monge galês que, diziam os rumores, certa vez envolvera-se com fora da lei.

Agora, nenhum de nós era fora da lei. Robin, como prometido, assegurara o perdão a todos que sobreviveram à terrível batalha de Linden Lea, seis semanas antes. O rei Ricardo — todos o chamávamos assim, apesar de sua coroação na abadia de Westminster ainda estar a uma semana de ser realizada — chegara a um acordo com Robin, intermediado por Sir Richard. Grandes barris de moedas de prata trocaram de mãos, alguns dizem que o equivalente a cinco mil libras. Robin prestara homenagem ao rei e, em troca de certas promessas e garantias, recebera o perdão livre para ele próprio e para todos os seus homens. Ele também recebera a mão da adorável Marian e o condado de Locksley, para completar. Como conde, agora era eminentemente respeitável, um magnata poderoso, e o rei sentava-se ao lado da mãe, Eleanor, e do irmão, João, na extremidade do salão, em três grandes cadeiras de carvalho, testemunhando o casamento de seu mais novo vassalo com um olhar austero de realeza.

Eu estava quase oprimido por estar na presença de um rei. Ele era magnífico: um homem alto e belo, de rosto altivo, com cerca de trinta anos cabelos vermelhos alourados, olhos azuis e um ar de objetividade vigorosa. Sendo claramente um homem de ação, era conhecido como um grande soldado, um estrategista distinto e um homem amante da poesia e da música. Ao lado do rei, irrequieto em sua grande cadeira, estava sentado seu irmão João, muito menos impressivo, o mais jovem dos filhos do rei Henrique, que se intitulava lorde da Irlanda. Com pouco mais de vinte anos, era muito mais baixo que o irmão guerreiro e mais velho, e seu cabelo ruivo era de um tom mais escuro. Enquanto eu observava o príncipe João, ele cutucava irritantemente o botão do punho de uma grande adaga incrustada de joias presa à sua cintura, com o rosto retorcido em uma expressão infantilmente petulante. A rainha Eleanor era o único membro daquele trio real que parecia genuinamente satisfeita com a união entre Robin e Marian. Seu rosto belo e bem envelhecido brilhava para o feliz casal enquanto Tuck atava as mãos dos dois com uma fita sagrada de seda branca e pronunciava para todos os presentes que eles agora eram marido e esposa. Eu também estava feliz, pois meus sentimentos por Marian haviam mudado sutilmente desde quando Robin, Reuben e eu a resgatamos da torre na muralha. Eu sempre a amaria, mas minha adoração de imbecil transformara-se na sensação de calor que eu costumava sentir em relação às minhas próprias irmãs. Eu estava feliz porque ela estava feliz.

Goody, que parecia ter crescido 15 centímetros nas poucas semanas desde quando a vira pela última vez em Winchester, estava angelical em um vestido azul e com um ornato branco na cabeça para combinar com o de Marian, e estava ao lado de sua senhora segurando um enorme buquê de rosas brancas. Eu a cumprimentara no começo do dia com um longo abraço, mas ela me empurrara e dissera austeramente que, como era agora uma verdadeira dama, eu poderia saudá-la com uma mesura respeitosa e nada mais. Pensei em colocá-la sobre o joelho e dar-lhe umas palmadas mas, no final das contas, talvez sabiamente, considerando o que ela era capaz de fazer com um homem usando um punhal, resolvi satisfazer seu desejo. Então fiz uma grande mesura, sorrindo desrespeitosamente, e chamei-a de minha dama.

Fulcold, resplandescente em uma roupa de lã azul anil, compareceu à cerimônia como parte da comitiva de Eleanor. Ele ficara maravilhado ao ver-me novamente com saúde, e nos abraçamos como amigos. Sir Richard também estava lá, com uma dúzia de camaradas cavaleiros, todos com sobretudos brancos imaculados. E Robert de Thurnham, meu salvador da cela de Winchester, agora homem de confiança do rei, acenou amigavelmente para mim do meio do grande grupo de atendentes reais na lateral do salão.

Reuben enviara uma gorda algibeira de ouro como presente de casamento e uma mensagem de que lamentava profundamente que seus negócios em York o tivessem impedido de comparecer às celebrações. Ele estava agindo com tato. Como judeu, não seria bem recebido por muitos convidados nobres naquela cerimônia cristã. Lorde William, irmão de Robin, também transmitira seu pesar, mas não dera motivos para sua ausência. Estava sendo grosseiro, foi o que achamos. Talvez porque, como um simples barão, seu irmão mais novo, Robin, agora estivesse em uma posição superior à dele.

Bernard de Sezanne estava em boa forma, contando piadas ruins, cantando trechos de canções e praticamente sem beber nada. Com a permissão de sua senhora real, ele e eu nos apresentaríamos à noite, no banquete de casamento. Durante toda a manhã, ele me falara baboseiras sobre a grande honra que seria se apresentar para o rei. Ele deixara-me fisicamente enjoado por causa dos nervos, o que não foi ajudado pelas memórias que eu tinha de minha última apresentação pública em Winchester, diante de Murdac e Guy.

Sir Ralph Murdac fugira de Nottingham. Depois da batalha de Linden Lea, fora perseguido até os portões da cidade pelos homens de Sir Richard, quando fez uma barricada no calabouço e enfrentou os templários durante mais de um mês. Contudo, com a notícia de que o rei Ricardo chegara à Inglaterra e estava seguindo para o norte, rumo a Nottingham, com todos os seus homens de armas, para tomar posse do castelo real, Murdac recolhera suas urnas de prata e alguns homens leais e fugira para a proteção de parentes na Escócia. Ele fora informado, pelos templários, naturalmente, de que o rei queria interrogá-lo sobre o paradeiro de boa parte da prata dos impostos recolhidos nos condados de Nottingham e de Derby no ano anterior para pagar pela futura grande expedição para a Terra Santa. Murdac, descobrimos posteriormente, gastara boa parte do dinheiro do rei com os mercenários flamengos, os quais, após sua partida, fizeram um acordo com o rei Ricardo e passaram a servi-lo sem pensar duas vezes. Disseram ao xerife que os ministros do rei achavam que Sir Ralph estaria desviando uma parte considerável dos impostos recolhidos e que o rei planejava fazê-lo de exemplo. Murdac estava certo em fugir, descobri posteriormente; Ricardo realmente planejara sua deposição, mas não por estar especialmente com raiva das artimanhas do xerife com sua renda. Na verdade, o rei planejava a deposição de mais da metade dos oficiais superiores da Inglaterra, puramente como um exercício para arrecadar fundos. O rei precisava muito de dinheiro para sua guerra santa, e um novo xerife, condestável ou bispo ficaria muito satisfeito em pagar uma quantia gorda pela nomeação. Um cavaleiro rico, Roger de Lancy, começara a negociar a nomeação de xerife de condado de Nottingham praticamente antes que as malas de Murdac estivessem prontas.

O anúncio de Tuck de que Robin e Marian eram marido e mulher foi recebido com um grande alvoroço de congratulações e algumas sugestões impudicas para a noite de núpcias. Hugh, o bispo pio de Lincoln, sentado perto da comitiva real, franziu o cenho diante daquela leviandade e Robin precisou acalmar seus homens com um gesto antes que a ordem fosse restaurada. Então, o venerável bispo levantou de seu lugar. Hugh era um homem alto e magro, apaixonado e destemido, e depois de uma curta bênção à união entre Robin e Marian, começou uma arenga sobre a Terra Santa, exortando os presentes a abraçarem a cruz e a se juntarem ao rei Ricardo na grande expedição para resgatar Jerusalém do infiel.

A maioria das pessoas bocejou durante o discurso religioso — os padres vinham pregando aquela ideia regularmente há dois anos —, mas um homem parecia prestar uma atenção excessiva. Robert, conde de Locksley, estava aparentemente interessado. Quando o velho bispo concluiu o discurso com as palavras retumbantes "quem então aceitará de mim este símbolo de fé e jurará que, com a bênção de Deus, não descansará até que Jerusalém seja reconquistada?", Robin levantou-se.

— Por Deus, eu o farei — disse ele com a voz alta e sincera.

E, ajoelhando-se diante do bispo Hugh, recebeu a bênção e um pedaço de tecido vermelho que fora cortado na forma de uma cruz.

— Vista este símbolo do amor de Cristo em sua capa, meu filho — disse o bispo —, e lembre-se de que tem assegurado o perdão de seus muitos pecados e um lugar no Paraíso caso venha a morrer nesta perigosa jornada em nome de Deus.

Capturei o olhar de Robin enquanto o prelado lhe fazia tal promessa, e posso jurar que, desconsiderando a solenidade da ocasião, meu mestre piscou um olho para mim.

Outros cavaleiros avançaram para receber a cruz, mas a solenidade foi de certo modo estragada pelo rei Ricardo, que se levantou de sua cadeira, atravessou o grande salão e envolveu Robin em um grande abraço, sorrindo como um verdadeiro charlatão. De algum modo, nos poucos dias em que ambos estiveram no castelo, o rei e Robin tornaram-se rapidamente amigos. O príncipe João, ainda sentado, observava a dupla enquanto eles trocavam tapas nas costas, seu rosto um estudo de desprezo. A rainha Eleanor abraçava Marian, que parecia mais feliz do que eu jamais a vira. Eu esperava que ela ficasse surpresa, chocada até, com a decisão repentina de Robin de partir para travar uma batalha no outro lado do mundo, de onde talvez jamais retornasse, mas ela não demonstrou o menor sinal de ansiedade. Então percebi, obviamente, que tudo aquilo fora apenas uma encenação.

Robin fizera uma barganha com Sir Richard naquela noite terrível depois do primeiro dia de batalha, enquanto fazíamos ataduras em nossos ferimentos em Linden Lea e aguardávamos a morte pelas mãos dos soldados de Murdac ao amanhecer. E Bernard, obviamente, fora o emissário de Sir Richard. Eu também desempenhara meu papel, se bem que sem saber. A única pomba que eu libertara ao amanhecer, levando a fina fita vermelha, fora o sinal para Sir Richard de que Robin aceitara sua proposta. Bernard me explicara tudo nos dias que seguiram a batalha, quando aqueles que estávamos em condições trabalhamos para limpar o campo fétido das centenas de cadáveres e concedê-los um funeral decente.

— É tudo uma questão de influência, na verdade — Bernard havia me dito enquanto eu carregava o corpo de um velho magrelo sobre meu ombro. — A aplicação da quantidade correta de pressão na hora certa. Obviamente, os templários são mestres antigos deste tipo de coisa. E quase sempre conseguem o que desejam, de um jeito ou de outro.

Bernard estava insuportavelmente convencido naquele dia, suspeitei que como resultado de mais uma conquista entre as damas da rainha Eleanor. Ele não participou da tarefa repulsiva de carregar os corpos para uma vala comum; ficou circulando ao meu redor e da equipe de arqueiros, falando alegremente e nos atrapalhando enquanto carregávamos os cadáveres para seu local final de repouso. Quando paramos para um gole de vinho, ele prosseguiu:

— Neste caso, Sir Richard desejava há muito tempo que Robin se juntasse a ele em sua grande aventura sagrada. Ele queria seus arqueiros, veja bem. Ele queria os homens que pudessem fazer isto. — E apontou para um cadáver, um cavaleiro de armadura com as cores de Murdac, cujo corpo fora perfurado por mais de uma dúzia de flechas. — É provável que aquela raposa ardilosa tenha planejado fazer com que Robin abraçasse a cruz desde quando foi capturado. — Bernard riu, e verteu casualmente uma pinta de vinho Bordeaux garganta abaixo.

Depois de deixar Linden Lea, antes da batalha, Bernard me contou, Sir Richard cavalgara ao encontro dos irmãos templários, além da rainha Eleanor e sua comitiva, no castelo de Belvoir, a cerca de 35 quilômetros ao sudeste de Nottingham. Lá, ele descobriu que as forças de Murdac haviam sido reforçadas com quatrocentos mercenários flamengos, de cavalaria e besteiros. Então percebera que, com Murdac agora tão inesperadamente poderoso, a derrota de Robin na batalha seria quase certa e, desconsiderando a amizade que tinha por Robin, aquilo não se adequaria nem um pouco aos planos de Sir Richard. Assim, ele enviou Bernard em um cavalo veloz ao encontro de Robin. Sir Richard levaria uma força poderosa de cavaleiros templários ao auxílio de Robin caso ele prometesse liderar um bando mercenário de arqueiros e cavalaria na peregrinação sagrada para Outremer no ano seguinte. Robin não teve escolha a não ser aceitar a oferta de Sir Richard, e ao assumir a cruz pelas mãos do bispo de Lincoln, o conde de Locksley indicava sua intenção de cumprir sua parte do acordo.

Ao final da cerimônia, Robin reuniu seus principais homens em uma pequena adega ao lado do grande salão, onde em breve jantaria com esplendor na companhia de nossos anfitriões reais. Hugh, Tuck, João Pequeno, Will Escarlate e eu nos esprememos no local e nos livramos de um dos barris de cerveja abertos que havia ali. Hugh ergueu uma caneca de madeira cheia de bebida e disse jovialmente:

— Acredito que todos gostaríamos de parabenizar meu irmão pelo casamento e desejar a ele e a sua adorável esposa Marian muitos anos de felicidade. Robin e Marian!

Todos bebemos, exceto Robin, que largou a caneca intacta.

— Temos alguns negócios a serem concluídos antes de celebrar minhas núpcias — disse Robin com uma voz tão fria quanto uma geada. Ele olhou diretamente para Hugh. Percebi que João e Tuck estavam de pé bem ao lado do irmão mais velho de Robin, tão próximos quanto carcereiros.

— E de qual assunto se trata? — perguntou Hugh com leveza.

— Eu sei que foi você, Hugh — disse Robin com a voz rouca. — Inicialmente, era apenas uma suspeita, e a desconsiderei. Disse a mim mesmo:

meu próprio irmão jamais me trairia, jamais. Minha própria carne e sangue? Um homem a quem ajudei, salvei, amei... O traidor não pode ser ele.

Robin fez uma pausa, fixando o olhar no irmão, esperando que ele falasse. Hugh não disse nada, mas o sangue deixava lentamente seu rosto.

— Mas em Linden Lea fui enganado por você sobre a força numerica deles. Os flamengos, você me disse, não poderiam estar ali em menos de uma semana.

— Cometi um engano — disse Hugh. — A inteligência nunca é exata. Minhas fontes disseram...

Robin interrompeu:

— O tamanho do exército de Murdac era praticamente o dobro do que supomos. A manganela... — Robin parecia perfeitamente calmo, mas precisou parar e respirar fundo. — Não estávamos atraindo Murdac para uma armadilha mortal, era ele quem estava nos atraindo. Sir Ralph sabia desde o começo o que havíamos planejado... porque você contou a ele.

Hugh sacudia a cabeça freneticamente.

— Não fui eu, Robin, juro. Deve ter sido outro...

— Eu sei que foi você. Não me insulte ainda mais fingindo que não foi. Apenas admita a verdade. Pelo menos uma vez, Hugh, apenas admita a verdade.

— Eu juro... juro em nome de Nosso Salvador Jesus Cristo...

— Basta!

A voz de Robin rachou através do pequeno cômodo. Ele puxou um banco que estava encostado à parede e, colocando o braço em torno de Hugh, levou-o ao assento e o fez se sentar, tomando o lugar a seu lado.

— Hugh — disse ele com a voz cansada e tranquila, como um pai que fala com uma criança teimosa. — Você é meu irmão, eu te amo, mas sei que foi você. Apenas me diga por que fez isso e prometo que não lhe farei mal. Juro por tudo que valorizo.

— Mas Robin... — começou Hugh, e sua voz tinha um tom de lamento. Robin calou-o com um dedo sobre os lábios.

— Apenas me diga por que fez isso, é tudo, e não lhe farei mal. Por favor. Por favor, Hugh. Não fui bondoso com você, não o ajudei quando estava por baixo, não o reergui...?

De repente, Hugh sentou-se ereto e tirou o braço de Robin que o abraçava.

— Sou o irmão mais velho — gritou. — Eu sou. Primeiro William, depois eu, e depois você. Esta é a ordem. Foi assim que Deus ordenou. E veja só você agora, pequeno irmão, um conde, com a amizade do rei. — Sua voz tinha um tom de escárnio. — Lembro-me de você quando ainda cagava nas fraldas e sugava as tetas da ama de leite. E agora... e agora... — As palavras pareciam escapar a Hugh. — Você tem tudo e eu não tenho nada. Sem casa, sem mulher, sem filhos. Sou um lacaio, um criado... seu!

— Quando Murdac o procurou pela primeira vez? — perguntou Robin com a voz tranquila.

Todo o cômodo estava enfeitiçado pelas palavras de Hugh. O homem colocou a cabeça calva entre as mãos. Robin não disse nada. O silêncio estendeu-se cada vez mais, tornando-se intolerável...

— Você não compreende — disse Hugh enfaticamente, levantando a cabeça com um espasmo. — Fiz por você, para salvar sua alma. Sua alma imortal corre um perigo terrível com a bruxaria imunda que você pratica, essa adoração pagã ao demônio. Você acha que não passa de ostentação... Mas está enganado, muito enganado. É uma abominação. Você está condenando sua alma ao inferno por toda a eternidade com estas práticas imundas. E você estimula outros, pessoas simples do campo, a jogarem fora sua chance de salvação. Eles disseram, Murdac disse, que a Igreja o receberia com alegria, que Cristo o receberia. Eles o limpariam de todos os pecados antes de sua morte e lhe assegurariam a vida imortal. No Paraíso, na companhia dos santos. Eu queria isto para você. Eu queria que você fosse salvo.

— Como Murdac o abordou? Quando? — perguntou Robin tranquilamente.

— Você não entende! — Hugh estava quase gritando. — Você não compreende: eu o procurei. Alguém precisava fazer você parar. Depois que você humilhou Sua Graça, o bispo de Hereford, um grande homem de Deus, e matou todos os seus homens, eu soube que você estava correndo o risco da danação. Eu precisava agir. Precisava. E eles prometeram que você seria salvo; que depois de sua captura você receberia a bênção da Santa Mãe Igreja e que sua alma estaria sempre aos cuidados de Cristo. De repente, Hugh começou a soluçar. — Aos cuidados de Cristo — repetiu.

— E Thangbrand? E Freya? E todos aqueles homens e mulheres mortos na neve? Você também queria salvar suas almas? — perguntou Robin com uma calma gélida.

— Eles já estavam condenados; eram fora da lei sem Deus, pagãos, assassinos de padres...

— Eram seus amigos — ralhou Robin. Ele levantou-se do banco. Seu temperamento gentil havia desaparecido. — Já ouvi o bastante — disse em uma voz fria como uma sepultura.

Robin colocou Hugh de pé.

— Saia da minha frente — disse ele, empurrando-o para a porta da adega. — Se alguma vez voltar a vê-lo, juro que o matarei assim que o vir. Agora, vá embora.

Hugh encarou-o com olhos vazios e lacrimejantes. Robin deu-lhe as costas e vi, apenas por um instante, um ar de imensa tristeza em seu rosto, antes que ele voltasse a se endurecer em uma máscara fria. Então, de costas para o irmão, ele disparou:

— Saia!

E Hugh virou-se, sem energia, derrotado, enquanto seguia a caminho da porta.

Todos recuamos para abrir caminho para ele. Mas de repente, à minha esquerda, houve um borrão de movimento e João Pequeno passou por mim em um tufão de músculo e raiva. Ele deu dois passos, esticou suas grandes mãos e apertou-as em torno do pescoço comprido de Hugh, assim que este chegou à porta. Depois, começou a apertar. Cada grama de força em seu corpo enorme estava concentrada nas duas mãos que ocupavam totalmente o espaço entre o queixo e os ombros de Hugh. Ninguém se mexeu; estávamos todos paralisados de surpresa. O rosto de Hugh começou a inchar e a tomar cor, primeiro vermelho como uma cereja, depois roxo e, finalmente, um tom cinzento e azulado. Suas mãos bateram nos grandes punhos de João, arranhando e tentando afastá-las enquanto estrangulavam a vida de seu corpo. De repente, houve um estalido, a cabeça de Hugh pendeu para um lado e, ao mesmo tempo, ouvimos o longo som de um peido, e a adega foi tomada por um fedor forte de carne quando seus intestinos se esvaziaram. Urina desceu por seus calcanhares, formando uma poça amarela a seus pés. João sacudiu o corpo uma vez, balançando a cabeça solta, e largou a carcaça no chão coberto de mijo.

— João Pequeno... o que você fez? — perguntou Robin. Sua voz estava fraca, hesitante, trêmula. Ele soava como um velho. Mas ninguém se moveu. Então João curvou-se por um instante sobre o corpo. Ele tinha uma faca na mão e o vi abrir a boca do morto, puxar para fora a língua flácida e fazer um corte rápido. Ele largou a cabeça frouxa e ela caiu no chão de pedra com um baque surdo.

— Eu dei a ele minha palavra de que não lhe faria mal — disse Robin. Sua voz tinha um ar de descrença; ele parecia chocado com o ato de João Pequeno.

— Pelos grandes testículos balançantes de Deus, eu não dei a minha — disse João, guardando o pedaço de carne vermelha na algibeira presa a seu cinto. — Ele precisava morrer, mais do que qualquer outro homem. Você teria o perdoado?! Você? Ele precisava morrer, se não por sua causa, que fosse então por todos aqueles homens bons, seus homens, que morreram em Linden Lea. Isto é justiça.

Robin ainda parecia atordoado com a morte do irmão. Ele olhou para o corpo. Pela primeira vez desde quando o conhecera, ele parecia quase fraco.

— Sou um conde agora — disse ele lentamente —, um companheiro do rei, um cavaleiro que fez um juramento para a cruz. Não sou mais um fora da lei comum, um assassino. Lutei por muito tempo, com tanto esforço, para chegar aqui... Um conde quebra sua palavra, assassina o irmão, mutila homens?

— Pela minha experiência, é exatamente o que os condes fazem — disse João.

Nota histórica

Em 13 de setembro de 1189, um domingo, Ricardo, duque da Aquitânia, foi coroado rei da Inglaterra na Abadia de Westminster sob grande aclamação popular. Ele começou imediatamente as preparações para embarcar no que as gerações posteriores chamariam de a Terceira Cruzada. Henrique II deixara um tesouro razoável na Inglaterra quando morreu, mas Ricardo, seu filho amante de guerras, precisava de muito mais dinheiro para a aventura gloriosa que estava planejando realizar.

Apesar de ter se tornado rei da Inglaterra, o coração de Ricardo sempre esteve mais ligado ao sul, à terra natal de sua mãe, a Aquitânia. Durante seu reinado de dez anos, ele não passaria mais que dez meses em seu reino no norte. Na verdade, ele parece ter considerado a Inglaterra uma espécie de cofrinho gigante, cujo único valor era o dinheiro que poderia extrair dele. Para financiar a cruzada, no entanto, Ricardo não foi capaz de aumentar os impostos cobrados do povo inglês: o dízimo de Saladino, instituído por seu pai em 1187 para financiar uma futura expedição para recapturar Jerusalém, quase levara o país à falência. Com isso, Ricardo decidiu leiloar todos os títulos, direitos e posições que estivessem em suas mãos — uma prática real perfeitamente normal no século XII. Roger de Howden, um cronista da época, escreveu sobre Ricardo: "Ele colocou à venda tudo o que tinha — cargos públicos, títulos de pares do reino, condados, corregedorias, castelos, cidades, terras..." Na verdade, o próprio Ricardo disse, brincando: "Eu venderia Londres, se encontrasse um comprador."

O resultado foi um fluxo gigantesco de dinheiro e um grande remanejamento político em todo o país — os homens de Henrique saíram de cena e seus lugares foram ocupados pelos homens de Ricardo. Dos 27 homens que eram xerifes no final do reinado de Henrique, apenas cinco permaneceram no cargo, e os novos homens pagavam generosamente por suas nomeações. Uma das vítimas da necessidade de Ricardo por dinheiro rápido foi Sir Ralph Murdac, xerife do condado de Nottingham, do condado de Derby e das Florestas Reais (a posição de xerife de Nottingham só foi criada na metade do século XV). Ele foi destituído da posição de xerife e substituído por Roger de Lacy em 1190. Ralph Murdac foi um homem real, mas como dados pessoais sobre indivíduos do século XII são muito escassos, inventei quase tudo a seu respeito, exceto seu nome. O mesmo se aplica a outros personagens históricos, como Ralph FitzStephen, o condestável de Winchester; Robert de Thurnham, o homem leal ao rei que tinha um castelo em Kent; seu irmão, Stephen, e Fulcold, camareiro de Eleanor.

Piers, a desafortunada vítima do sacrifício, é obviamente uma invenção, mas o modo como morreu é baseado em evidências arqueológicas relativas a sacrifícios humanos celtas, particularmente o do Homem de Lindow, um cadáver mumificado do século 1 d.C. encontrado em 1984 em Cheshire. O Homem de Lindow, um indivíduo de posição social elevada, muito possivelmente um druida, fora atingido na cabeça, estrangulado e degolado como parte de um ritual pré-cristão, antes de ser jogado em um pântano de turfa no qual o corpo ficou perfeitamente preservado por centenas de anos.

Existem poucas evidências de que o paganismo fosse disseminado na Inglaterra no século XII; na verdade, a maioria dos acadêmicos concorda atualmente que o país era quase universalmente cristão. Contudo, gosto de acreditar, talvez fantasiosamente, que deveria haver grupos de pessoas, em locais selvagens e inacessíveis, que ainda abraçavam os deuses antigos, que ainda praticavam bruxaria e magia e que resistiam ferozmente à autoridade espiritual da Igreja onipresente. Vejo o próprio Robin Hood como uma encarnação de um espírito selvagem da floresta; uma manifestação de todas as coisas não urbanas, não civilizadas e não cristãs. E acredito que parte da atração duradoura exercida por ele repouse nesta excitante "estranheza".

Então, Robin Hood foi um homem real? É uma pergunta difícil. Terá existido algum dia um fora da lei chamado Robert que se escondia na floresta de Sherwood, ou talvez de Barnsdale, durante a alta Idade Média, e conquistou sua reputação por roubar viajantes? É praticamente certo que sim. Na verdade, como Robin era um nome comum e o ato de roubar o último recurso de muitos camponeses famintos — e também a opção de alguns cavaleiros pobres —, é provável que tenham existido muitos homens que poderiam se enquadrar em tal descrição. Talvez dúzias. Reconheceríamos algum dos candidatos ao título como o Robin Hood de nossas lendas modernas, roubando dos ricos, dando aos pobres, gracejando com seus homens bem-humorados enquanto dava tapas em uma coxa coberta por calças verdes? Muito provavelmente, não.

Na literatura, a primeira aparição de Robin Hood foi em um poema de 1370 escrito por William Langland, conhecido como "A visão de Piers Plowman". No poema, existe um clérigo preguiçoso que conhece as histórias populares de Robin Hood melhor do que as orações. Portanto, sabemos que as lendas sobre Robin eram conhecidas na segunda metade do século XIV, quando Langland escreveu o poema. Mas alguns acadêmicos alegam ter rastreado o próprio homem. As primeiras referências para um possível Robin Hood aparecem em documentos legais da primeira metade do século XIII. Em 1230, o xerife de Yorkshire relatou os bens que confiscara de um fugitivo chamado Robin Hood. Outro Robin Hood de Burntoft, no condado de Durnham, é citado como proprietário em um documento oficial de 1244. Posteriormente, ele perdeu sua propriedade. Portanto, seria possível que este homem tivesse se tornado um fora da lei? A questão fica ainda mais confusa porque, na segunda metade do século XIII, os nomes "Robinhood" e "Robehod" aparecem com frequência nos registros de tribunais de diversos condados do norte. Seriam nomes verdadeiros ou apenas palavras genéricas para qualquer ladrão de estrada, ou pseudônimos fornecidos por criminosos na esperança de obter algum glamour através da associação com o famoso fora da lei? Acredito que jamais teremos certeza. O que podemos presumir é que Robin Hood, caso tenha existido, agiu durante o começo do século XIII, ou antes. Escolhi situar minhas histórias no final do século XII e no princípio do século XIII puramente porque os filmes e programas de televisão a que eu assistia quando estava crescendo estabeleciam os feitos de Robin nesta época.

Se Robin foi uma pessoa real, a personificação de um espírito pagão da floresta, uma "marca registrada" utilizada por criminosos orgulhosos ou um amálgama de muitos fora da lei, ainda considero as histórias a seu respeito estranhamente envolventes. Espero que você também ache o mesmo; e espero que goste do próximo livro da série, que trata das aventuras de Robin e Alan na longa e empoeirada estrada para a Terra Santa.

Angus Donald
Kent, janeiro de 2009

Agradecimentos

Este livro levou quase sete anos para se transformar de um bate-papo descompromissado no bar em um volume impresso de verdade, e durante este período fui ajudado por um grande número de pessoas: profissionais literários, bibliotecários, jornalistas e historiadores, amigos e familiares. Primeiramente, eu gostaria de agradecer a meu agente, Ian Drury, da Sheil Land Associates, que detectou algum potencial nos poucos capítulos esboçados que enviei a ele; gostaria também de agradecer a David Shelley, da Sphere, por concordar em publicar o livro e à sua colega Thalia Proctor, por ter feito um trabalho de edição tão bom. A equipe da British Library foi brilhantemente solícita ao longo dos anos, assim como a equipe gentil da Biblioteca de Tonbridge. Eu também gostaria de agradecer a Kieron Toole por ter sido tão paciente enquanto me ensinava a caçar veados.

Agradeço aos amigos que tanto sofreram e aos ex-colegas de trabalho no *Times* por terem aturado conversas intermináveis no *Caxton* sobre mim e minhas ambições literárias, quando poderíamos estar falando sobre coisas muito mais interessantes (como sobre eles e suas ambições literárias). Meus irmãos, Jamie, John e Alex, também merecem uma menção especial, pois trabalhamos juntos muitos pontos complicados da trama enquanto caminhávamos pelos campos de Kent nas manhãs de domingo, ou tomando um gole ou três para nos refrescar depois. Meus pais, Alan e Janet, também me ajudaram muito, trazendo-me livros antigos e artigos relevantes de jornais, fazendo sugestões e, é claro, por terem me dado mais de quarenta anos de amor e apoio.

Não tive o prazer de conhecer algumas das pessoas que mais me ajudaram, especificamente os historiadores cujos livros tive o prazer de ler: quero agradecer particularmente a John Gillingham, por sua magnífica obra *Richard I*, a Alison Weir por *Eleanor of Aquitaine*, a A.J. Pollard por *Imagining Robin Hood*, a Mike Dixon Kennedy por *The Robin Hood Handbook*, que sempre está na minha escrivaninha, a Robert Hardy e Matthew Strickland, por *The Great Warbow*, e a David Boyle, por *Blondel's Song*.

Peço desculpas antecipadamente por quaisquer erros históricos que eu tenha cometido; apesar da enorme ajuda que tive ao escrever este livro, tais erros são inteiramente meus.

Este livro foi composto na tipologia StoneSerif,
em corpo 9,5/16, impresso em papel off-white 80g/m²
no Sistema Cameron da Divisão Gráfica
da Distribuidora Record.